»Irène Kilubi packt eines der drängendsten Themen unserer Zeit an. Denn: Wir können es uns angesichts epochaler Herausforderungen wie dem Klimawandel nicht mehr leisten, verschiedene Generationen gegeneinander auszuspielen.«

Louisa Dellert
Autorin, Social-Media-Beraterin, Influencerin

»Neugierde ist die Grundlage von Wissen. Neugierde kennt keinen Generationenkonflikt. Erfahrung und Entdeckung gehören immer zusammen. Die Wissensgesellschaft braucht den Spirit dieses Buches, wir brauchen ihn: Menschen zählen, nicht Herkunft und Jahrgang.«

Wolf Lotter
Publizist und Transformationsexperte

»Konkretes Rüstzeug für einen konstruktiven Dialog und erfolgreiche Zusammenarbeit zwischen den Generationen in polarisierten Zeiten.«

Prof. Dr. Christian Busch
Bestsellerautor »Erfolgsfaktor Zufall«

»Irène Kilubi zeigt in ihrem Buch eindrucksvoll, dass es nicht nur reicht, einen Dialog zwischen Alt und Jung anzustoßen - wir müssen auch produktiv zusammenarbeiten. Gerade in Zeiten des Fachkräftemangels ein längst überfälliges Buch.«

Annahita Esmailzadeh
Managerin Microsoft, Business-Influencerin &
Bestseller-Autorin

Klimaschutz-Beitrag
mit
First Climate.com
2024
CO₂-Zertifikate

IRÈNE KILUBI

DU BIST MEHR ALS EINE ZAHL

Warum das Alter keine Rolle spielt

MURMANN

Intro

Wie jede Lebensgeschichte ist auch meine Lebensgeschichte eigen.

Ich bin nicht in Deutschland geboren, sondern als kleines Kind hierhergekommen. Meine Mutter, mein Vater und ich waren Geflüchtete. Meine jüngeren Geschwister kamen in Deutschland zur Welt.

Während mein Vater weiterzog – er wollte nur weg aus diesem Land –, blieb meine Mutter mit uns Kindern hier. Ich verspüre den Impuls, das Wort »alleine« hinzuzufügen, aber wir waren nicht alleine. Mit der Zeit stellten sich Freund*innen an unsere Seite. Unterstützer*innen. Weggefährt*innen und Leidensgenoss*innen.

Dennoch musste ich früh lernen, erwachsen zu werden, Geld zu verdienen und zu verhandeln, wenn sich meine Mutter das eine oder andere für mich nicht leisten konnte. Wie meine Freund*innen wollte auch ich als Mädchen auf dem Rücken eines Pferdes sitzen, also habe ich kurzerhand die Hofbesitzerin gefragt, ob ich den Stall ausmisten oder Kirschen pflücken darf – und im Gegenzug dafür reiten. Das besagte Glück auf Erden habe ich nicht gefunden, dafür Vertrauen in mich selbst.

Bis zum Alter von 14 habe ich in Geflüchtetenheimen gelebt, sie waren mal mehr, mal weniger spartanisch. Und doch hat es mir an nicht viel gefehlt. Immer habe ich Wege und Möglichkeiten gefunden, mir meine Wünsche zu erfüllen. Erst Erdbeeren und Kirschen pflücken, später babysitten, Nachhilfe geben, Zeitungen austragen. In einer Papierdruckerei am Fließband stehen, im Schwimmbad putzen, in Bars kellnern. Ich war mir nie zu schade für eine Tätigkeit, mehrere Jobs gleichzeitig gehörten zu meiner Normalität. Vor allem, wenn es wieder hieß, »wir brauchen fürs Auto Winterreifen« oder »die Waschmaschine ist kaputt« – und das Familienkonto diese Extraausgabe wie so oft nicht decken konnte.

Aber auch ich konnte mich immer auf meine Familie verlassen. Als ich in Großbritannien meinen Master in Supply Chain und Logistics Management absolvierte und alles teurer wurde als gedacht, haben alle zusammengelegt, um mir den Aufenthalt zu ermöglichen, meine Schwester plünderte gar das Konto meines Neffen. Und als ich als Kind unbedingt eine Schreibmaschine wollte, knapste meine Mutter Monat für Monat etwas ab. Wir lieben diese Geschichte und erzählen sie uns auf Familientreffen immer wieder, denn kurz nachdem mein Traum in Erfüllung ging und das gute Ding endlich auf meinem Schreibtisch stand, bekamen meine Freund*innen alle einen Computer ...

Meine Lebensdevise: Vergiss nicht, woher du kommst. Sei stolz, was du aus dir gemacht hast. Freue dich auf die Reise, die vor dir liegt.

Manchmal schlägt das Schicksal zu und das Leben zwingt dich in eine Richtung, in die du nicht willst. Lass dich darauf ein und sieh die Möglichkeiten. Chance schlägt Risiko. Vielleicht ist es anfangs ungemütlich, ins kalte Wasser zu springen. Aber auch dort lernt man schwimmen. Meistens sogar besser und schneller. Mit jedem Zug, den du eigenmächtig vollführst, wirst du dich selbstständiger, autarker fühlen. Die Lebenslust wächst, die Angst schwindet – und mit ihr zugleich die Sehnsucht nach einem Zurück ins wohltemperierte Nichtschwimmerbecken.

Doch wenn dich dein Umfeld in eine Richtung drängt, halte dagegen. Nur du allein kannst wissen, was in dir steckt. Wie oft habe ich gehört: Das kannst du nicht, das schaffst du nicht, dafür bist du nicht geeignet, du gehörst nicht dazu, bilde dir nichts ein, mach lieber etwas anderes. Wenn man nicht aufpasst, sickern diese Aussagen ein und man verliert sich selbst aus dem Blick. Deswegen: Lass dir nicht den Schneid abkaufen und glaub an dich – wenn du es nicht tust, wer dann?

Nach dem Abitur war ich mir unsicher, welchen Beruf ich ergreifen sollte. Mir wurde gesagt, ich wäre doch so kontaktfreudig und offen, warum also nicht Werbung, Marketing oder Vertrieb? Aber ich wollte nicht in eine Schublade gesteckt werden und die Klischees anderer erfüllen.

Ich versuchte Abstand zu gewinnen von all dem Noise – tu dies, tu das – und allmählich wurde mir klarer, wie es für mich persönlich weitergehen kann. Ich war immer gut in Mathematik und sehr interessiert an Technik. In den frühen 90er-Jahren, als Videospiele populär wurden, war ich eines der ersten Gamer-Girls und süchtig nach Super Nintendo und Game Boy. Also entschloss ich mich, Wirtschaftsingenieurwesen zu studieren. Nach meinem Abschluss ging ich zu BMW, danach folgten Siemens Inhouse Consulting und Deloitte mit Digitalisierungsprojekten unter anderem für die Europäische Zentralbank, Vodafone, Unitymedia und Allianz Global Investors. BMW und Siemens gestatteten mir profunde Einblicke in die Automobilbranche und den Maschinenbau. Bei Deloitte kamen der öffentliche Sektor, die Welt der Banken, Finanzen und Telekommunikation dazu.

Ich stieg in den Fahrstuhl des Lebens, mit dem Ziel, möglichst viel zu sehen. Beschäftigte mich nebenberuflich mit Persönlichkeitsarbeit, Social Media und Personal Branding. Promovierte und ergatterte mit 29 Jahren meinen ersten Lehrauftrag als MBA-Dozentin für Einkauf und Beschaffung.

In diesem turbulenten Lebensabschnitt realisierte ich, welch starke Diversitäts- und Diskriminierungsdimension das Alter darstellt.

Nehmen wir nur BMW. Mit meinen 25 Jahren war ich mit Abstand die Jüngste in der Abteilung, die nächstältere Kollegin war 43. Mein Eifer, mein Ehrgeiz wurden mit einer Zahl und der Zugehörigkeit zu einer Generation in Verbindung gebracht:

»Das ist typisch für die Generation Y, die denken, mit Zertifikaten und Fleiß kommt man weiter. Die sollen den Job mal paar Jahre machen, die Extrameile gehen und dann mit 50 merken, das alles für die Katz war.«

»Als ich 25 war, dachte ich auch, ich könne die Welt verändern.«

»Irène, wir brauchen solche Leute wie dich, die Drive haben und Verantwortung übernehmen wollen. Aber du bist noch sehr jung. Ich war erst Ende 30, als ich Führungskraft wurde. Sei geduldig, mach langsam, geh runter vom Gas.«

Ich wollte aber lieber auf das Alter pfeifen. Weil es für mich damals wie heute auf die Passion und das Potenzial eines Menschen ankommt. Warum lassen wir uns von einer Zahl derart limitieren? Und leben ein Leben, in dem es nur eine sehr kurze Phase gibt, in der wir nicht »zu jung« oder »zu alt« sind.

Mein Geburtsjahr steckt mich in die Kohorte »Generation Y«. Ich fühle mich ihr verbunden, weil ich mit Gleichaltrigen bestimmte Erfahrungen teile. Moden, Trends, Musik. Doch in allererster Linie bin ich Irène. Irène Kilubi. Meine Hautfarbe, meine soziale Herkunft und mein Alter spielen für mich keine bedeutsame Rolle – außer, die Gesellschaft weist mich aufgrund dessen in Schranken.

Um sie nicht nur für mich zu durchbrechen, ist mein Thema das große Spiel der Generationen. Leider sind wir es immer noch nicht leid.

Die Älteren, früher selbst beschimpft von der Eltern- und Groß-elterngeneration, rümpfen die Nase über die Jüngeren: faul, nicht belastbar, unerfahren, unzuverlässig. Die Jüngeren wehren sich gegen die Überheblichkeit der Älteren – dominant, übergriffig, besserwisserisch –, um drei, vier Jahrzehnte später ins selbe Horn zu blasen. Die Medien heizen den Generationen-konflikt zusätzlich an, der da angeblich in Wirtschaft, Politik und Gesellschaft tobt.

Altersdiskriminierung ist ein weitverbreitetes Problem, das Menschen aller Altersgruppen betrifft. Sie wird oft als *Ageismus* und *Adultismus* bezeichnet und kann sich in verschiedenen Formen äußern, etwa in negativen Stereotypen, Annahmen und Vorurteilen aufgrund des Alters einer Person. *Ageismus* richtet sich speziell gegen ältere Menschen und kann sich auf ihre Beschäftigungs-möglichkeiten, ihre Gesundheitsversorgung und ihren sozialen Status auswirken. Im Gegensatz dazu ist *Adultismus* eine Form der Diskriminierung, die sich gegen jüngere Menschen wendet und sich in mangelndem Respekt für deren Meinung, dem Ausschluss von Entscheidungs-prozessen und eingeschränkten Möglichkeiten der persönlichen und beruflichen Entwicklung äußern kann.

Schluss damit, kann ich nur entgegnen und plädiere für ein ge-nerationsübergreifendes Miteinander in Unternehmen und im sozialen Alltag. Dafür habe ich den Sprung in die Selbststän-digkeit gewagt und 2021 eine Non-Profit-Initiative namens JOINT GENERATIONS gegründet, die die Kommunikation und die Zusammenarbeit zwischen den Generationen verbessern will. Es gibt viele Initiativen, die sich um die Belange der jünge-ren Generationen – insbesondere der Gen Z –, und einige, die sich um die Belange der älteren Generationen kümmern. Ge-nau hier setzen wir an. Wir engagieren uns für alle Generationen gleichermaßen und verstehen uns als Stimme, Sprachrohr, Heimatort und Energiequelle für eine altersdiverse Gesellschaft.

Unser Credo: Die Zukunft ist jung UND alt. Weil wir nur zusammen und auf Basis gegenseitiger Wertschätzung und gegenseitigem Vertrauen zukünftige Umbrüche, Aufbrüche und Durchbrüche zum Wohle aller gestalten können.

Mit meiner Arbeit und auch mit diesem Buch will ich mich einmischen, vermitteln, verbinden. Ja, auch den Finger in Wunden legen. Manche sagen, ich wäre stur. Da ist sicherlich was dran. Aber es will mir einfach nicht in den Kopf:

Ich werde nie wissen, wie es ist, ein weißer Mann oder eine weiße Frau zu sein, ein Mensch mit angeborener Beeinträchtigung oder mit Aussicht auf ein dickes Erbe. Aber ich weiß, wie es sich anfühlt, Kind, Jugendliche und junge Erwachsene zu sein. Diese Phasen habe ich bereits durchlebt. Seit meiner Geburt befinde ich mich wie meine Mitmenschen auf der Reise ins Älter- und Altwerden. Warum sollte ich ihnen also Steine in den Weg legen? Sie in Schubladen stecken? Beurteilen und verurteilen? Die immer gleichen stereotypen Geschichten erzählen, die sich mitnichten mit meinen eigenen Erfahrungen und Begegnungen decken? Das Alter sagt so wenig über einen Menschen aus!

Klingt alles so plausibel. So selbstverständlich. So zwangsläufig. Die Realität aber sieht vielerorts anders aus.

Zoom-in 1:
Alter ist als soziale Kategorie ein Diskriminierungsmerkmal. Eines, das uns alle betrifft. Und doch spricht kaum jemand darüber, wenn er oder sie aufgrund des Alters diskriminiert wird. Auch weil es schwierig nachzuweisen ist, dass man ausgegrenzt wird, weil man zu alt oder zu jung ist.

Ashley Martin, Professorin an der Stanford Graduate School of Business, und Michael North, Professor an der New York University, bezeichnen Altersdiskriminierung als die letzte, weithin akzeptierte Form der Diskriminierung. Während Diskriminierungen bezüglich sozialer Herkunft, Geschlecht, sexueller Orientierung oder Aussehen schon länger im Lichte betrachtet werden, bleibt die Benachteiligung aus Altersgründen weiterhin im Schatten. Dabei zeigt eine Umfrage der Antidiskriminierungsstelle des Bundes aus dem Jahr 2023, dass Millionen Menschen tagtäglich Altersdiskriminierung erleben. Sie berichten über ungerechte Behandlung aufgrund ihres Alters im Arbeitsleben, auf dem Wohnungsmarkt, beim Zugang zu Versicherungen oder Finanzgeschäften sowie beim Zugang zu öffentlichen Gesundheits- und Sozialleistungen. Die Expert*innen sprechen sich seit der Analyse für die Aufnahme des Diskriminierungsmerkmals »Lebensalter« in Artikel 3 des Grundgesetzes und eine rasche Reform des Allgemeinen Gleichbehandlungsgesetzes zur Verbesserung des Diskriminierungsschutzes aus. Endlich!

Zoom-in 2:
Die ständige Fehldarstellung des Alters hat erhebliche Auswirkungen auf das geistige und emotionale Wohlbefinden, das Selbstwertgefühl und die Fähigkeit zur uneingeschränkten Teilnahme. Denn die ständige Überflutung mit Bildern, Filmen, Texten und Kommentaren, die auf Stereotypen und Vorurteilen basieren, verzerrt das Selbstverständnis von Menschen und erschwert den Dialog zwischen Jung und Alt. Schublade auf, Schublade zu. Ältere Mitmenschen trifft es mitunter besonders hart. Gerade während der Coronapandemie wurde in den Medien wieder besonders stark auf ihre Vulnerabilität und Gebrechlichkeit verwiesen. Zeitgleich hüpfen sie in der Werbung für Altenheime, Privatkrankenhäuser, Versicherungen, Sport, Reha oder Urlaub vital, lebenslustig und gut gekleidet durchs Bild. Zweierlei Maß und beide Male eindimensional.

Zoom-in 3:

Der demografische Wandel mit seiner schwachen Geburtenrate und der Fachkräftemangel stellen uns jetzt und in Zukunft vor große gesellschaftliche und wirtschaftliche Herausforderungen. Mehr als 80 Prozent der deutschen Unternehmen fürchten negative Folgen aufgrund des Arbeitskräftemangels, jedes vierte rechnet sogar mit dem Verlust der Wettbewerbsfähigkeit. Schon allein deswegen ist es ein Irrsinn, auch nur einen Menschen aufgrund seines Alters auszugrenzen. Zudem braucht es mit Blick auf die Krisen, die vor uns liegen, die Perspektiven und Vielstimmigkeit aller Generationen. Wir müssen Allianzen schmieden und eine Vision entwickeln, die uns eine gemeinsame Zukunft ermöglicht.

Da wir uns im Berufsleben zwangsläufig über den Weg laufen, spielt die Arbeitswelt in meinem Buch eine wichtige Rolle. Babyboomer, Golfer (Gen X), Millennials (Gen Y) und Digital Natives (Gen Z) – vier Generationen unter einem Dach schaffen eine Altersdiversität wie nie zuvor. Sie müssen lernen, aufeinander zuzugehen und sich gegenseitig zu stärken. Je schneller, desto besser. Denn die fünfte Generation, die Alphas, gesellt sich in wenigen Jahren dazu.

Das Schöne daran: Wenn wir es in der Arbeitswelt schaffen, Vorurteile abzubauen und ein gutes Miteinander zu institutionalisieren, wird sich das auch positiv auf unser Zusammenleben jenseits der Unternehmensmauern auswirken. Davon bin ich überzeugt. Wirtschaft und Gesellschaft gehören zusammen und zusammengedacht, sie beeinflussen und bedingen sich einander.

Dieses Buch trägt nicht ohne Grund den Button »Action Book«. Weil es nicht nur beschreiben und analysieren, sondern auch konkrete Werkzeuge und Methoden an die Hand geben will.

Jedes Kapitel ist ähnlich aufgebaut. Ich erzähle von persönlichen Erlebnissen, gebe Einblick in meine Gedankenwelt und mein Leben. Scanne nützliches Daten- und Wissensmaterial aus nationalen und internationalen Studien, Umfragen, Artikeln und Büchern. Bilde die Stimmung aus meiner Community ab und bitte Expert*innen hinzu. Im Vorfeld habe ich einerseits Hunderte von Zuschriften und Kommentaren gelesen, die auf meinen Social-Media-Plattformen öffentlich gepostet wurden oder mich privat per Chat oder per E-Mail erreicht haben, und andererseits 60 Interviews und Gesprächsrunden mit Unternehmer*innen, Personaler*innen, Diversity-Manager*innen, Gründer*innen, Berater*innen, Politiker*innen, Wissenschaftler*innen und Aktivist*innen geführt. Im Fokus Themen und Fragen, denen ich in den einzelnen Kapiteln vertieft nachgehe:

Was sind die Grundpfeiler für eine altersdiverse Gesellschaft und Arbeitswelt? Wie können wir gewährleisten, dass Wissen zwischen jüngeren und älteren Menschen frei fließen kann? Wie finden wir den Mut, jungen Menschen mehr zuzutrauen und die gewohnte Konstellation »Alt führt Jung« zu durchbrechen? Wie erhöhen wir die Akzeptanz gegenüber der individuellen Lebens- und Karrieregestaltung von Menschen? Was unterscheidet die Generationen und welche Gefühle, Bedürfnisse und Wünsche verbindet sie? Wie sieht eine wertschätzende, inklusive, aber auch zeitgemäße Kommunikation aus? Wie können wir auch jenseits der Arbeit Orte schaffen, an denen sich Menschen über alle Altersgrenzen hinweg treffen und austauschen können? Sollen wir Generationenbegriffe wie »Babyboomer« oder »Gen Z« überhaupt noch nutzen? Und wie werfen wir auf unserem Weg in eine Zukunft, in der Alter keine Rolle spielt, auch gleich noch althergebrachte Altersbilder über Bord – die die Medien zwar heute noch verbreiten, die aber längst nicht mehr unserer Lebensrealität entsprechen?

Age Diversity, zu deutsch Altersdiversität oder Alters-vielfalt, beschreibt die Vielfalt der Altersgruppen inner-halb einer Gemeinschaft, Organisation oder Gesellschaft. *Age Diversity* erkennt an, dass Menschen aufgrund ihres Alters unterschiedliche Perspektiven, Erfahrungen und Fähigkeiten mitbringen. Legt aber auch die Verbindungs-linien frei, um die Gemeinsamkeiten zu sehen. Ziel ist es, Brücken zwischen Jung und Alt zu schlagen für ein gene-rationsübergreifendes Miteinander ohne Konkurrenz.

Am Ende eines jeden Kapitels findet sich ein Generationentrai-ning, das einlädt, nachzuspüren, nachzudenken, Perspektiven, Vorurteile und Glaubenssätze zu überprüfen. Und zuletzt der Call2Action. Weil es zwar schön ist, wenn du dieses Buch liest und vielleicht sogar weiterempfiehlst. Aber viel wichtiger ist es, dass sich daraus konkrete Schritte, Aktionen und Projekte ab-leiten.

Überspitzt gefragt: Was bringt es, wenn mein Buch auf einer Bestsellerliste landet, aber sich rein gar nichts in unserem Land bewegt? Allein fürs Ego hätte ich keine 280 Seiten schreiben müssen.

Nein!

Ich möchte dich mit meiner Energie, meiner Leidenschaft und meinem Zukunftsoptimismus anstecken. Mich mit dir vernet-zen, Eindrücke verarbeiten, Perspektiven ausloten, Wissen meh-ren, Methoden verfeinern, Werkzeuge weiterentwickeln und das Fundament stärken für eine nachhaltige, lebenswerte und fort-schrittliche Zukunft, in der alle Menschen, ob jung oder alt, glei-chermaßen ihren Platz finden.

Überlassen wir die Zukunft nicht dem Zufall! Dafür stehe ich mit meinem Namen und setze meine soziale Reichweite ein.

Und so lautet mein erster Call2Action:

> Welche Begriffe kommen dir in den Sinn, wenn du »Babyboomer« und »Gen Z« hörst?
>
> Jeweils drei Begriffe. Kurz und prägnant.
>
> Wiederhole die Übung, wenn du das Buch gelesen hast.

Einzige Bedingung: Kehre nicht zurück auf Los und motte das alte Spiel der Generationen ein. Die Zeit ist reif für eine komplett neue Version!

1
BASIS-
LAGER

> über die vier Grundpfeiler für mehr Altersdiversität

INKLUSIVE
GENERATIONENTRAINING:

PARKBANK
UND JOBCRAFTING

Ich erinnere mich ziemlich gut an die Hochphase der Corona-pandemie. Eigentlich wollte ich damals zusammen mit zwei Mitstreiter*innen am Münchner Marienplatz einen Coworking-Space eröffnen, die Social-Media-Kampagne dazu lief bereits auf Hochtouren, wir posteten Bilder und Videos von unseren Räumen und freuten uns über knapp 300 Anmeldungen. Doch dann rief die Bundesregierung am 22. März 2020 den ersten Lockdown aus und wir mussten das Event absagen. In den Tagen darauf bewegte ich mich wie in Trance durch die Stadt, sah Menschen durch Straßen huschen und stand in Supermärkten vor leeren Regalen. Erst als Ende April die Maskenpflicht folgte, realisierte ich die Tragweite der Pandemie. Nicht nur den Traum von einem neuen Treffpunkt mitten in der Stadt galt es zu begraben, so gut wie alle Jobs als Moderatorin und Speakerin brachen weg. Auf die gerade noch gestellte Anfrage: »Willst du den größten HR-Kongress moderieren?« folgte die Überlebensfrage: »Wie komme ich als Solo-Entrepreneurin über die Runden? Welche neuen Möglichkeiten tun sich auf?«

Die Phase war schwierig – für jede*n von uns. Und doch hat Corona eine Erkenntnis, ja, einen unschätzbar wertvollen Beweis ans Tageslicht befördert, der mir bei meiner heutigen Arbeit extrem hilft:

Wie gut Menschen mit plötzlichen Krisen umgehen und sich an neue Formen der Zusammenarbeit sowie Technologien anpassen können, hat nichts mit Alter zu tun!

Sondern mit der Art und Weise, wie nachhaltig sie durch eine Phase des Umbruchs begleitet, unterstützt und geführt werden.

Die Erkenntnis, dass es »keine signifikanten Unterschiede zwischen den Generationen gibt«, ja sich die Älteren sogar leichter an die neuen Arbeitsbedingungen angepasst hätten, beruht auf einer Umfrage, die Deloitte 2021 unter 10 000 Arbeitnehmenden in sieben europäischen Ländern durchgeführt hat. Die Hälfte der Befragten war 50 oder älter, die andere Hälfte älter als 18, aber jünger als 50. In ihrer Conclusio schreiben die Studienleiter*innen: Mit Blick auf den demografischen Wandel »bietet die Krise die Gelegenheit zu überprüfen, ob der traditionelle Ansatz der Segmentierung nach Altersgruppen weiterhin gültig ist.«

Das Spannende daran: Die meisten meiner Gesprächspartner*innen gehen mit dem Aufruf d'accord und sehen die Überwindung von Schubladendenken und die Zusammenführung der Generationen ebenfalls als das Gebot der Stunde an.

> Weil es nicht angeht, Menschen aufgrund falscher Annahmen über das Alter nicht optimal in die Arbeitswelt zu integrieren.

> Weil man während der Krise selbst gemerkt hat, wie anpassungsfähig Menschen unabhängig ihres Alters sind.

> Weil man es sich mit Blick auf Demografie und Fachkräftemangel nicht leisten kann, humanes Kapital links liegen zu lassen.

> Weil der Match von Kompetenzen immer mehr ist als einzelne Kompetenzen für sich.

> Weil ein Unternehmen, das Perspektiven mehrerer Generationen miteinander vereint, potenzielle Markträume besser identifizieren und besetzen kann.

> Weil Spaltung niemandem etwas bringt und sich Stärke – auch wirtschaftliche Stärke – nur durch Zusammenhalt und Zusammenarbeit entwickeln kann.

Nichtsdestotrotz sieht die Realität in unserer Arbeitswelt anders aus, wie mir viele Gesprächspartner*innen ebenfalls bestätigen.

»Was ich mir wünsche: deutlich mehr intergenerationale Entscheidungen, sowohl in der Wirtschaft als auch in der Politik. Ich sehe meist primär alte oder primär junge Gremien. Ganz selten sieht man einen gesunden Mix. Die Jungen entscheiden aufgrund mangelnder Erfahrungswerte sehr schnell, oftmals naiv – wenn auch sehr richtig in Bezug auf moderne Technologien und mit einer inhärenten Intuition für Komplexität. Und die Alten entscheiden oft ohne Verständnis für moderne Phänomene, aber mit deutlich längerem Blick in die Zukunft. Die Qualität von Entscheidungen würde aus meiner Sicht stark zunehmen, wenn sich die beiden Extreme explorieren und ausgleichen würden, sodass eine uniforme Altersverteilung in Gremien entsteht. Doch leider passiert das viel zu selten. Es fehlt der Wille und es mangelt an Empathie.«

Daniel Dippold, Gründer und CEO von EWOR

An fehlendem Wissen kann es nicht liegen. Über Generationenmanagement sprechen wir seit Jahrzehnten, nicht seit wenigen Jahren. Wie lange das Thema schon in der Luft liegt, muss auch ich mir immer wieder vor Augen führen, indem ich alte Artikel aus meinem Archiv ziehe, wie zum Beispiel ein Interview mit Markus Rimser. Der Unternehmensberater und Autor des Buches *Generation Resource Management. Nachhaltige HR-Konzepte im demografischen Wandel* hat bereits 2007 (!) empfohlen, von dem Defizitmodell »Leistung und Veränderungsbereitschaft sinkt mit den Lebensjahren« endlich abzukommen und stattdessen mit Blick auf demografischen Wandel und Fachkräftemangel ein »Generationenmanagement aufzubauen, das allen Generationen gerecht wird«. Und jeden Menschen dort unterstützt, wo er Unterstützung braucht.

Rimser hat viele Unternehmen beraten und von innen gesehen, sein Fazit und seine Prognose fielen wenig optimistisch aus:

»Viele Unternehmen tragen tolle Konzepte vor sich her, behaupten, sie seien höchst aktiv in dem Bereich, weil sie das medial wunderbar durch die Welt posaunen können, doch konkret passiert fast gar nichts. Bestenfalls laufen einzelne Projekte, die irgendwann abgeschlossen sind, dann ist Schluss (...). Das Gros der Unternehmen wird in den nächsten fünf, sechs Jahren nicht reagieren, dann brennt das Feuer bis unters Dach, der Wind bläst den Firmen knallhart ins Gesicht.«

Seitdem sind zehn weitere Jahre ins Land gegangen und die Flammen ... züngeln weiter.

Blick zurück auf die bereits angesprochene Deloitte-Studie *Wrong numbers, why a focus on age can mislead workforce development*: Obwohl <u>70 Prozent</u> der befragten Unternehmen Generationenmanagement als wichtig für ihren wirtschaftlichen Erfolg betrachten, »fühlen sich <u>nur zehn Prozent</u> für die Führung von Multigenerationen-Belegschaften vorbereitet«. Warum ist das so? Warum kommen wir in puncto »Generationenmanagement« nicht wirklich voran?

<u>Wieso halten wir an Zuschreibungen bezüglich Alt und Jung fest, die sich oftmals nicht mit unserer eigenen Erfahrung decken und auch wissenschaftlich schwer zu halten sind?</u>

Lasst mich an dieser Stelle zusätzlich die Arbeit *Harnessing the Power of a multigenerational Workforce* der SHR Foundation aufführen, die 2017 die Annahmen über ältere Mitarbeitende auf ihren Wahrheitsgehalt hin abgeklopft hat.

> Aus »sie erwarten höhere Löhne« wird »sind oft bereit, weniger Geld zu akzeptieren, wenn sie im Gegenzug ihre Arbeitszeiten flexibler gestalten können oder ihre Arbeit sie mit Sinn erfüllt.«

> Aus »sind weniger produktiv« wird »es gibt keinen Zusammenhang zwischen Alter und Arbeitsleistung«.

> Aus »sind weniger innovativ« wird »es gibt keine Beweise, dass ältere Arbeitnehmer*innen weniger innovativ sind als jüngere«.

Ähnliche Gegenüberstellungen lassen sich auch für jüngere Arbeitnehmende finden.

Insofern lautet meine erste Antwort: Unsere Lebensstrukturen haben sich stark verändert und beeinflussen unseren alltäglichen Umgang mit Generationen nachhaltiger, als uns bewusst ist. Noch vor wenigen Jahrzehnten lebten wir in größeren Familien- und Nachbarschaftsverbänden zusammen. Heute hingegen alleine oder nur in kleinen Familien. Damit muss man sich privat nicht oder nur wenig mit anderen Generationen, deren Sichtweisen, Eigenarten und Interessen auseinandersetzen. Kurz: Man geht sich aus dem Weg, lebt nebeneinander statt miteinander und kolportiert über die jeweils andere Gruppe die immer selben stereotypen Geschichten.

»Globalisierung und Mobilität haben die Trennung der Generationen verschärft und Familienstrukturen auseinandergerissen. Menschen verlassen ihre Heimat, ziehen in eine andere Stadt oder gar in ein anderes Land. Das war früher nicht der Fall. Ich bin jetzt 60 plus und in meiner Schule gab es keinen einzigen Austauschschüler, das hat sich erst später entwickelt. Ich bin als junge Frau für ein paar Monate nach Dänemark gegangen, da war ich ein Exot in meinem Unternehmen. Erst recht, als

ich meinem Chef gegenüber geäußert habe, dass ich gerne nach Indonesien gehen würde. Oder Nigeria.«

Dagmar Hirche, Vorstandsvorsitzende der Organisation »Wege aus der Einsamkeit«, LinkedIn Top Voice

Wie soll es da plötzlich in der Arbeitswelt funktionieren, in der immer jüngere Schul- und Uniabsolvent*innen – 2022 lag das Alter der Hochschulabgänger*innen im Durchschnitt bei 23,6 Jahren, 2012 waren es noch 26,3 Jahre – auf immer ältere Mitarbeitende treffen? <u>Zumal es noch etliche Branchen, Unternehmen und Abteilungen gibt, die von der Alterszusammensetzung seit Jahren und Jahrzehnten hinweg recht homogen sind und sich dadurch die Notwendigkeit für ein generationsübergreifendes Miteinander gar nicht stellt.</u>

Weil man Mitarbeitende deutlich vor ihrem Renteneintrittsalter in den Ruhestand schickt oder ihnen erst nach vielen Jahren der Betriebszugehörigkeit den Zugang zu gewissen Etagen gewährt.

»Generationenkonflikte finden sich überall im Leben – auch in den exklusivsten Clubs der Welt. Wo wichtige und einflussreiche Persönlichkeiten zusammenkommen, entsteht eine Kluft zwischen den Generationen, die sowohl für die jüngere als auch für die ältere Generation nachteilig ist. Während junge Talente außerhalb dieser Kreise wertvolle Netzwerk- und Geschäftsmöglichkeiten verpassen, bleiben den etablierten älteren Mitgliedern innovative Ideen und frische Perspektiven vorenthalten. Diese Trennung führt dazu, dass beide Generationen in ihren eigenen ›Belief Bubbles‹ verharren, was den Austausch von Wissen und Erfahrungen behindert. Eine Lösung könnte in der gezielten Integration passender junger Talente in diese Ökosysteme liegen, um ein dynamisches und integratives Geschäftsumfeld zu schaffen.

Dies würde nicht nur die Potenziale beider Generationen maximieren, sondern auch zur Überwindung der Isolation in den ›Belief Bubbles‹ beitragen und eine inklusivere, innovationsorientierte Geschäftswelt fördern.«

Priscilla Schelp, Gründerin und CEO von networkx

Dass es dort verstärkt zu Konflikten kommt und kommen wird, liegt auf der Hand. Teamstruktur, Arbeitsweise und Dynamik fallen unter Mitarbeitenden zwischen Anfang 30 und Mitte 50 anders aus als unter Mitarbeitenden zwischen U20 und Ü60. Babyboomer mit mehreren Jahrzehnten Erfahrung bringen andere Fähigkeiten mit als Vertreter*innen der Generation Z. Das ist so. <u>Das lässt sich nicht schönreden, schlechtreden, ignorieren.</u> Zumal sich die Generationen aufgrund der Geschwindigkeit des technologischen und gesellschaftlichen Wandels immer schneller voneinander entfernen werden – wenn wir jetzt nicht gegensteuern.

»Immer, wenn eine Seite wenig Empathie gegenüber einer anderen Seite hegt, kommt es zu Konflikten. Männer gegenüber Frauen. Heterosexuelle gegenüber homosexuellen Menschen ... leider dauert es immer eine ganze Weile, bis das Thema gesehen, adressiert und sich im Zuge dessen Sensibilität sowie Empathie aufbauen. Auch bei den Babyboomern und der Generation Z sehen wir zwei Parteien, die sich nicht verstehen – aber wir müssen erst einmal begreifen, warum der Konflikt zwischen ihnen so ungemein groß ist. Die industrielle Revolution hat über drei Generationen hinweg stattgefunden, die digitale Revolution hingegen nur über eine und die AI-Revolution sogar weniger als eine Generation. Das heißt, die Gen Z wurde in nur wenigen Jahren in eine andere Welt katapultiert, zu der sich die älteren Generationen erst einmal Zugang verschaffen müssen. Instagram,

TikTok, ChatGPT. Komplett neue Dinge. Das führt zu Ver-
unsicherung, Ablehnung, Ängsten und Wertekonflikten.
Die Generation Alpha wird noch weiter von den Baby-
boomern weg sein als die Gen Z, weil die Geschwindigkeit
der Veränderung steigt. Vor 300 Jahren hat sich ein Leben
über 80 Jahre kaum verändert, doch heute wird man in
eine Welt ohne Internet geboren und erlebt 40 Jahre
später, wie ChatGPT Wissensarbeit redundant macht.«

Daniel Dippold, Gründer und CEO von EWOR

Zweite Antwort: Wir haben den Schmerzpunkt noch nicht erreicht! Unternehmen geht es trotz aller Schwierigkeiten zu
gut, als dass sie einen wirklich nachhaltigen Wandel einläuten
müssten, der Generationen miteinander vereint. Schade.

Mitarbeitende würden über alle Altersstufen hinweg feststellen, dass sie mehr verbindet als trennt.

»Wir machen in Unternehmen oft den Fehler, dass wir nur
ältere, topfitte Role Models in den Vordergrund rücken,
die den Jüngeren erzählen, wie sie es geschafft haben,
Karriere zu machen. Um einen ganzheitlicheren Blick zu
erhalten, sollten wir auch ältere Kolleg*innen erzählen
lassen, die durchaus Einschränkungen haben. Mit was
haben sie zu kämpfen, vor welchen Herausforderungen
und Schwierigkeiten stehen sie? Junge Menschen können
sich überhaupt nicht vorstellen, dass auch sie mögli-
cherweise irgendwann in diese Phase kommen, in der der
Körper nicht mehr so gut funktioniert oder der Geist
nicht mehr so schnell regeneriert. Solche Perspektiv-
wechsel sind enorm wichtig, um Verständnis füreinander
zu schaffen. Gleichzeitig müssen wir aber akzeptieren,
dass der Konflikt zwischen den Generationen in uns
Menschen angelegt ist und seinen Grund hat. Wie sollen

sich Kinder von ihren Eltern und Eltern von ihren Kindern lösen, wenn sie nicht auch Konflikte austragen? Das gehört zum Wachstumsprozess dazu. Ähnlich ist es in Unternehmen. Wir sollten Diskussionen und Disput auch etwas Positives abgewinnen. Denn ohne Reibung verbleiben wir in unserer Bubble und sind irgendwann nicht mehr erfolgreich, weil wir die wirklich spannenden Aspekte aus den Augen verlieren.«

Carolin Schlegtendal,
Personalleiterin und Expertin für Talentakquise

Gerade das Thema »Angst« spielt eine große Rolle. Das erlebe ich immer wieder.

<u>Junge Menschen haben Angst</u>, von Älteren ausgebremst, bevormundet und übervorteilt zu werden und im Falle von betriebsbedingten Kündigungen zu den ersten zu gehören, die gehen müssen, weil Chef*innen gesetzlich verpflichtet sind, bei denen anzufangen, die es vermeintlich nicht so hart trifft, weil jung, nicht so lange dabei, oftmals ungebunden und noch keine Kinder.

Hierzu stellvertretend zwei Kommentare aus meinem Netzwerk:

»Klar haben die Jüngeren weniger Berufserfahrung.
Dafür bringen sie andere Kompetenzen mit auf den Arbeitsmarkt. Doch ihre Meinung wird oft abgetan, ihnen wird nur wenig zugetraut und auch keine Verantwortung übertragen. Motto: Mach das mal zehn Jahre, dann sprechen wir weiter!«

»Ich stelle mir schon die Frage, was Erfahrung überhaupt bedeutet! Ich zum Beispiel habe mit 15 angefangen zu arbeiten und hatte direkt einen Job in einer Bäckerei. Mit 17, 18 und 19 war ich in einem Start-up tätig. Zählt diese

Erfahrung nicht mit, um dann vielleicht eine bessere Rolle zu bekommen? Diese starren, sturen Einstiegsmöglichkeiten sind auf jeden Fall eine große Herausforderung für uns junge Leute.«

Ältere Menschen haben Angst, dass sie angesichts von Digitalisierung, kontinuierlichen Veränderungen und Innovationen nicht mehr mithalten können. Sie fühlen sich bedroht, dass Jüngere ihnen den Platz wegnehmen, sie aufs Abstellgleis drängen und dass sie im Falle von betriebsbedingten Kündigungen mit einem goldenen Handschlag verabschiedet werden. Auch hierzu zwei Kommentare aus meiner Community:

»Seit Jahren sprechen wir vom Fachkräftemangel. Trotzdem fahren Konzerne nach wie vor große Programme, um mit Vorruhestandsregelungen und Altersteilzeit die Lebensarbeitszeit zu verkürzen, die nachkommende Jahrgänge nicht auffangen können oder wollen, rein kapazitär, teilweise aber auch, weil die Erfahrung oder das Know-how fehlt. Arbeitskräfte-›Import‹ aus dem Ausland ist zwar eine Lösung, die angeboten wird, um die Lücke zu schließen. Die fehlen dann aber in anderen Ländern … und motivierend ist das nicht, wenn man könnte und wollte, aber eben nicht die Möglichkeit bekommt. In diesem und im nächsten Jahrzehnt wird es deutliche Veränderungen geben. Die Alten werden in der Mehrheit sein – gesund wie nie zuvor – und ein großes Potenzial an Arbeitskraft und Energie darstellen. Es wäre schon gut, wenn wir das als Gesellschaft generationsübergreifend hinbekommen.«

»Die wichtigsten Ausschlussgründe und Ablehnungsmotive gegen 50+ liegen oft im Bereich Arbeitsrecht (›Die werden wir dann nie wieder los‹-Befürchtungen) und Gehalt (›Zu teuer für uns!‹). Dazu kommt die Sorge, ältere Bewerber hätten sich nicht um ihr Kompetenzportfolio gekümmert und wollten bis zur Rente eine ruhige Kugel schieben (>also mehr Balance als Work<). Alles unbewiesene Vorverurteilungen.«

Interessant sind in diesem Kontext zwei Umfragen des Berliner Demografie Netzwerks (ddn) mit folgenden Ergebnissen:

> 62,1 Prozent der befragten 50- bis 64-Jährigen blicken pessimistisch in ihre berufliche Zukunft, sie sehen für sich kaum noch Möglichkeiten, bei den über 65-Jährigen sind es 63,5 Prozent. Aber auch die Gruppe der 18- bis 29-Jährigen kommt auf erschreckende 34,4 Prozent.

> 85 Prozent der befragten Unternehmen investieren in die berufliche Weiterbildung ihrer jüngeren Mitarbeitenden, für die Älteren haben jedoch nur 46 Prozent Geld. Dafür kommen die Älteren bei den Themen »Gesundheitsför-derung« (60 Prozent) und »ergonomische Gestaltung des Arbeitsplatzes« (56 Prozent) zum Zug, Themen, die bei den Jüngeren zumindest nicht unter die Top 6 fallen.

Ich erinnere mich an einen Workshop in einem Unternehmen mit 1500 Mitarbeitenden. In der Feedbackrunde meldete sich ein Mann zu Wort, seine Ausführungen nicht ohne Wut vortragend:

»Dieser Jugendwahn, diese ganzen Junior-, Talent-, Leadership- und Exzellenz-Programme, nur für junge Leute! Auch bei Innovation Labs oder aktuellen Weiterbildungsthemen ist man komplett außen vor. Alles nur auf die Gen Z zugeschnitten. Ich frage mich wirklich: Was soll das? Was ist mit mir? Ich bin knapp über 50. Ich habe über 20 Jahre im Unternehmen gearbeitet. Ich bin auch exzellent und möchte Karriere machen! Nur weil ich 50 bin, heißt es nicht, dass ich jetzt irgendwie zum alten Eisen gehöre. Abstellgleis. Endstation.«

»Personaltransformation ist für alle Generationen ein riesiges Thema. Gerade in der Automobilindustrie. Wir befinden uns auf dem Weg vom Verbrenner zur Elektromobilität. Das bedeutet, wir müssen unser Team mit viel Erfahrung reskillen und upskillen, um es auf diesem Weg mitzunehmen. Generationenübergreifendes Arbeiten wird zu einem wichtigen Erfolgsfaktor. Es ist zu einseitig, zu sagen: Wir haben genug Nachwuchskräfte.«

Denise Mathieu, Leiterin Diversity Management bei Audi

Das Problem ist nur: Der Groll, der sich anstaut, richtet sich meistens gegen die »Anderen«, in diesem Fall gegen die Jungen, die sich im angestammten Revier breit machen und sich zu viel herausnehmen. Dabei steckt der Fehler, der beiden gleichermaßen schadet, im System und nicht nur wie in diesem Fall das Weiterbildungs- und Wissensmanagement von Unternehmen betrifft. Denn wie bereits angedeutet fängt Altersdiskriminierung schon beim Recruiting an, bei dem – zack – alle Schubladen gezogen werden.

Machen wir hierfür ein kleines Gedankenexperiment. Stellen wir uns vor, wir sind Personaler*innen und sollen für ein Start-up eine*n neue*n Marketing-Mitarbeitende*n finden. Jeweils drei Lebensläufe liegen uns vor, die Bewerbenden sind 20, 40 und 60 Jahre alt. Wen würden wir vermutlich nicht nehmen und warum?

»Eigentlich haben wir nur eine ganz kurze Spanne, in der wir für die Arbeitswelt richtig sind. Weil wir entweder noch zu jung und zu unerfahren sind, oder schon zu alt. Ich denke, wir brauchen eine andere Logik von Wirtschaft, in der Menschen viel mehr zählen – weil das Gefühl, verkehrt zu sein, einen unglaublichen Druck ausübt. Auf die Jüngeren und auf die Älteren

oftmals noch viel mehr. Gemeinsam sollten wir an einer Welt arbeiten, in der es schön ist, jung zu sein und alt zu werden.«

Julia Post, Mitglied des Bayerischen Landtags (MdL)

Aus meiner eigenen Erfahrung fliegen bei Start-ups Bewerbende, die eine 5 vorne haben, sofort raus. Zu alt, zu unflexibel, zu starr im Kopf, zu teuer und wenn sie wegen der Kinder ein paar Jahre zu Hause geblieben sind oder nur Teilzeit gearbeitet haben, zu weit ab vom Schuss. Aber auch bei den ganz Jungen sind Personaler*innen zurückhaltend. Flausen im Kopf. Noch nichts erlebt. Wenn auch formbar. Oftmals fällt die Entscheidung zähneknirschend auf eine 40-jährige Person. Weil hoffentlich erfahren, noch formbar und jung genug, um sich gerade so einzufügen. Personaler*innen bei mittelständischen Unternehmen und Konzernen entscheiden übrigens nicht viel anders. <u>Am liebsten wären allen 31- bis 35-jährige, weil nicht mehr ganz grün hinter den Ohren, einigermaßen formbar und sowohl mit den Jüngeren als auch Älteren kompatibel.</u>

Oder wie zwei aus meiner Community schreiben:

»Natürlich, die Jungen werden diskriminiert, weil sie schon beim Berufseinstieg Berufserfahrung vorweisen sollen. Doch die noch größere Diskriminierung startet mit Mitte 30, spätestens Mitte 40. In einem Alter also, in dem noch viele Jahre Berufsleben vor einem liegen. Das bedeutet, jede*r von uns muss jahrzehntelang mit Altersdiskriminierung leben. Ein Riesenproblem, das alle betrifft.«

»Ich bin 59 Jahre alt und suche seit 12 Monaten eine ›mir entsprechende‹ Position. An meiner Energie und Vitalität kann es nicht liegen. Als Ex-Semi-Radsportler bin ich diesen Sommer, mit nur vorher dreimal laufen, den Halbmarathon in 1:42 Stunden gelaufen. Dennoch wurde mir in über 50 Prozent der Fälle mehr oder weniger deutlich gesagt, dass ich die Position aufgrund meines Alters nicht bekomme. Interessant wird es, wenn der Hiring-Manager auch eine 5 vorne stehen hat. Es zehrt massiv und hätte ich nicht 30 Jahre im Vertrieb und Aufbau von Unternehmen mit Niederlagen umgehen gelernt, wüsste ich nicht, was ich tun würde.«

Auch mir fällt ein Erlebnis vor zwei Jahren ein. Die Veranstalter*innen eines Kongresses zum Thema »Jugendkultur« hatten mich kontaktiert, weil sie JOINT GENERATIONS spannend fanden. Als sie jedoch erfuhren, dass ich schon Mitte 30 bin, bekam ich wenige Tage später folgende Mail:

»Liebe Irène Kilubi,
leider können wir aufgrund einer Vielzahl von Bewerbungen deinen Talk dieses Jahr bei der xxx nicht realisieren. Nimm es uns nicht übel, aber wir haben diesmal den noch jüngeren Personen den Vortritt auf unsere Bühne gelassen. Wir finden es toll, dass du Brücken zwischen den Generationen baust und sind beeindruckt von deiner Karriere! Vielleicht klappt es beim nächsten Mal.«

Allein mein Alter hat mich rausgekickt! Und das mit Mitte 30!

»Ältere Menschen sind langsam, nicht mehr produktiv und verstehen die neue Zeit nicht mehr. Es gibt viele Altersstereotypen. Doch das Allerschlimmste ist die Selbstverständlichkeit, mit der Menschen jenseits der 50 nicht mehr stattfinden. Recruiting und Karriere hören einfach auf. Man ist unsichtbar. Wird lebendig für tot erklärt. Einfach weg.«

Gerda-Marie Adenau, Global Communications Managerin bei Siemens AG

Mich treibt dieses Thema um, deswegen möchte ich an dieser Stelle thematisch etwas breiter werden. Laut einer Studie der Bertelsmann Stiftung von 2021 klagen 66 Prozent der befragten Unternehmen über einen Fachkräfteengpass. Dennoch leisten wir uns <u>wirtschaftlich, politisch und gesellschaftlich</u> den Luxus, viele Potenziale nicht zu nutzen. Wir ignorieren nicht nur Menschen, weil sie vermeintlich zu jung oder zu alt sind. Sondern auch

> Menschen, die gerne Vollzeit arbeiten würden, aber aufgrund mangelnder Kindertagesplätze nur Teilzeit schaffen;

> Menschen, die arbeitslos gemeldet sind und laut des *Deutschen Instituts für Wirtschaftsforschung* (DIW Berlin) zu 60 Prozent diesen Status am liebsten sofort verlassen wollen;

> Menschen, die sich zu jung für die Rente fühlen, aber mit Blick auf steuerliche Abgaben keine finanziellen Anreize sehen;

> Menschen, die wie ich nach Deutschland geflohen sind, aber selbst mit guter Bleibeperspektive nur schwer Zugang zum Arbeitsmarkt erhalten;

> Menschen, die ihre Schulzeit ohne Abschluss beenden und denen man extra die Hand reichen müsste, um beruflich wie gesellschaftlich Fuß zu fassen.

2021 beendeten in Deutschland 47 500 Schüler*innen ihre Schulzeit ohne Zeugnis in der Tasche, das sind etwas mehr als sechs Prozent aller gleichaltrigen Jugendlichen. Besonders betroffen: junge Menschen mit Migrationshintergrund. Auch wenn wir diesen Zustand immer wieder beklagen, hat sich an der Quote seit gut zehn Jahren nichts verändert, jedes Jahr

dasselbe Debakel. Offensichtlich fühlt sich niemand verantwortlich. Ich kann Nicole Hollenbach-Biele, Expertin für Schul-
forschung und Schulentwicklung, nur zustimmen, die sagt:
»Alle Schüler*innen, auch Jugendliche ohne Abschluss, erwerben im Laufe ihrer Schulzeit eine Vielzahl von fachlichen und
überfachlichen Kompetenzen, die überhaupt nicht sichtbar
werden. Dabei wären genau diese Informationen wichtig, um
auch ohne formalen Schulabschluss die Chancen auf eine Ausbildung zu verbessern.«

*»Eine Leistung wird für mich erst dann zu einer wahren
Leistung, wenn dadurch Dinge in Bewegung geraten. Man
nennt das auch ›erweiterten Leistungsbegriff‹, also Leistung, die ein Engagement für das jeweilige Umfeld, für
soziale Problemfelder, für Lösungen gesellschaftlicher
Herausforderungen einschließt. Diese Impact Orientierung sollte bereits bei jungen Menschen angeregt und gefördert werden. Das heißt, nicht nur zu leisten, um zu leisten, sondern auch einen positiven Beitrag leisten wollen.«*

*Mareike Martini, Leiterin Netzwerke und
Kooperationen bei der IB-Stiftung*

Da ich mir sicher bin, dass die meisten von uns eine inklusivere
(Arbeits-)Welt wollen, habe ich mir Gedanken gemacht, was die
Grundsteine für ein nachhaltigeres Generationenmanagement
sind. Herausgekommen sind <u>vier Handlungsfelder, die aus meiner Sicht unabdingbar sind.</u>

ERSTENS: ANALYSE UND BEKENNTNIS

Nur wer sich einen Überblick über die Altersstruktur der eigenen
Belegschaft verschafft, kann <u>klar auf Gegenwart und Zukunft
blicken.</u> Welche Generationen arbeiten in meinem Unternehmen

unter einem Dach, wer trifft in welcher Abteilung aufeinander, wer wird uns wann verlassen, wer kommt dazu, wo liegen die heutigen Knackpunkte und die zukünftigen Herausforderungen?

Im Grunde ist das aber schon Schritt zwei. Denn damit sich aus den Erkenntnissen konkrete Schritte ableiten lassen, die wirklich einen Unterschied machen, braucht es vorab die Verankerung von Altersdiversität in den Kernwerten des Unternehmens.

Halbherziges Generationenmanagement verhärtet die Fronten nur noch mehr. Wir kennen diesen Effekt, er betrifft alle Diversitätsthemen. Halb gemacht ist schlecht gemacht.

Besonders interessant war für mich diesbezüglich ein Gespräch mit Sven Lindberg. Der Professor für Psychologie an der Universität Paderborn vergleicht Generationenmanagement mit Changemanagement-Prozessen. Auch hier geht es im Kern darum, die Ablehnung gegenüber etwas Neuem zu durchbrechen. Der Vorteil: Mit solchen Prozessen kennen wir uns aus, wir wissen, was es braucht. Allen voran einen erklärten Willen, ein Klima der Veränderung und die Einbindung der gesamten Organisation.

ZWEITENS: AKTIVER UMGANG MIT VORURTEILEN

Wie im Intro bereits geschrieben, gehören Vorurteile zum Menschsein. Wir alle haben sie – und sie halten sich hartnäckig. Sie nicht anzusprechen und unter den Teppich zu kehren, ist ein schlechter Ansatz. Sie brodeln weiter und bilden einen immer dickeren Bodensatz. Um sie aufzubrechen, braucht es erstens Mut zur Offenheit: Wer gibt schon gerne zu, Vorurteile zu haben? Zweitens die Möglichkeiten, sich in möglichst unterschiedlichen Kontexten zu begegnen, sich auszutauschen und zu erleben. Und drittens: <u>ein Mindestmaß an Respekt, Wertschätzung und Empathie anderen Menschen gegenüber.</u>

> *»Offenheit spielt natürlich eine unglaublich große Rolle. Wir müssen offen sein für das, was jüngere und ältere Menschen zu sagen haben. Aber nicht nur im Sinne von: Ich höre dir zu. Sondern im Sinne von: Ich höre dir zu, ich nehme dich wahr, ich mache mir Gedanken über das, was du sagst, ich akzeptiere und ich toleriere deine Perspektive – selbst, wenn sie sich nicht mit meiner deckt. Das geht tiefer und hat mit einem Wertekanon aus Offenheit, Respekt und Toleranz zu tun. Wenn wir in einem Team diese drei Werte leben, können wir generationsübergreifend viel besser miteinander arbeiten. Weil wir eben nicht versuchen, unser Gegenüber zu überzeugen, seine Meinung zu verändern oder gar abzublocken: ›Ey, nee, das stimmt so gar nicht mit dem überein, was ich zu sagen habe. Keine Lust. Mit dir kann ich nicht zusammenarbeiten.‹ Stattdessen lassen wir uns aufeinander ein und finden gemeinsam einen Konsens.«*

> **Maria Mühlenweg, Entrepreneurship Studentin an der WHU**

Oder wie drei Follower*innen aus meiner Community schreiben:

»Wichtig ist, wie bei ALLEN Vorurteilen: Es ist nicht tragisch, dass wir die HABEN (denn wir haben sie alle!). Tragisch wird es, wenn man sie nicht reflektiert.«

»So wie ich das wahrnehme, gibt es unter allen Beteiligten sehr viele Vorurteile und unconscious bias. Es bräuchte einen offenen und wertschätzenden Dialog, Zuhören und Verstehenwollen. Raus aus der Angriffs-

und Verteidigungshaltung, hinein in die Bereitschaft, gemeinsam ein neues Miteinander zu kreieren. Erst kürzlich hat sich ein circa 32-Jähriger bei mir über die Respektlosigkeit der Azubis beschwert. Anlass der ›Auseinandersetzung‹: Die Azubis haben sich über die sexistischen Äußerungen beschwert, die die ›Älteren‹ von sich gegeben haben, geprägt von einer Zeit, in der es #metoo noch nicht gab. Man(n) versteht, egal wie alt, die Welt nicht mehr. Was galt, gilt heute nicht mehr, was nicht bedeutet, dass Werte belanglos geworden seien – im Gegenteil. Aber vielleicht andere, die wichtiger geworden sind. Unsere Zeit ist so dermaßen im Umbruch, Hierarchien werden auf den Kopf gestellt, sodass es verstärkt eine Wertediskussion braucht. Es muss um Haltung gehen, um Unternehmens- und Führungskultur, es braucht ein gutes Miteinander, jenseits von den Vorstellungen, dass es hier um Generationenkonflikte ginge.«

»Als ich vor 15 Jahren für einen deutschen Automobilhersteller in den USA gearbeitet habe, war ich fasziniert davon, dass einige Vice Presidents über 60 und unser Legal Head über 70 waren. Großartige Zeit! Wichtig ist, Alter als Wertschätzung zu verankern und nicht als Minderwertigkeit.«

Ein Selbstläufer ist das nicht. Keine Chance. Es reicht nicht, ein nettes Generationen-Café einzurichten oder ein jährliches Get-together mit Life-Act und Tamtam. Geschäftsführer*innen, Personaler*innen und Führungskräfte sind gefragt, in Führung zu gehen, Altersdiversität zu managen und Konsistenz zu beweisen. Dazu gehört, bei Konflikten moderierend einzugreifen, zu vermitteln, gegebenenfalls Kompromisse zu finden und bei verhärteten Fronten gegebenenfalls externe Vermittler*innen einzuschalten. Auch um zu demonstrieren: Wir nehmen Altersdiversität ernst. Verdammt ernst. Und sind bereit, unser eigenes Verhalten und unsere unbewussten Vorurteile zu hinterfragen: Wen stellen wir ein, wie setzen wir Teams zusammen, wen fördern wir, wen schonen wir, wen schicken wir in den Ruhestand, wer fühlt sich zugehörig, wer ausgeschlossen?

Der Automobilhersteller Audi kam 2022 im Zuge einer internen Analyse zu dem Ergebnis, dass sich Zugehörigkeits- und Authentizitätsgefühle mit dem Alter ändern:

»Die Tendenz ist klar negativ: Je älter die Mitarbeitenden werden, desto weniger zugehörig und desto weniger in der Lage fühlen sie sich, sich selbst authentisch zu zeigen. Der ständige demografische Wandel führt dazu, dass sich die Welt mehr und mehr der jüngeren Generation zuwendet und es immer wichtiger wird, Stereotypen und Vorurteile zu bekämpfen (...) und die Singularisierung zu überwinden.«

Besonders wichtig: <u>den Fokus auf die Benefits lenken.</u> Auch wenn zahlreiche Studien belegen, dass gut geführte, altersheterogene Teams besser performen, weil sie unter anderem innovativer und stressresistenter sind, müssen Mitarbeitende sich die Vorteile aktiv vor Augen führen: Stimmt, die Zusammenarbeit war richtig gut, besser als gedacht. Ich werde gehört, ich bin gefragt. <u>Mit der Zeit bilden sich neue Narrative heraus und lassen Vorurteile verblassen. Oder wie ein*e Follower*in schreibt:</u>

»Man darf die Altersgruppe nicht isoliert betrachten, wenn wir in einer Welt weiterleben wollen, die inklusiv, gleichberechtigt und zukunftsorientiert sein soll. Keine Gruppe kann es alleine schaffen. Was sich auch im Hier und Jetzt manifestiert.«

DRITTENS: UNTERNEHMENSTORE ÖFFNEN

Wir können sie täglich lesen: Stellenausschreibungen, die mehr abschrecken als motivieren. Beispielsweise durch überzogene Anforderungen (x Auslandsaufenthalte, x Jahre Berufserfahrung, x Fremdsprachen fließend in Wort und Schrift, gerne noch x Weiterbildung ...) oder ausgrenzende Beschreibungen wie »hoch motiviertes, dynamisches Team«, »erfahrene Mannschaft« oder »Wir sind jung, aufgeschlossen und per du«. Inzwischen lassen Unternehmen größere Sorgfalt walten, da die Sensibilität steigt und vermehrt Klagen gegen Verstöße des Allgemeinen Gleich-behandlungsgesetzes eingereicht werden, welches besagt, dass Stellenausschreibungen, Anforderungen an Bewerbungs-unterlagen und Auswahlverfahren grundsätzlich diskriminie-rungsfrei ausgestaltet sein müssen (§§7Abs. 1 und 11 AGG). Und dennoch herrscht wie bereits geschrieben Ungleichheit.

> *»Viele Jahre haben wir 80 Prozent unserer eigenen Mit-arbeitenden direkt von den Hochschulen rekrutiert und in puncto Vertrieb oder Recruiting selbst ausgebildet – das war unser Erfolgsrezept. Heute kommen nicht mehr so viele Leute von den Unis, die Vertrieb oder Recruiting machen möchten. Wir müssen uns für Quereinsteiger*in-nen öffnen, die älter sind als Mitte 20. Bei der Vermitt-lung von Menschen an andere Unternehmen – unserem Kerngeschäft – bemerken wir, wie schwer es vielen noch fällt, nicht die eierlegende Wollmilchsau einzustellen. Gerade Menschen über 50 kommen für Festanstellungen so gut wie gar nicht in Betracht. In Zukunft wird sich das kein Unternehmen mehr leisten können. Wer seine Posi-tionen besetzen und wettbewerbsfähig bleiben möchte, muss alle Generationen in Betracht ziehen.«*

> *Michaela Jaap, Head of*
> *Corporate Culture & Responsibility, Hays AG*

Für mich setzen sowohl Stellenausschreibungen als auch Bewerbungsgespräche voraus, dass Recruiter*innen für das Thema »Altersdiskriminierung« sensibilisiert sind, ihre Worte feinfühlig zu wählen wissen und idealerweise den Rekrutierungsprozess in einem altersgemischten Team verantworten. Zu Beginn des Prozesses sollten sie sich darüber klar werden, welche Bewerbenden sie bewusst oder unbewusst bevorzugen. Es ist ein offenes Geheimnis, dass Führungskräfte und Personaler*innen oftmals Menschen den Vortritt geben, die ihnen ähnlich sind. Weil sie auf derselben Universität studiert haben, gleiche Hobbys verfolgen, ähnliche Kleidung tragen oder dem eigenen Schönheitsideal entsprechen. »Kleine Mini-Mes«, wie Annahita Esmailzadeh, Führungskraft bei Microsoft, dazu sagt. Die Konsequenz lautet: Homogenität statt Vielfalt. Zudem muss herausarbeitet werden, welche Anforderungen für die zu besetzende Stelle tatsächlich essenziell sind. Oftmals sind akademische Abschlüsse oder Fremdsprachenkenntnisse auf Top-Niveau irrelevant, ohne Not grenzt man den Pool an potenziellen Mitarbeitenden ein.

Altersdiverses Recruiting erfordert außerdem, nicht nur die Kanäle der Generation Y und Z zu bedienen, sondern alle Menschen zielgruppengerecht anzusprechen. Blogs, Foren, Chats und Aufrufe über Facebook und X sind unabdingbar. Auch Instagram wird immer wichtiger. Eine Landing Page mit Gamification-Elementen gibt dem Ganzen eine interaktive Note. Und auch herkömmliche Medien wie Zeitungen und Zeitschriften müssen bedient werden, bei lokalem Bezug kann auch ein Aushang im Supermarkt eine gute Idee sein.

Ihr seht, eurer Kreativität sind keine Grenzen gesetzt. Wer jedoch 2024 immer noch so rekrutiert wie 2014 oder 2004, wird über kurz oder lang selbst im Abseits stehen.

VIERTENS: DAS RECHT AUF LEBENSLANGES LERNEN FÜR ALLE

Sowohl der gesellschaftliche als auch der technologische Wandel vollzieht sich immer schneller, gerade die rasante Entwicklung auf dem Gebiet »Künstliche Intelligenz« erhöht noch einmal mehr das Tempo. Umso wichtiger wird es für Arbeitnehmende, sich während ihrer gesamten beruflichen Laufbahn weiterzubilden und zu entwickeln. Der Wille ist bei Unternehmen da, doch oftmals hapert es an der Umsetzung und an der Motivation der Mitarbeitenden. Um hier mehr Dynamik reinzubekommen, müssen wir aufhören, Schulungen nach dem Gießkannen-Prinzip zu verteilen. Sondern Mitarbeitende unabhängig ihres Alters punktgenau fördern. Wo liegen ihre bekannten und vielleicht noch völlig unbekannten Stärken, in welche Richtung wollen sie sich weiterentwickeln, welche Trainings, Webinare, berufsbegleitende Ausbildungen, Hospitationen, Mentorenprogramme oder Netzwerkveranstaltungen machen wirklich Sinn? Studien zeigen, dass gerade ältere Mitarbeitende eine hohe Lernbereitschaft aufbringen, wenn sie das Gefühl haben: Das erweitert meinen Horizont.

»Wir haben es mit einer unglaublichen Ignoranz zu tun. Entscheider in Politik und Wirtschaft machen sich nicht die Mühe, sich mit dem Thema ›Lernen im Alter‹ zu beschäftigen. Da fehlt es auch an grundlegenden Kenntnissen aus der Hirnforschung: Wie lernen Menschen und wie kann man ihre Lernfähigkeit bewahren? Insofern gab es bis vor kurzem viele Unternehmen, die mit Damen und Herren ab 55 keine Mitarbeitergespräche mehr geführt haben, weil ›die ja eh nicht mehr lange bei uns sind‹. Inzwischen steigt in Deutschland und anderen europäischen Ländern die Zahl der Beschäftigten jenseits der 60. Nicht nur weil Menschen länger arbeiten können und wollen, sondern auch die Wertschätzung gegenüber

ihrer Arbeitsleistung steigt. Wobei ich ungern Ältere sage, es sind für mich Professionals mit einer super Lebens- und Berufserfahrung. Wir müssen das ganze Thema ganz anders kommunizieren.«

Rudolf Kast, Geschäftsführender Gesellschafter bei Die Personalmanufaktur, bis 2022 Vorsitzender bei Das Demographie Netzwerk (ddn e. V.)

Dazu gehört auch, <u>Job-Profile besser als bisher in einzelne Skills zu zerlegen</u>. Wir alle wissen: Titel wie Marketing-Expert*in oder Backend-Developer*in sagen nicht viel aus, hinter jeder Job-bezeichnung steht ein Mensch mit ganz individuellen Fähig-keiten. Nehmen wir als Beispiel die Kommunikationsprofis in meinem Team: Wer unter Vier Augen gute Interviews führen kann, moderiert nicht automatisch ein Panel souverän. Wer lange Fachbeiträge verfassen kann, findet nicht unbedingt die richtigen Worte für kurze Social-Media-Posts. Die Kunst ist es, jede*n optimal einzusetzen, <u>Kompetenzen zuzuspitzen statt zu verwässern.</u> Oder wie es so schön heißt: Individuals need to be spiky and teams well-rounded.

»Am wichtigsten ist es, Lernfähigkeit zu produzieren. Denn wenn ein Mensch lernfähig ist, immer wieder seine Komfortzone verlässt und sich in andere Konstellatio-nen beziehungsweise Aufgaben pusht, bleibt er relevant. Wobei dieser Prozess immer im Kontext stehen muss, in welche Richtung sich die Welt bewegt. Um das Thema ›Digitalisierung‹ kommt niemand herum, das dürfen wir nicht ignorieren. Es durchdringt alle Lebensbereiche.«

Ana-Cristina Grohnert, Topmanagerin, Autorin, Founding Partner Score4Impact, ehemalige Vorstandsvorsitzende Charta der Vielfalt e. V.

Möglicherweise wird der Einsatz von Künstlicher Intelligenz das Skill-Management von Unternehmen revolutionieren. Start-ups sind dabei, Skill Gaps anhand von gamifizierten Mitarbeitendenbefragungen zu ermitteln und daraus Weiterbildungsmaßnahmen abzuleiten. Oder Lösungen zu entwickeln, um in einem ersten Schritt die oftmals unbekannten Talente, Fähigkeiten und Neigungen von Mitarbeitenden zu identifizieren und in einem zweiten Schritt aus einer Vielzahl an nationalen und internationalen Weiterbildungsangeboten passgenaue Einheiten herauszufiltern.

Das Schöne daran: <u>Facettenreichere Skill-Profile erzeugen facettenreichere Karrierewege</u> – das empowert nicht nur Mitarbeitende, die viel zu oft das Gefühl haben, festzustecken und sich mit ihren eigentlichen Talenten nicht wirklich einbringen zu können. Sondern stärkt auch die Beziehung zwischen Arbeitnehmer*innen und Arbeitgeber sowie Kolleg*innen. Jede*r fühlt sich gesehen, gewertschätzt, in seiner*ihrer Kraft. Ich muss nicht erst sagen, dass sich auch das auf die Qualität der Arbeit auswirkt. <u>Passion meets Performance.</u>

Es kommt unweigerlich zu einem Prozess, bei dem wir verlernen und lernen.

> **Wir verlernen, vorschnell zu urteilen: Das ist ein guter Kommunikationsprofi, weil er gut schreiben kann. Das ist ein schlechter Kommunikationsprofi, weil er schlecht ins Mikro sprechen kann.**

> **Wir lernen, genauer hinzusehen: Welche Stärken bringt ein Mensch mit, welche Tätigkeiten liegen ihm besser als anderen, was trägt er zum Gelingen eines Projektes bei?**

Dieser differenzierte Blick ist übrigens wichtig, um die Zukunfts-
aussichten der eigenen Tätigkeit realistischer einschätzen zu
können: Welche Aspekte werden aufgrund von Automatisierung,
Digitalisierung und Künstlicher Intelligenz wegfallen, auf welche
sollte ich mich besonders konzentrieren, weil auch morgen und
übermorgen relevant?

**Analysieren. Sich mit den eigenen Vor-
urteilen auseinandersetzen. Die Türen
öffnen. Und die Menschen, die dann
eintreten, willkommen heißen und bestmöglich fördern. Im Grunde ist das
die Blaupause zur Bekämpfung
jeglicher Form von Diskriminierung.**

Nur leider bleiben wir oftmals bei der Analyse stecken. Oder
öffnen nur die Türen, ohne über die Frage »Und dann?« nachzudenken. Das eine bedingt das andere. Alles andere bleibt
Flickwerk.

> *»Es reicht nicht, Leute zusammenzuwürfeln. Man muss*
> *gewillt sein, das Beste aus einer Diversität herauszu-*
> *holen, das Potenzial. Das geht nur, wenn sich Menschen*
> *aufeinander einlassen und diverse Perspektiven zu-*
> *lassen. Letztlich ist es eine Frage von Empathie und*
> *emotionaler Intelligenz.«*
>
> *Sven Lindberg, Professor für Psychologie*
> *an der Universität Paderborn*

Noch ein Tipp. Sven Lindberg hat uns geraten, uns an gut
strukturierten Changemanagement-Prozessen zu orientieren.
Ich würde ergänzen, warum nicht auch unsere Strategie, wie wir
inzwischen mit externen Kund*innen interagieren, auf interne
Kund*innen, also unsere Mitarbeitenden, übertragen?

Social Media hat die Art und Weise, wie wir mit der Außenwelt in Kontakt treten, grundlegend verändert und uns gezeigt, welche Begriffe entscheidend sind: <u>Nahbarkeit, Konsistenz und Identifikation.</u> Als Methode hat sich Social Listening etabliert. Unternehmen halten sich dort auf, wo sich ihre Kund*innen befinden, hören ihnen zu, reagieren auf ihr Feedback, nehmen ihre Bedürfnisse wahr und stehen ihnen mit Rat und Tat zur Seite. Auch für ein smartes Miteinander der Generationen wäre das ein sehr guter Anfang.

GENERATIONENTRAINING, FOLGE 1

PARKBANK

Als Kind habe ich meine Mutter oft von ihrer Arbeit im Seniorenheim abgeholt. Manchmal musste ich warten und setzte mich auf die Bank in der Nähe des Eingangs. Ich beobachtete die Bewohner*innen, die mit ihrem Rollator über die Pflastersteine ruckelten und fragte mich, was ich als Direktorin des Heims verändern würde, um ihre Situation zu verbessern. Manche setzten sich zu mir und wir kamen ins Gespräch. Wenn andere Kinder an uns vorbeiliefen, merkte ich, wie ähnlich es uns ergeht. Wir alle wurden gehänselt: Die Alten, weil sie alt waren, ich, weil ich Schwarz war. Den Wunsch dazuzugehören, trugen wir gleichermaßen in uns. Heute setze ich mich ab und an in den Park und beobachte alte Menschen.

> Welche Herausforderungen und Schwierigkeiten haben sie zu meistern?

> Was verrät ihr Gesichtsausdruck über ihren Gemütszustand?

> Wie blicken sie auf ihr Leben zurück?

Ich kann diese Übung nur empfehlen. Es sind gut investierte Minuten. Denn sie schärfen unseren Blick. Sowohl für die Bedürfnisse anderer als auch für die eigenen Vorurteile.

> Was denke ich, wenn ich einen alten Menschen sehe?

> Wie offen und vorurteilsfrei kann ich ihm begegnen?

> Und: Was würde ich mir wünschen, wenn ich selbst einmal zu den Alten gehöre?

> Genauso kann man in der S-Bahn eine Gruppe Jugendlicher beobachten, wie sie interagieren – welche Gedanken sausen einem durch den Kopf?

> Kann ich mich an meine Jugendzeit erinnern? Wie hat sie sich angefühlt?

> Was hat mich an »den Alten« genervt, was hätte ich von ihnen gebraucht?

GENERATIONENTRAINING, FOLGE 2

JOBCRAFTING

Auch wenn ich beobachte, dass wir in Deutschland noch nicht so weit sind, möchte ich euch das Konzept des Jobcrafting wenigstens kurz vorstellen. Es geht darum, dass Mitarbeitende ihren Job gemäß ihren individuellen Stärken, Bedürfnissen und Interessen umformen und proaktiv mitgestalten können. Nicht nur, was den Arbeitsplatz betrifft, sondern auch die Tätigkeit (welche Aufgabe, welche Rolle möchte ich wie erfüllen, was liegt mir, was liegt mir nicht?) und das Arbeitsumfeld (mit wem möchte ich wie interagieren, mit welcher Person möchte ich mehr arbeiten, mit welcher weniger?). Im Grunde machen Menschen das automatisch. Sie bestimmen, welche Aufgaben sie als erstes erledigen und welche sie erst einmal liegen lassen. Genauso hegen sie Sympathien beziehungsweise Antipathien gegenüber bestimmten Kolleg*innen und verhalten sich dementsprechend.

Jobcrafting weiß dieses Phänomen zu nutzen und die Stärken seiner Mitarbeitenden zu fördern, die Motivation zu steigern und die Arbeitsfähigkeit bis ins hohe Alter aufrechtzuerhalten. Dafür ist es wichtig, Jobcrafting als strukturierten Prozess zu verstehen, der im besten Fall beim Onboarding beginnt und mit dem Offboarding endet. Meine Erfahrung: Nicht immer ist alles möglich, es ist ein ständiger Aushandlungsprozess innerhalb von Abteilungen und Teams. Wenn Mitarbeitende bestimmte Aufgaben nicht machen möchten, muss es jemanden geben, der sie stattdessen übernimmt. Und doch ist oftmals wesentlich mehr Gestaltungsfreiheit möglich, als man anfangs meint. Die Universität St. Gallen hat den Job-Crafting-Prozess in folgende Schritte unterteilt:

1. Aufgaben analysieren >

2. Eigene Stärken identifizieren >

3. Ist-Zustand analysieren >

4. Job-Crafting-Ziele definieren >

5. Abstimmung im Team >

6. Jobcrafting umsetzen >

7. Prozess reflektieren und verstetigen >

Immer und immer wieder.

CALL2ACTION

> Was würdest du sofort verändern,
> wenn <u>Jobcrafting</u> in deinem Unter-
> nehmen bereits gelebt werden würde?

Drei Ideen, drei Begründungen.
Kurz und prägnant.

2.
FÜRCHTET
EUCH
NICHT

> warum wir Jüngeren mehr zutrauen können

INKLUSIVE
GENERATIONENTRAINING:

TREND MATCHING
UND SHADOW BOARD

Ich musste früh in Führung gehen. Gezwungenermaßen. Mein Vater konnte sich weder mit der deutschen Sprache noch mit Deutschland anfreunden und ist kurz nach unserer Ankunft auf Nimmerwiedersehen nach Afrika zurückgekehrt. Also war meine Mutter mit meiner Schwester, mir und meinem damals noch ungeborenen Bruder auf sich selbst gestellt. Wenn ich daran zurückdenke, bewundere ich meine Mutter sehr für ihre Kraft. Wie muss sie sich gefühlt haben? Als Geflüchtete, hochschwanger, alleine verantwortlich für drei kleine Wesen in einem Vorort von Bonn.

Die ersten deutschen Worte habe ich von ihr gelernt, damit ich im Kindergarten, auf dem Spielplatz oder im Supermarkt zumindest auf die drei gängigen Fragen »Woher kommst du?«, »Wie heißt du?«, »Wo wohnst du?« eine Antwort geben konnte. Doch es dauerte nicht lange und die Führungskonstellation drehte sich. Wenn mich meine Erinnerung nicht täuscht, führte ich mit sechs Jahren mein erstes Gespräch mit einem Mitarbeitenden der Einwanderungsbehörde, danach folgten Telefonate mit Ärzt*innen, Arbeitgeber, Lehrer*innen, Makler*innen und Vermieter*innen. Natürlich war ich jedes Mal aufgeregt und habe mich gefragt, wie mein Gegenüber reagieren würde. Würde er*sie mit mir sprechen, mich ernst, mich für voll nehmen? Es war auch ein Satz meiner Mutter, der mir geholfen hat, beim Wählen der Nummern nicht den Mut zu verlieren, sie hat ihn mir quasi mit in Wiege gelegt: <u>»Fürchte Gott, aber fürchte nicht die Menschen.«</u>

Gut möglich, dass dieses Mindset und diese Erfahrungen dazu beigetragen haben, dass ich mich auch während meiner gesamten Schulzeit gut behaupten konnte. Ich wurde gehänselt, ausgelacht, ausgegrenzt, doch anstatt mich zu verstecken oder im Abseits stehen zu bleiben, habe ich mich zu Wort gemeldet. Wege gesucht und gefunden, zumindest, was die Freizeit angeht, ein ähnliches Leben führen zu können wie meine

FÜRCHTET EUCH NICHT

Klassenkamerad*innen. Mit der Leiterin eines Töpferkurses handelte ich etwa aus, dass ich die wöchentlichen Kursgebühren von fünf Mark durch Putzen ihres Ateliers hereinarbeite, Reitstunden gab es fürs Ausmisten des Pferdestalls.

Auch wenn die Erwachsenen anfangs über mein Auftreten irritiert waren, die allermeisten reagierten positiv. Sie nahmen mich trotz des immensen Altersunterschieds in der Tat für voll und kommunizierten mit mir zumindest gefühlt auf Augenhöhe. Interessanterweise änderte sich das mit Eintritt ins Berufsleben. Plötzlich spielte mein junges Alter eine zentrale Rolle. Ich will nur eines von vielen Beispielen erzählen.

Nach meinem Studium und einem ersten Praktikum bei Amazon klopfte der Automobilhersteller BMW mit einem Jobangebot bei mir an. Sowohl die Position als auch das Gehalt waren höher als für Uniabsolvent*innen und Berufsanfänger*innen üblich. Doch offensichtlich traute mir die Personalabteilung die Stelle aufgrund meiner Noten und meines außeruniversitären Engagements zu – warum also zögern, an mir und meiner Kompetenz zweifeln? Ich unterschrieb, stürzte mich voller Elan in die ersten Projekte, erklomm nur sechs Monate später die nächste Gehaltsstufe und bemerkte zunehmend die Skepsis von Seiten meiner zumeist älteren Kolleg*innen und Teammitgliedern, die sich ihre Kommentare irgendwann nicht mehr verkneifen konnten:

> Wie kommt es, dass du mit 25 schon dieses bedeutende Projekt betreust?

> Erstaunlich, dass man dir so viel Verantwortung überträgt, bist du nicht zu jung und unerfahren für diesen Job, für diese Budgets?

Aber auch mein Engagement und meine Herangehensweise wurden infrage gestellt, wie folgende Aussagen widerspiegeln:

> Am Anfang war ich auch so energetisch, das gibt sich mit den Jahren, du wirst schon sehen!

> Verpulvere nicht deine Energie, bis zur Rente ist es ein weiter Weg.

> Ich habe solche Projekte schon zur Genüge betreut und jetzt willst du Jungspund mir die Welt erklären?

»Mir wurde oft gesagt: ›Nee, das macht man so nicht‹ oder ›Dafür bist du noch zu jung‹. Ich fand das immer Scheiße und es hat mich sehr eingeschränkt. Keine Ahnung, wo ich heute wäre, wenn Menschen meinen Ideen gegenüber empfänglicher gewesen wären. Deswegen mein Appell an alle Generationen: Seid und bleibt offen für andere Sichtweisen und neue Perspektiven! Das bedeutet nicht, dass alles Alte weg muss. Keineswegs. Es geht um eine wertschätzende Auseinandersetzung darüber, was Bestand hat und was erneuert werden kann.«

Kira Marie Cremer, Gründerin von QUINGS, Podcast Host Funke, New Work Expertin

Aus Zuschriften weiß ich, dass ich diese Erfahrung mit vielen jungen Führungskräften teile.

Sie müssen gegen das Vorurteil »jung = unerfahren = nicht geeignet« jeden Tag aufs Neue ankämpfen und das Gegenteil beweisen.

Weil diese »statusinkongruente Führungskonstellation«, wie Wiebke Stegh und Jurij Ryschka in ihrem Buch *Führen von Jung und Alt. Handlungsempfehlungen für Mitarbeiterführung* schreiben, »gesellschaftlich und organisational akzeptierte Normen verletzen und dadurch zu Konflikten führen kann – unter anderem aufgrund von grundsätzlichen Generations- und Erfahrungsunterschieden, wechselseitigen Altersvorurteilen und möglicherweise entstehenden Rollenkonflikten«.

> *»Intersektionalität spielt beim Thema ›Altersdiskriminierung‹ eine große Rolle. Also die Gleichzeitigkeit verschiedener Formen von Diskriminierung. Alter und Geschlecht. Alter und Sexualität. Alter und Herkunft. Alter und soziale Herkunft. Alter und Behinderung. So werden beispielsweise ältere, heterosexuelle und weiße Männer zwar diskriminiert, aber nicht so stark wie ältere, weiße Frauen, ältere homosexuelle Männer oder ältere Männer mit Migrationshintergrund. Diskriminierung ist niemals eindimensional und kann dadurch auch nicht eindimensional gelöst werden.«*

> *Laura Naegele, Nachwuchsgruppenleiterin am Bundesinstitut für Berufsbildung (BIBB) in Bonn*

<u>Vor allem in der Kombination jüngere, weibliche Führungskraft und älterer, männlicher Mitarbeitender</u> erkennen die Autor*innen noch immer <u>viel Spannungspotenzial.</u> »Zum Altersthema kommt das Geschlecht hinzu«, heißt: gleich zwei Stereotypen kommen zum Tragen und müssen entkräftet werden. Die US-amerikanische Juristin Kimberly Crenshaw hat für diese Form der Mehrfachdiskriminierung den Begriff der Intersektionalität begründet, um Zusammenhänge klarer zu sehen. Wobei wir aufpassen müssen, nicht in einen Diskriminierungswettbewerb einzusteigen, wer hat es schwerer, wer hat es nicht so schwer, wem schenken wir Gehör, wem nicht?

»Ich werde jünger geschätzt, als ich bin. Manche sagen dazu ‚Luxusproblem, freu dich doch', aber es ist ganz klar eine Limitierung in meinem Leben. Als ich um die 30 war, musste ich bei Gesprächen mit Neukund*innen immer sofort sagen, dass ich nicht frisch von der Uni komme. Niemand hätte mich sonst ernst genommen. Erst vor kurzem wurde ich von einem Unternehmen kontaktiert, weil sie von meiner Arbeit überzeugt sind und jemanden um die 40 suchen. Ich habe ihnen nicht sofort gesagt, dass sie bei mir an der falschen Adresse sind, weil ich schon gut zehn Jahre älter bin. Allein das zeigt doch, wie absurd das Ganze ist.«

Lunia Hara, Director of Project Management bei diconium GmbH, LinkedIn Changemaker, LinkedIn Top Voice, Business Influencer

Dennoch ist es offensichtlich, dass nicht nur die Kombination Alter (jung), Geschlecht (Frau) und Position (Führungskraft) einen besonderen Nerv zu treffen scheint, sondern auch Alter, Geschlecht und Wohlstand in Form eines vermeintlich zu hohen Gehalts beziehungsweise einer zu hohen Honorarvorstellung. Dazu die Geschichte, die mir eine erfolgreiche Kollegin unter 25 erzählte. Nachdem sie einem Unternehmen ihr Honorar für einen Keynote-Vortrag mitteilte, erhielt sie vom Vorstand höchstpersönlich folgende Antwort:

»Ich habe mich nunmehr mit allen Mitgliedern abgestimmt, ob eine Beauftragung an Sie in Aussicht gestellt werden könnte. Ergebnis: einstimmiges Nein. Es macht uns fassungslos, wie solch eine junge Frau einen derart und tatsächlich mit nichts zu rechtfertigenden Preis aufrufen kann. Sie werden sehen, dass es mit der Mentalität der ›Generation Z‹ dauerhaft nicht klappen wird, die Wirtschaftskraft Deutschlands und somit das Lebensniveau ansatz-

weise beizubehalten. Wenn sie persönlich jedoch in nächster Zeit ausreichend ›Kundschaft‹ finden, welches ihr Honorar bereit ist zu zahlen, kommen sie tatsächlich noch eine ganze Weile durch. Trotz des Ärgers, der bei uns allen aufgekommen ist: Alles Gute für Sie, bleiben sie gesund und fit!«

Gerechnet hat die Speakerin mit dieser Antwort nicht, »mein Honorar lag unter den üblichen Preisen«. Ihr Gefühl beim Lesen beschreibt sie mit »Wut, Empörung, Scham, Schock.« Zuerst wollte sie zurückschreiben, hat es aber doch sein lassen. Weil ihr bereits die Formulierung gezeigt hat, »dass man in diesem Unternehmen als junge Person nicht respektiert wird, ganz gleich, welche Leistung man erbringt.« Insofern kann ich mich dem Appell von Stegh und Ryschka nur anschließen:

Rechtfertigt euch nicht für euer Alter, euer Geschlecht, eure sexuelle Orientierung, eure Herkunft, eure Einschränkungen, eure berufliche Position oder eure Gehaltsforderung!

Und benennt – wenn ihr euch auf ein Gespräch einlasst – Bemerkungen wie »zu jung«, »noch grün hinter den Ohren«, »sei mal nicht so zickig«, »mit ihrer Behinderung können Sie nicht so leistungsfähig sein« oder »typisch Frau, gleich emotional« als das, was sie sind: Vorurteile!

Oder denkt es euch zumindest, um euch abzugrenzen und selbst zu schützen.

> *»Ich habe alle Merkmale eines zur Randgruppe gehörenden Menschen: weiblich, Ausländerin und auch noch behindert. Doch am Ende zählt das alles nicht. Denn wie könnte es sonst sein, dass mir so viele attraktive, wohlhabende, gesunde und topgebildete Menschen begegnen, die todunglücklich sind? Alles wird gut, wenn man anfängt,*

zu sich selbst zu stehen und aufhört, sich zu verstecken.
Ich jedenfalls habe für mich entschieden, nie wieder
mein Licht zu dimmen, um andere nicht zu blenden.
Ich mache mich nicht kleiner als ich bin. Auf keinen Fall!«

Anastasia Umrik, Coach, Speakerin und Buchautorin

Einer meiner ersten Chefs sagte einmal zu mir: »Meine Frau steht mit einem ähnlichen Abschluss wie du und acht Jahren Betriebszugehörigkeit zwei Stufen unter dir! Das ist schon sonderbar.« Ich habe ihn daraufhin nur gefragt: »Was willst du mir damit sagen?« und mir während seines Schweigens gedacht:

> Macht der jetzt einen auf beleidigt: Selber schuld!
> Soll ich ein schlechtes Gewissen haben: Nö! Auf keinen Fall!
> Hat seine Frau etwas falsch gemacht: Vielleicht.

Aber wir müssen uns auch eingestehen, dass nicht nur jüngere Chef*innen von älteren Mitarbeitenden diskriminiert werden, sondern auch ältere Chefs und Chefinnen von jüngeren Mitarbeitenden. Vice versa.

Ehrlicherweise sind die Bilder, die wir von älteren Führungskräften zeichnen, oftmals noch exklusiver, denn sie verheißen am Horizont keine strahlende Zukunft mit viel Entwicklungspotenzial, sondern nur noch eine auf dem beruflichen Abstellgleis. Zu alt statt noch nicht alt genug.

Die bayerische Landtagsabgeordnete Julia Post beschreibt die beiden Seiten sehr gut:

»Einerseits habe ich in Gesprächen mit Lobbyorganisationen häufig Belehrungen erfahren. Man ist mir

ins Wort gefallen oder hat meine Funktion als Sitzungsleitung missachtet. Männlichen, älteren Kollegen passiert das meinen Beobachtungen nach nicht. Da ist
von Anfang an jener Respekt da, den ich erst einfordern
muss. Ein junger Kollege von mir wurde zu Beginn seines
Mandats häufig für den Praktikanten gehalten.

Andererseits erinnere ich mich an zwei Situationen, in
denen Parteifreunde über 70 beziehungsweise 80 einige
Momente gebraucht haben, um ihren Gedanken zu formulieren. Zwischen den Sätzen war – gemessen an unserer
schnelllebigen Zeit – eine etwas längere Pause entstanden.
Da wurde von der Sitzungsleitung versucht, die Pause zu
nutzen und den Beitrag ›abzumoderieren‹ und milde ge-
lächelt. Mir hat da im Vergleich zu Beiträgen von jüngeren
Personen die Ernsthaftigkeit gefehlt. Da war im Raum sehr
eindeutig die Stimmung von ›Ach der Opa, der versteht
das eh nicht mehr so ganz‹ zu spüren – fast, als ob die
Runde dadurch gestört und aufgehalten werden würde.

Auch parteiinterne Mentoring- oder Förderprogramme
richten sich durch Ansprache, Aufmachung oder Inhalte
vor allem an jüngere Frauen bis maximal Mitte 30. Durch
eine Parteifreundin, die Anfang 50 ist, ist mir aufgefallen,
dass es kaum Angebote für ältere beziehungsweise nicht
mehr ganz junge Frauen gibt. Ich habe auch konkret erlebt,
dass Frauen über 50 bei der Wahl für Ämter und Mandate
eher ›durchgereicht‹ und nicht aufgestellt werden.«

Wenn ich Julias Zuschrift lese, muss ich jedes Mal an mein In-
termezzo in der Deutschlandzentrale einer der größten Elek-
tronikkonzerne denken. Wenige Tage vor meinem Auftritt als
Speakerin bei einem Führungskräfte-Event sagte der Vice
President zu mir:

»Frau Kilubi, können Sie bitte vor allem über die Generation Z sprechen, wie sie tickt und wie wir sie für uns gewinnen können? Dieses Thema steht auf der Agenda ganz, ganz oben.« Meine Antwort darauf: »Natürlich kann ich über Gen Z sprechen. Aber sind Sie sich darüber bewusst, was das mit all den Führungskräften macht, die seit Jahren und Jahrzehnten bei Ihnen an Bord sind und das Unternehmen am Laufen halten? Für die bestehende Belegschaft attraktiv zu bleiben, ist mindestens genauso wichtig, wie sich für den Nachwuchs aufzuhübschen. Wenn nicht sogar wichtiger.«

Statt »Was brauchen die Jungen?« muss es heißen:

> **Was brauchen die Menschen, um individuell und im Team besser arbeiten zu können?**
> **Welche Unternehmenskultur unterstützt die Bedürfnisse und Wünsche aller?**

Der Vice President des Elektronikkonzerns zeigte sich einsichtig und ließ mich über alle Generationen sprechen. Ich fragte mich, warum wir diese Binsenweisheit immer wieder missachten?

Kümmere dich um die Menschen, die da sind. Schätze sie wert. Vermittle ihnen Sicherheit.

Dann werden sie sich auch auf ein Experiment, das da immer häufiger lautet »Jung führt Alt«, eher einlassen. Oder wie jemand aus meinem Netzwerk sehr zutreffend schreibt: Die Bereitschaft aufbringen, »ihre kristalline Intelligenz mit der fluiden Intelligenz der Jüngeren gewinnbringend zu verbinden.«

Denn in der Theorie sind wir uns ja alle einig: Die Führungskonstellation »Jung führt Alt« wird angesichts des demografischen Wandels nicht nur häufiger werden. Sie bietet in einer globalisierten und digitalisierten Welt auch eine große Chance.

»Führung hat sich stark verändert. Der Trend geht weg von einer autokratischen hin zu einer demokratischen Führung. Und viele Unternehmen begeben sich inzwischen in die Selbstorganisation. Bei ihnen rückt die Frage: ›Wie alt ist eine potenzielle Führungskraft?‹ stark in den Hintergrund und die Frage: ›Wer ist jetzt in der Lage und bereit, in Führung zu gehen?‹ stark in den Vordergrund. Das kann eine Doppelspitze aus Jung und Alt sein oder Jung und Jung oder auch ein altersgemischtes Dreier-Team. Dieser Wandel ist aus meiner Sicht wichtig, da die Herausforderungen heute so gewaltig sind, dass wir ganz andere Ansprüche und Anforderungen an Führung stellen müssen als bisher.«

Rudolf Kast, Geschäftsführender Gesellschafter bei Die Personalmanufaktur, bis 2022 Vorsitzender bei Das Demographie Netzwerk (ddn e. V.)

Verschaffen wir uns einen Überblick. Was sagen Studien über die Führungskonstellation »Jung führt Alt«, warum ist sie für Unternehmen und Organisationen so wertvoll? Folgende Punkte werden immer wieder genannt:

> Junge Führungskräfte haben oftmals ein besseres Verständnis für aktuelle Entwicklungen, was für Unternehmen natürlich von Vorteil ist – sie können schneller auf Trends und Megatrends reagieren, indem sie Angebot und Ansprache vorausschauend an ihre Kund*innen anpassen.

> Junge Führungskräfte hinterfragen stärker bestehende Normen und sorgen durch ihren Mut zum Unbequemen nicht selten für einen positiven, zeitgemäßen Wandel. Das Unternehmen bleibt am Puls der Zeit und dadurch sowohl für Mitarbeitende als auch für Kund*innen spannend.

> Junge Führungskräfte sehen Diversität mehrheitlich als Schlüssel zum Erfolg. Ihre naturgemäße Affinität zu diesem Thema fördert multidisziplinäre, heterogene und sich sinnvoll ergänzende Synergien, aus denen sich jenseits ausgetretener Pfade mit ihren intrinsischen Grenzen innovative Ansätze ergeben.

> Junge Führungskräfte verfügen häufig über ein ausgeprägtes technologisches Verständnis, von dem ältere Mitarbeitende profitieren können. Im Austausch können junge Führungskräfte von älteren Mitarbeitenden Fachwissen, einschlägige Erfahrungen und bewährte Kniffe für Problemlösungen erwerben. Eindeutig ein Win-win.

> Junge Führungskräfte stecken mit ihrer Offenheit, ihrem Optimismus und ihrer Begeisterung ältere Mitarbeitende an. Ermuntern sie, eingetretene Pfade zu verlassen, um die Ecke zu denken, sich weiterzubilden, ja, vielleicht nochmal etwas ganz Neues zu wagen. Auch der oftmals gesündere Lebensstil von jungen Führungskräften in puncto Ernährung, Fitness oder Work-Life-Balance kann sich durch seinen Vorbildcharakter positiv auf die physische und psychische Gesundheit Älterer auswirken und damit auf deren langfristige Arbeitsfähigkeit.

Gerade über den letzten Punkt durfte ich unlängst eine anregende Diskussion führen, zu der mir eine Marketingexpertin folgende Zeilen schrieb:

»Der Generationskonflikt und die Werteunterschiede werden wahrscheinlich noch eine Weile zu beobachten sein. Doch ich finde es spannend, dass die Gen Z die Konservativität in Unternehmen aufbricht und damit Raum schafft für ein ausgeglicheneres Leben aus Arbeit, Freizeit und Gleichheit. Macht Spaß! Davon werden wir in Zukunft alle etwas haben.«

Doch, so wie eine ältere Führungskraft qua ihres Alters nicht automatisch eine gute Führungskraft ist, so ist auch eine junge Führungskraft nicht automatisch führungskompetent. <u>Was müssen also junge Chefs und Chefinnen mitbringen, um möglichst von Anfang an von älteren Mitarbeitenden akzeptiert zu werden?</u>

Ein aussagefähiges Best Practice Beispiel ist für mich das Berliner Software-Unternehmen Signavio. Der Anbieter für Business Process Management-Software wurde 2009 von dem Informatiker Gero Decker gegründet und im März 2021 für 950 Millionen Euro an SAP verkauft.

Das Besondere an Decker: Er spricht sehr transparent über sein Unternehmen, was habe ich richtig, was habe ich falsch gemacht? Ein Fehler, so erzählt er in einem Interview in der *Unicorn Bakery* mit Fabian Bausch, lag darin, dass »wir viel zu spät erfahrene Leute ins Team reingeholt haben. Von den ersten 80 Mitarbeitenden gab es genau drei, die mehr als drei Jahre Berufserfahrung außerhalb von Signavio hatten. Die ersten Jahre haben wir sehr, sehr juniorisch eingestellt. Das haben wir erst aufbrechen können, als das erste Investment passiert ist. Ab da haben wir sehr seniore, sehr erfahrene und auch sehr teure Leute ins Unternehmen geholt. Kulturell muss man immer schauen, was macht das mit der Firma. Aber es hat super funktioniert und uns ermöglicht, die Firma in Richtung Skalierung zu bringen.«

Warum es so gut funktioniert hat, liegt aus meiner Sicht insbesondere an den beiden Werten, die das Unternehmen tragen, Decker nennt sie »Wumms« und »Hug«. <u>Diese Energie, dieses unbedingte Wollen, spannende Dinge zu machen und erfolgreich zu sein. Gepaart mit der Umarmung, dem ehrlichen Interesse, wie es dem anderen geht und was man in der Zusammenarbeit verbessern könnte.</u>

In Managementsprech würde man sagen: Deckers Trumpf ist sein hoher Respekt vor der Erfahrung und der Fachkenntnis älterer Kolleg*innen. Er sieht generationsübergreifende Vielfältigkeit als Bereicherung an, fördert die Weitergabe von Wissen und Erfahrung zwischen den Generationen. Während seine jüngeren Führungskräfte flexibler und offener für Veränderungen sind, erweisen sich seine älteren Mitarbeitenden als erfahrener, beständiger und stabiler. Diese polarisierten Soft Skills kurbeln die Agilität des Unternehmens an – anstatt sie, wie fälschlicherweise oftmals gedacht, zu lähmen. Hinzu kommt neben flacher Hierarchie, offenem Kommunikationsstil, wertschätzenden Feedbacks und teilhabender Führungskultur sicherlich die Begabung, die Bedürfnisse und Erwartungen der unterschiedlichen Berufsgenerationen wahrzunehmen. Und die Bereitschaft, die Motivation und Fitness der altersdiversen Mitarbeitenden kontinuierlich zu erhalten und zielgerichtet weiterzuentwickeln.

*»Als junge Führungskraft habe ich eine ältere Mitarbeiterin aus dem Bereich Vertrieb in mein Team übernommen. Zuerst wusste ich nicht, wie ich sie in meine recht dynamische Marketingabteilung integrieren soll. Wird sie mit dem Tempo klarkommen? Kann ich sie adäquat unterstützen? Wie werden meine jüngeren Mitarbeitenden reagieren? Am Anfang war das sehr herausfordernd und hat mich vor Probleme gestellt, auch von Seiten meiner Abteilung. Doch dann habe ich mich für einen sehr untypischen Move entschieden. Ich habe die Dame ins Social Media Team berufen, also mit einem Thema betraut, mit dem sie bisher noch keine Erfahrung gemacht hatte. Es war ein voller Erfolg. Sie war hoch motiviert und total happy, zusammen mit jüngeren Kolleg*innen neue Strategien zu entwickeln und diese in Sitzungen zu präsentieren. Aber auch die Jungen haben von ihr profitiert, weil sie ganz anders auf die Themen geblickt hat. Ich habe damals gelernt: Es ist immer eine*

persönliche Entscheidung. *Lässt man ältere Mitarbeitende, wie sie sind. Die positive Alternative: Man nimmt sie bei neuen Herausforderungen mit und challengt sie – so können wunderbare Dinge entstehen.«*

Eveline Breitwieser-Wunderl, Diversity, Equity & Inclusion (DE&I) Lead bei Porsche Holding

Bei jungen Führungskräften, die in Hierarchien eingebunden sind, kommt natürlich hinzu, dass sie von ihren eigenen Chefs volle Unterstützung und Rückendeckung erfahren müssen. Ich kenne etliche Geschichten, die zeigen, dass das nicht selbstverständlich ist. Angefangen von Augenrollen in gemeinsamen Team-Meetings bis hin zu Kommentaren schon am ersten Arbeitstag: »Der ist noch jung, seid nachsichtig, gebt ihm ein bisschen Zeit.«

Auch diesbezüglich bin ich meiner Mutter sehr dankbar. Wenn ich mit ihren Arbeitgeber oder Ärzt*innen gesprochen habe, hat sie mich nicht von der Seite angestupst, dazwischengeredet oder mir gar das Gespräch entrissen. Sie hat mir eine Aufgabe übertragen und mich machen lassen. Ich denke, dass dieses Thema gerade bei Familienunternehmen eine immens wichtige Rolle spielt. Können die Senior-Chefs und -Chefinnen das Ruder den Junior-Chefs und -Chefinnen zu hundert Prozent übergeben und ihnen die Führung der oftmals älteren Belegschaft anvertrauen?

*»Reverse Leadership kommt bei uns häufig vor. Gerade, wenn wir Quereinsteiger*innen einstellen, kommt es zu dieser Konstellation. Zugegeben: Es ist herausfordernd. Gerade die jungen Führungskräfte haben oftmals Berührungsängste, scheuen sich, jemandem etwas zu sagen, der vielleicht 20 Jahre mehr Berufserfahrung hat. Insofern thematisieren wir das ganz*

offen, auch um den bekannten Elefant-im-Raum-Effekt zu vermeiden. In puncto ›Führungsqualität‹ sehe ich keinen Unterschied zwischen unseren jungen und älteren Führungskräften. Jede und jeder hat einen eigenen Stil und eine eigene Herangehensweise. Ältere Führungskräfte können supermodern sein, ihren Mitarbeitenden viel Vertrauen entgegenbringen und viel Flexibilität gewähren. Jüngere Führungskräfte können weniger offen und weniger locker sein, als man ihnen gemeinhin zuschreibt. Damit Reverse Leadership gelingen kann, braucht es in erster Linie Offenheit, Toleranz, Wertschätzung und Neugier gegenüber anderen Perspektiven. Erst vor kurzem haben wir für ein junges Vertriebsteam eine Kollegin über 50 eingestellt. Anfangs dachten wir: Das könnte ein Wagnis sein. Aber es ist großartig. Die Kollegin blickt auf ein langes Berufsleben zurück, hat viele Kontakte, ein tolles Netzwerk und lernt jetzt von ihrer jüngeren Führungskraft inklusive Team eine frechere Vertriebsherangehensweise, die sie so noch nicht kannte.«

Michaela Jaap, Head of Corporate Culture & Responsibility, Hays AG

Lasst mich an dieser Stelle noch ein paar Zuschriften zitieren, die ich über meine Community zum Thema erhalten habe, ich finde sie sehr wertvoll.

»Wenn ich zurückblicke, kann ich sagen, dass Verlässlichkeit, Wertschätzung und Gradlinigkeit im täglichen Doing, die Grundpfeiler für das Gelingen meines Reverse Leadership waren.«

»Geburtsjahr ist hier überhaupt nicht relevant: Wer in seinem jahrelang ausgeübten Bereich ›Senior Level‹ oder

FÜRCHTET EUCH NICHT

›Expert‹ ist, kann bei einem Wechsel in eine völlig andere Branche, andere (ausländische) Unternehmenskultur oder in ein Start-up plötzlich ›Junior‹ werden. Keiner sollte sich eine starre Karriereleiter vorstellen, es gleicht eher einem chess board. Von Jüngeren lernen oder sich führen lassen, kann sehr gut funktionieren, wenn alle für den gemeinsamen Erfolg engagiert sind und emotional intelligent agieren.«

»Mir war schon immer die Seniorität im Sinne einer selbstreflektierenden und aktiv zugewandten Führungskraft wichtig – und das ist keine Eigenschaft, die Ältere ›gepachtet‹ haben. Insbesondere nicht bei modernen Führungsrollen des coachenden Personal Leading. Mir wurden ebenso persönlich Geschichten von jüngeren Führungskräften erzählt, die mit Widerstand älterer Mitarbeitender zu kämpfen hatten, die – und das ist leider das Unschöne daran – an ihrem Wunsch als Führungskraft etwas zu gestalten, (ver-)zweifelten. Neben möglichst transparent definierten Führungsrollen ist deshalb meines Erachtens eine klare und offene Begleitung des Onboardings und Teambuildings zwischen FK und MAs – etwa durch Moderation oder Agile Masters – zielführend.«

»Ich habe in meinem Leben bereits Leute geführt, die älter gewesen sind als ich. Das Wichtigste ist aus meiner Sicht, junge Führungskräfte nicht alleine zu lassen. Sie müssen unterstützt und begleitet werden, damit sie ihre Rolle gut ausüben können. Ich denke da nicht in Richtung klassisches Führungskräftetraining, sondern eher in Richtung Coaching oder kollegiale Beratung. Damit junge Führungskräfte auch untereinander ins Reflektieren kommen und Führung in dem Sinne als Privileg begreifen, dass sie das Berufsleben und Leben anderer

Menschen mitformen. Dieses Privileg beinhaltet eine Verpflichtung zu Sorgsamkeit, Besonnenheit und Wohlwollen. Ich hoffe, dass wir das in Zukunft öfters sehen werden. Besonders spannend finde ich all die Mitarbeitenden, die erst mit Anfang, Mitte 50 Junior-Führungskraft werden – weil sie jahrelang ihre Fachlaufbahn verfolgt haben oder sich mehr auf die Erziehung ihrer Kinder konzentriert haben. Das ist nicht nur für die Mitarbeitenden reizvoll, oftmals haben sie in diesem Lebensabschnitt nochmal richtig Lust, durchzustarten. Es ist auch für Unternehmen ein Gewinn.«

Eva Voß, Head of Diversity, Inclusion & People Care Germany I Austria und Co-Chair Charta der Vielfalt e. V.

Drehen wir zum Abschluss dieses Kapitels den Spieß um? Alt führt Jung. Diese Führungskonstellation kennen wir alle. Aber auch sie lässt sich einer Verjüngungskur unterziehen. Thema: Shadow Boards.

Unter der Bezeichnung Shadow Board versteht man eine Gruppe von talentierten Nichtentscheidungsträger*innen im jüngeren Alter, die der Gruppe von Entscheidungsträger*innen im fortgeschrittenen Alter zur Seite stehen, wenn es etwa um die Entwicklung neuer Einblicke, Perspektiven oder Sichtweisen geht, die in erster Linie in den jüngeren Generationen vorherrschend sind. Es geht um die Erweiterung der Perspektive der älteren Manager*innen. Aber auch um die Einführung von jungen Mitarbeitenden in die traditionelle Unternehmensführung.

»Die Generation Z hat das Potenzial, die Welt zu verändern, und Bildung ist der Schlüssel dazu. Durch den Einsatz innovativer Technologien, kritischen Denkens und der Bereitschaft, über den Tellerrand hinauszublicken, können wir gemeinsam eine Zukunft gestalten, die von Wissen, Verständnis und Fortschritt geprägt ist.«

Daniel Jung, Bildungsunternehmer,
Podcaster, Keynote Speaker

Lasst mich zu Veranschaulichung zwei Beispiele aus der Modewelt erzählen.

Das erfolgsverwöhnte und angesehene Unternehmen Prada erlebte in den Jahren 2014 bis 2017 einen Absturz seiner Umsatzzahlen. Die Marke traf den Nerv der Zeit nicht mehr richtig. Sie hatte schlichtweg versäumt, sich mit den aktuellen Entwicklungen in den Social-Media-Kanälen auseinanderzusetzen und verpasste so den Anschluss an moderne Werbe- und Verkaufsstrategien. Oder wie Co-CEO Patrizio Bertelli rückblickend in einem Interview betonte: Das Unternehmen war »slow in realizing the importance of digital channels and the blogging online ›influencers‹ which are disrupting the industry (...) we made a mistake«. Übersetzt: »Wir haben die Bedeutung der digitalen Kanäle und der bloggenden Influencer, die die Branche umkrempeln, nur langsam erkannt (...) ein Fehler.«

Gucci hingegen führte etwa zur gleichen Zeit ein Shadow Board ein und erkannte durch die Vertreter*innen der Generation Y die Trends am Markt. Und erlebte statt eines Abschwungs einen bis heute andauernden Aufschwung – abgesehen vom Coronajahr 2020.

»Nach all meinen Erfahrungen in verschiedenen internationalen Konzernen habe ich gelernt, dass in der Zusammenarbeit von jungen und erfahrenen Menschen Innovation und Kraft für Veränderungen liegt. ›Älter werden ist ein biologischer Prozess, kein Verdienst‹, mit diesem Satz relativiert sich vieles. Gerade in Anbetracht des demografischen Wandels und um eine gemeinschaftliche Zukunft schaffen zu können, möchte ich an meine Generation die Bitte richten, mit jungen Menschen zu arbeiten und sich auszutauschen und sie zu respektieren. Damit werden die verschiedenen Talente genutzt und eine Gesellschaft, die verbindet statt trennt, geschaffen.«

*Vera Schneevoigt,
ehemalige Chief Digital Officer bei Bosch*

Was ist also die Conclusio? Leider muss ich zugeben, dass auch ich nicht frei von Vorurteilen gegenüber jüngeren Führungskräften bin, das habe ich vor einiger Zeit während eines mehrmonatigen Projekts erfahren. Bei einem der ersten Meetings – ich dachte, es ging um ein kurzes Update – stellte sich der Projektleiter neben mich und wollte mir zusehen, wie ich eine E-Mail verfasse. Eine komische Situation, in der die klassischen Stereotype nur so durch meinen Kopf rauschten: »Warum blickt der mir über die Schulter? Kontrolliert der mich etwa? Der ist viel jünger und unerfahrener als ich! Was bildet der sich ein, hat der kein Respekt vor dem Alter ...« Doch dann ließ ich ihn gewähren und machte mir einen Spaß daraus. Ich tippte extra langsam und kicherte über seine zunehmende Ungeduld. Wir beide spielten unsere Rollen perfekt.

Doch in den darauffolgenden Wochen spitzte sich die Situation zwischen uns zu. Mein Chef, nennen wir ihn Leon, übertrug mir immer mehr Aufgaben, für die ich als Freelancerin nicht angeheuert worden war und die auch nicht meinen Skills entsprachen. Zudem nahm er Überstunden als selbstverständlich hin, »bei dem Stundensatz, den du aufrufst, kann ich das schon erwarten.« Blaffte mich vor Teamkolleg*innen an, wenn ihm etwas missfiel. Heuerte einen noch jüngeren Mitarbeitenden an, der mich eigentlich unterstützen sollte, ihm in Wahrheit aber nur als verlängerter Arm diente: Mach dieses, mach jenes, zeig mir deinen Stand, Leon hat gesagt, ich soll da drüberschauen. Zwei Monate vor Projektschluss beendete ich die Zusammenarbeit und dachte nur: »Du kleiner Pimpf!«

Heute ist der Groll verflogen und ich bin dankbar. Dankbar, weil ich über die vielen unerfreulichen Szenen nachgedacht und mir folgende Fragen gestellt habe:

> Welche Qualitäten muss eine Führungskraft mitbringen, damit ich sie akzeptiere?
> Welche Führungskraft hätte ich mir mit 20 gewünscht?
> Habe ich heute das Potenzial, eine solche Führungskraft zu sein?
> Welche Skills muss ich noch erlangen oder verfeinern?

Und dankbar, weil ich Reverse Leadership aus der Position der Geführten erleben durfte. Wie fühlt es sich an, wenn ein Jüngerer einem Älteren etwas befiehlt? Wo liegen die Schmerzpunkte und wie schnell wird die Inkompetenz einer jüngeren Führungskraft auf das Alter und die fehlende Erfahrung geschoben – obwohl das Urteil lauten müsste: als Führungskraft ungeeignet. Heute und womöglich auch morgen.

»Meiner Überzeugung nach sind drei wesentliche Punkte erforderlich, um eine respektvolle Zusammenarbeit über Generationen hinweg zu gewährleisten: 1. Schluss mit Stereotypen! Es ist entscheidend, Vorurteile zu überwinden, wie etwa die Annahme, dass Führungskräfte zwangsläufig älter sein müssen. 2. Reflexion – auf allen Ebenen! Es ist wichtig, sich selbst kritisch zu hinterfragen: Was stört mich gerade? Welche Annahmen treffe ich über meine Kolleg*innen? Ist meine Wahrnehmung objektiv oder spiegelt sie meine eigene Perspektive wieder? Gleichzeitig ist es wichtig, dass sich die beteiligten Personen diese Fragen stellen, um Verständnis füreinander zu entwickeln. 3. Dialog – offene und transparente Kommunikation, Austausch und Feedback! Nur durch einen offenen Dialog, in dem alle Beteiligten aktiv kommunizieren, Ideen austauschen und konstruktives Feedback geben, kann eine effektive Zusammenarbeit erreicht werden. Nur so kann man die tatsächlichen Anliegen ansprechen und Lösungen finden. Ich bin davon überzeugt, dass diese scheinbar einfachen, aber grundlegenden Prinzipien zu einer verbesserten Zusammenarbeit und einem harmonischeren Miteinander führen können.«

Dominique Jäger, Chief Diversity Officer,
Deutsche Kreditbank

Führung ist keine Frage von Alter, sondern von Integrität, Empathie, Leidenschaft und Wissbegierde.

Als ich meine Social Impact-Initiative JOINT GENERATIONS gegründet habe, musste ich anfangs viele Ehrenamtliche führen. Eine große Herausforderung, die mich oft an meine Grenzen und manchmal auch darüber hinaus brachte. Dennoch habe ich

FÜRCHTET EUCH NICHT

in dieser Zeit viel gelernt. Was brauchen Menschen, um für ein Thema zu brennen? Sich einzusetzen und motiviert zu bleiben?

Ich selbst wurde zum einen als junge Frau und zum anderen als Person of Color häufig unterschätzt und leider auch nicht immer genügend respektiert. Um zu zeigen, was in mir steckt, musste ich darauf vertrauen, dass mir Menschen eine Chance geben. Für mich ist deshalb situatives Führen genau der richtige Ansatz, er holt Menschen individuell ab. Einen »one best way« gibt es nicht.

Ein Buch, das ich damals regelrecht verschlungen habe, war *Brave New Work* von Aaron Dignan. Der US-amerikanische Autor resümiert, dass Organisationen komplexe menschliche Systeme voller Potenziale sind, die nur darauf warten, freigesetzt zu werden.

Wenn Führungskräfte ihren Mitarbeitenden jedoch nicht trauen und stets mit Argusaugen über deren Schultern blicken, kann auch kein Vertrauen zurückgefordert werden.

Ohne Vertrauen entstehen immer auch Geheimnisse und eine negative Grundeinstellung. Das Buch hat mich gelehrt, die strenge Art des Führens zu hinterfragen und mir darüber bewusst zu werden, wie wichtig meine Mitarbeitenden sind: Ohne sie erreiche ich wenig bis gar nichts. Stehe ich hinter ihnen, werden sie hinter mir stehen. Es ist ein Geben und Nehmen. Wie in jeder guten Partnerschaft. Und das Voneinanderlernen und Aufeinanderzubewegen hört vermutlich nie auf.

REVERSE LEADERSHIP.
FÜNF TRENDS, DIE
MAN BERÜCKSICHTIGEN MUSS

1. Eine fortschreitende Digitalisierung

Die rasante Dynamik und Ausbreitung digitaler Technologien verändern die Formen, wie Menschen kommunizieren, kooperieren und miteinander lernen. Eine moderne
Führungskraft sollte in der Lage sein, ihre Mitarbeitenden
in Sachen Digitalisierung fördernd und fordernd zu begleiten. Hier kann Reverse Leadership die digitale Kreativität
der jüngeren Führungskräfte mit dem bewährten Fachwissen der älteren Mitarbeitenden multiplizieren.

2. Eine sich überschlagende Globalisierung

Die rapide Vernetzung und multinationale Pluralisierung
von Firmen verlangen Führungskräfte, die kulturelle Differenzen respektieren und effizient fürs Unternehmens-
wachstum nutzen. Jüngere Leiter*innen zeigen in der
Regel ein deutliches Plus an interkultureller Kompetenz.
Sie können sich überdies eher an neuartige Arbeitsbedingungen im Ausland anpassen. Hier bietet Reverse Leadership Vorzüge, weil junge Leitungskräfte es möglicherweise
verstehen, Synergien zwischen diversen Perspektiven
innerhalb der Belegschaft voranzutreiben.

3. Eine zunehmende Individualisierung

Die wachsende Autonomie und Diversität der Individuen
führt zu gesteigerten Anspruchshaltungen, geschmälerter
Akzeptanz von Unternehmenshierarchien und Präferenzen
zur Selbstverwirklichung. Eine Führungskraft muss Kompetenzen besitzen, die Einzigartigkeit der Kolleg*innen zu
schätzen und vertrauensvolle Beziehungen zu den Mitarbeitenden aufzubauen. Hierzu ist eine förderliche, koope-
rative Leitungskultur zu entwickeln. Reverse Leadership

FÜRCHTET EUCH NICHT

bietet Vorteile, indem sich jüngere Leiter*innen empathisch zeigen und wechselseitige Anpassungsbereitschaften im Kollegium stärken.

4. **Der Trend zur Nachhaltigkeit**

Die Wahrnehmung ökologischer, sozialer und ökonomischer Herausforderungen erfordert Führungskräfte, die in langfristigen Perspektiven denken und für interkulturelle Werte eintreten. Zusätzlich sollten sie ein verantwortungsbewusstes Handeln demonstrieren. Hier ermöglicht Reverse Leadership eindeutige Benefits, wenn sie die vielfältigen Sichtweisen der Stakeholder*innen angemessen berücksichtigen und aufeinander beziehen können. Junge Leader*innen verfügen durch eine zeitgemäße Ausbildung und ihr dynamisches Lebensalter über das dazu nötige Know-how.

5. **Der demografische Wandel**

Die Überalterung und Bevölkerungsabnahme führen in den Firmen zum gravierenden Fachkräftemangel, einer längeren Lebensarbeitszeit und einem breiteren Altersspektrum. Hier bietet Reverse Leadership ein Plus, da es den Wissens- und Erfahrungstransfer – ohne Senioritätsprinzip – zwischen den Generationen fördert. Zudem können jüngere Führungskräfte allein durch ihre Vorbildfunktion ältere Angestellte bestärken, sich durch mehr Eigenverantwortung weiterzuentwickeln und durch mehr Prävention physisch wie psychisch fit zu bleiben.

SHADOW BOARD.
4 GRÜNDE, DIE DAFÜR SPRECHEN

1. **Aufbau von Vertrauen und Kommunikation**
   Der offene Austausch von Ideen und Ansichten im Unternehmen stärkt das Zusammengehörigkeitsgefühl und fördert die intensivere Kooperation zwischen Jung und Alt. Schädliches Konkurrenzverhalten innerhalb der Firma flaut ab, weil das Verständnis für die Sichtweisen der unterschiedlichen Generationen wächst, jede*r fühlt sich gesehen und stärker in die kollektive Leistung einbezogen. Man kennt sich, schätzt sich, tauscht sich aus.

2. **Erweiterung der Perspektive**
   Einblicke in Gedanken-, Gefühls- und Lebenswelten jüngerer Generationen bringen neue Erkenntnisse, in welche Richtung sich das Unternehmen entwickeln muss, um auch zukünftig am Markt erfolgreich zu sein. Zudem lassen sich neue Zielgruppen erschließen, man bleibt am Puls der Zeit.

3. **Frühzeitige Problemerkennung**
   Ist die Basis für eine vertrauensvolle Zusammenarbeit geschaffen, werden auch Probleme schneller kommuniziert. Es kann eher reagiert, schwere Fehler können vermieden werden.

4. **Training für angehende Führungskräfte**
   Junge Mitarbeitende erhalten Einblicke in die komplexen Zusammenhänge eines Unternehmens und lernen, Verantwortung zu übernehmen. Eine gute Vorbereitung für die Führungsebene.

FÜRCHTET EUCH NICHT

CALL2ACTION

> Stelle ein Shadow Board zusammen.
> Wer wäre mit von der Partie und warum?

Drei Namen, drei Begründungen.
Kurz und prägnant.

3 ZU-SAMMEN HÄLT BESSER

> über die Macht altersdiverser Teams und gemeinsamer Visionen

INKLUSIVE GENERATIONENTRAINING:

REVERSE MENTORING UND KULTUR DER WEISHEIT

Starten wir dieses Kapitel mit einem Satz, der nicht oft genug wiederholt werden kann: <u>Ältere Mitarbeitende gehören zu den tragenden Säulen eines Unternehmens!</u> Sie kennen ihren Betrieb wie ihre Westentasche, viele haben dort ihre Ausbildung absolviert und sich dann Stufe für Stufe hochgearbeitet. Sie blicken auf etliche Führungswechsel, Umstrukturierungen sowie Krisen zurück und können dementsprechend die Frage: »Warum tickt unser Unternehmen, wie es tickt« aus einer breiteren Perspektive beantworten als jüngere Mitarbeitende. Zudem verfügen sie nicht nur über methodisches Wissen und <u>Fachwissen</u>, sondern auch über jede Menge <u>Erfahrungswissen.</u>

Jede*r kennt Situationen, in denen dieses implizite Wissen zum Tragen kommt. Bei einem zähen Meeting mit unzufriedenen Stammkund*innen beispielsweise, bei dem die älteren Sales-Kolleg*innen intuitiv wissen, wie sich die Stimmung wieder zum Guten drehen lässt. Oder Techniker*innen, die genau spüren, wann eine Maschine auch außerhalb des standardisierten Rhythmus gewartet werden muss. Wissen also, das weniger über Vorträge, Lehrbücher oder Fact Sheets vermittelt werden kann, sondern mehr durch Zusehen, Nachmachen, Ausprobieren.

Was aber geschieht mit all dieser wertvollen Expertise, wenn langjährige Mitarbeitende in Rente gehen? Es geht verloren. In naher Zukunft in einem noch nie dagewesenen Umfang.

Laut einer Prognose des Statistischen Bundesamtes werden <u>bis 2036 voraussichtlich 12,9 Millionen</u> Babyboomer aus dem Erwerbsleben ausscheiden. Das sind angesichts von 45 Millionen Erwerbstätigen fast 30 Prozent. Mich versetzen diese Zahlen ein wenig in Panik! <u>Unternehmen müssen schleunigst Wege finden, wie sie in den kommenden Jahren das explizite und implizite Wissen dieser Menschen bewahren beziehungsweise</u>

an jüngere Mitarbeitende weitergeben können. Stichwort: Wissens- und Kompetenztransfer.

Es gibt, wie wir sehen werden, etliche Methoden und Tools. Irgendwie scheint die Wirtschaftswelt zu schlafen. Wissenstransfer findet beim Onboarding in Form von Einarbeitung statt. Und vielleicht beim Offboarding in Form von Übergabe – wenn die Vorgänger*innen nicht freigestellt sind oder ihren Resturlaub abfeiern. Was aber passiert während der langen restlichen Zeit, along the Employee Lifecycle Journey? Eindeutig zu wenig!

> »In den 1970er-, 1980er- und 1990er-Jahren haben wir in Deutschland eine regelrechte Frühverrentungswelle erlebt. Dahinter stand die Idee: Wir schieben ältere Personen aus dem Arbeitsmarkt und ersetzen sie durch jüngere Personen. Leider sitzen wir diesem Trugschluss noch heute auf, da jüngere Beschäftigte nicht von heute auf morgen ältere Beschäftigte ersetzen können. Viele Unternehmen und Branchen haben zudem keinen Überblick über die Altersstruktur ihrer Belegschaft, es fehlt an einer langfristigen Übersicht, wann Mitarbeitende in den Ruhestand gehen und welche Kompetenzen mit einem solchen Ausscheiden verbunden sind. Wissenstransfer passiert nicht von alleine. Wenn ein Unternehmen weiß, dass Herr Müller in fünf Jahren geht, muss das Unternehmen die fünf Jahre nutzen, um das Wissen von Herrn Müller an Herrn oder Frau Maier weiterzugeben. Das ist ein langjähriger Prozess, der geplant, implementiert, reflektiert und finanziert werden muss. Leider passiert das viel zu selten. Und da ältere Mitarbeitende weniger in fachliche Qualifizierungsmaßnahmen eingebunden werden, findet auch dort wenig Wissenstransfer von Alt zu Jung statt.«

> Laura Naegele, Nachwuchsgruppenleiterin
> am Bundesinstitut für Berufsbildung (BIBB) in Bonn

Zur Verdeutlichung ziehe ich fünf Posts aus einem Berg an Zuschriften, die mich zu diesem Thema über meine sozialen Kanäle erreicht haben. Teils klingt Verbitterung durch.

»Es interessiert niemanden, ob das Wissen weitergegeben wird. Ich habe irgendwann aufgehört, darauf aufmerksam zu machen, dass Spezialwissen nicht von heute auf morgen vermittelt werden kann.«

»In acht von zehn Unternehmen wird auf Wissenstransfer nicht eingegangen; es wird vernachlässigt! Die Teppichetage schläft. Erst, wenn ein Manager weg ist, merken sie den Verlust. Und dann Business as usual!«

»Wenn ein langjähriger Mitarbeiter aus Altersgründen ausscheidet, ist das selbst bei sehr großen Firmen ein Schnitt oder Abbruch. Es entfallen oftmals sehr gute Kontakte und Kundenbeziehungen, die ›der Neue‹ nicht hat, nicht haben kann und sich erst über eine lange Zeit erarbeiten muss. Wenn so eine Übergabe vorausschauend geplant wird – und auch Arbeiten parallel und gemeinsam erledigt werden –, ist das für ein Unternehmen mit Sicherheit gewinnbringender, als wenn der neue Mitarbeiter alleine und für sich von vorne beginnen muss.«

»Früher war es üblich, dass Ältere ihr Wissen an die Jüngeren weitergegeben haben und eng zusammengearbeitet wurde. Nach 1989 änderte sich das in Ostdeutschland und die vorwiegend westdeutsche Arbeitsweise wurde durchgedrückt. Das Wissen der Älteren ist oft nicht mehr gewünscht. Damit sinkt bei Ausscheiden der Älteren auch das Niveau im Unternehmen, was teilweise gewollt ist. Weniger Leistung auf niedrigerem Niveau zu höheren Preisen ist die Zielrichtung, koste es, was es wolle.«

»Der theoretisch definierte Kompetenztransfer findet in der Regel nicht statt und ist nur ein fiktiver Ansatz. Realistisch ist nur der permanent weitere Einsatz der bisherigen Kompetenzträger in aktuell laufende Projekte ... soweit diese dazu bereit sind ... mit zunehmendem Lebensalter wird die Zeit wertvoll ... und ist entsprechend kostbar.«

Die Problematik: <u>Je weniger sich Unternehmen für das Wissen ihrer älteren Mitarbeitenden interessieren, desto weniger interessieren sich die älteren Mitarbeitenden für den Wissenstransfer.</u> Wie sollte es anders sein? Warum sollten ältere Mitarbeitende ihr Wissen an jüngere Kolleg*innen oder frischgebackene Führungskräfte weitergeben? Vor allem, wenn sie sich seit längerer Zeit gefühlt auf dem Abstellgleis befinden und nicht vermittelt bekommen, dass es einen Unterschied macht, ob sie mit ihrer Expertise da sind oder nicht. Oder noch schlimmer: dass sie stören und die Jungen jetzt alles anders und besser machen.

>> **»Es ist schon manchmal komisch, wenn junge Leute direkt von der Universität und mit ganz vielen Tools im Gepäck in Unternehmen kommen und den älteren Mitarbeitenden erklären wollen: Okay, ich zeige euch jetzt mal, wie die neuen Sachen funktionieren. Bevor man Dinge verändern beziehungsweise digitalisieren kann, muss man sie erst einmal verstehen – und dafür muss man wiederum wertschätzen, was ist, und sehr viel zuhören: Was haben die Generationen vor einem aufgebaut und warum? Ich versuche, alle Mitarbeitenden, die bei mir in Rente gehen, zumindest mit einem Berater*innenvertrag zu halten, weil ihr Wissen einen hohen Wert fürs Unternehmen hat und ich ihre Nähe schätze.«**

> **Roman Gaida, C-Level Manager & Autor**

Auf Podien und Kongressen fragen mich Geschäftsführer*innen und Manager*innen gerne, was sie tun könnten, um den Wissenstransfer von Alt zu Jung innerhalb ihres Unternehmens zu fördern. Oder wie es einer meiner Follower*innen auf LinkedIn formuliert hat:

*»Wie sieht es mit der MOTIVATION der Beteiligten aus? Die Motivation für das Unternehmen ist klar und selbsterklärend; ebenso für die jungen Mitarbeiter*innen in der Funktion der Wissensempfänger. Beide Parteien profitieren von einem Transfer. Aber was ist mit den ›Alten‹, den Wissenshütern? Welches Motiv haben sie beziehungsweise was könnte sie veranlassen, einen solchen Transfer aktiv zu unterstützen? Viele werden sicherlich hochmotiviert sein, ihr Wissen an Jüngere weiterzugehen. Andere werden da vielleicht zurückhaltender sein, weil sie befürchten, einen Wettbewerbsvorteil aus der Hand zu geben oder sich früher überflüssig/ersetzbar zu machen. Gibt es dazu schon Untersuchungen beziehungsweise Erfahrungen?«*

Ich selbst habe dazu keine aktuellen Studien zur Hand. Ich kann nicht sagen, wie viele Babyboomer ihr Wissen teilen beziehungsweise für sich behalten. Aber ich versuche, mit meinen Gesprächspartner*innen gemeinsam Antworten auf die Frage zu finden: <u>Was brauchen Menschen wie du und ich, damit sie ihr Wissen gerne weitergeben?</u> Neben Wertschätzung, die wir schon angesprochen haben, fallen in der Regel folgende Begriffe:

> **Identifikation:** Das Unternehmen, für das wir arbeiten, liegt uns am Herzen. Wir wollen einen Beitrag leisten, dass es ihm gut geht und auch nach unserem Ausscheiden bestehen kann.

> Dankbarkeit: Wir konnten uns immer auf unsere Arbeit-
  geber verlassen, in guten wie in schlechten Zeiten. Fordern
  und fördern lautet die Devise.

> Interesse: Unser Wissen wird nicht nur abgefragt, es
  besteht ein echtes Interesse daran. Sender*innen und
  Empfänger*innen funken auf derselben Frequenz,
  tauschen sich auf Augenhöhe miteinander aus.

> Quid pro quo: Wir erleben Wissenstransfer nicht als Ein-
  bahnstraße. Niemand zapft unser Wissen nur aus Eigen-
  nutz ab. Alle sind bereit, ihr Wissen miteinander zu teilen,
  auch über Abteilungsgrenzen hinweg.

> Meinungsfreiheit: Es gibt keinen Nährboden für heim-
  liche Regeln und ungeschriebene Gesetze, die da lauten:
  »Sage nie die Wahrheit«, »Halte mit deiner Meinung hin-
  term Berg«, »Reden ist Silber, Schweigen ist Gold«.

> Vertrauen: Wir können uns darauf verlassen, dass wir
  durch das Teilen unseres Wissens nicht unsere eigene
  Position gefährden. Wir wissen, wofür unser Wissen eingesetzt wird und laufen nicht Gefahr, plötzlich einer
  falschen Sache zu dienen.

Allesamt Punkte, die mit Wissenstransfer im Sinne von Softwarelösungen und Datenmanagementsystemen erst einmal
nichts zu tun haben. Sondern mit Unternehmenskultur.

**Wie gehen wir im beruflichen Alltag
miteinander um? Gibt es einen Raum
für Kennenlernen, Dialog und Zusam-
menwirken? Ist dieses Fundament nicht
gegeben, wird es schwer, eine Ära
des Wissens- und Kompetenztransfers
einzuläuten.**

Oder, mit Blick auf den zunehmenden Fachkräftemangel, Mitarbeitende über alle Generationen hinweg im Arbeitsprozess zu halten. Denn beim Thema »Wissens- und Kompetenztransfer« geht es nicht nur um die knapp 13 Millionen Babyboomer, die in den kommenden zwölf Jahren von Bord gehen, sondern auch um all die jüngeren Arbeitnehmer*innen, die an einem Wechsel interessiert oder bereits auf der Suche sind.

Laut einer aktuellen Umfrage der Beratungs- und Prüfungsgesellschaft Ernst & Young (EY) liegt deren Quote mit 63 Prozent so hoch wie noch nie. Sicherlich sind solche Zahlen mit Vorsicht zu genießen. Von Interesse über Absichtserklärung bis zum Jobwechsel ist es mitunter ein weiter Weg. Doch wie Arbeitsmarktexperte Enzo Weber vom Institut für Arbeitsmarkt- und Berufsforschung (IAB) konstatiert, herrscht heute »die größte Arbeitskräfteknappheit seit dem Wirtschaftswunder«. Die Chancen, einen neuen und vielleicht sogar besseren Job zu finden, stehen zu gut, um das Thema »Wissens- und Kompetenztransfer« weiterhin schleifen zu lassen.

> *»In den meisten deutschen Firmen ist das Management von Vielfalt – und dazu gehört auch das Alter – nicht Teil der Unternehmensstrategie. Stattdessen wird oft eine Unternehmens- und Personalpolitik betrieben, die klont und wenig Individualität zulässt. So wird eine echte und sinnvolle Veränderung erschwert. Gründe gibt es mindestens zwei: Zum einen sind deutsche Unternehmen auf Effizienz und Prozessoptimierung getrimmt - im Sinne von schneller, höher, weiter und mehr vom Selben. Zum anderen ist die hierzulande sehr einflussreiche Beratungsindustrie – von Strategieberatung bis Executive Search – leider nicht besonders kreativ in ihren Lösungsangeboten. Besser unterwegs sind britische, skandinavische und US-amerikanische Firmen. Ich bin beispielsweise davon überzeugt, dass IBM auch aufgrund*

seiner ausgeprägten Diversity-Orientierung seine bisherigen zwei großen Krisen und Unternehmenstransformationen erfolgreich bewältigen konnte.«

Thomas Sattelberger, Topmanager, bis 2012 Personalvorstand der Deutschen Telekom, MdB 2017–2022, Parlamentarischer Staatssekretär a. D.

Weil mir das Thema auf den Nägeln brennt, stelle ich euch gleich mehrere Methoden vor. Überspringt sie bitte nicht. Denn sie haben das Potenzial, nicht nur den Wissens- und Kompetenztransfer zwischen Menschen und Generationen zu fördern, <u>sondern auch eine sogenannte Appreciation of Wisdom-Kultur zu etablieren.</u>

GEMEINSAME PROJEKTARBEIT

Jüngere und ältere Mitarbeitende bilden eine Einheit. Durch die enge Zusammenarbeit entstehen nicht nur gemeinsame Lösungen. Die Jüngeren erhalten Zugang zu der fachlichen Expertise und den überfachlichen Kompetenzen ihrer älteren Kolleg*innen. Wissens- und Kompetenztransfer par excellence. Zudem fühlen sich die Älteren wertgeschätzt, ein wichtiger Push auf der beruflichen Zielgerade. Zur Inspiration zwei Beispiele, die mir Interviewpartner*innen erzählt haben:

»Bei Generali können ältere Mitarbeitende jüngeren Kollegen Projektideen vorstellen, die sie schon vor zehn, fünfzehn Jahren entwickelt haben, aber aufgrund fehlender technischer oder technologischer Voraussetzungen nicht umsetzen konnten. Zusammen finden sie dann heraus, welche Ideen sich mithilfe neuer Tools realisieren lassen. Dieser Prozess ist goldwert und schafft Wertschätzung auf beiden Seiten. Für die jüngeren

Menschen, die ihre neuen Tools und ihre Digital-Native-Kenntnisse in die Waagschale werfen können. Und für die älteren Menschen, die schon vor Jahren eine richtig gute Idee hatten und berechtigterweise stolz darauf sind.«

Loring Sittler, Beiratsmitglied des Sozialunternehmens Generationsbrücke Deutschland

Rudolf Kast: »*Ein tolles Beispiel ist für mich Johnson & Johnson. Das Unternehmen hat Projekte ausgeschrieben, die für die Zukunft des Unternehmens wichtig sind und dabei gezielt Ältere angesprochen. Damit hat die Organisation zwei Botschaften proaktiv kommuniziert: Die eine in Richtung der Älteren – ›Hey, Ihr seid Professionals, klinkt Euch ein, wir trauen Euch das zu!‹ –, die andere in Richtung der Jüngeren – ›Wir lassen ganz bewusst Ältere an wegweisende Aufgaben für die Zukunft ran, weil sie das nötige Wissen und die nötige Erfahrung haben‹. Im Endeffekt wirkt diese Aktion über alle Generationen hinweg, denn für alle ist es toll, zu sehen, wenn das eigene Unternehmen zeigt: Wir binden unsere Mitarbeitenden unabhängig vom Alter in kreative und wertvolle Projekte ein, weil wir an sie glauben und dazu beitragen wollen, dass sie mit ihrem Wissen möglichst lange im Unternehmen bleiben.*«

Ferdinand Walther, Innovationsberater: »*In verschiedenen Formaten habe ich beobachten können, wie Jung und Alt sich gegenseitig befruchten. Stärken und Schwächen sind idealerweise komplementär verteilt und gleichen sich in Kombination aus. Die Souveränität der Alten trifft auf den Mut und die Veränderungsbereitschaft der Jungen. Domainexpertise und bestehende Arbeitsprozesse werden hinterfragt und mit kreativen neuen Vorgehensweisen angereichert. Dabei haben sich Hackathons (oder BusinessCreathons etc.) bewährt. Bei diesem Format wird in einem kurzweiligen Wettbewerb an*

ZUSAMMEN HÄLT BESSER

neuen Produkten, Geschäftsmodellen, Dienstleistungen, Tools oder Prozessen in funktionsübergreifenden, interdisziplinären und diversen Teams gearbeitet. Bestehende Hierarchien werden aufgelockert und ermöglichen den Generationen, sich unverbindlich kennenzulernen und Spaß zu haben.«

JOBTANDEMS UND JOBSHARING

Ein*e jünger*e und ein*e ältere*r Mitarbeitende teilen sich eine Vollzeitstelle. Im Gegensatz zur traditionellen Teilzeitarbeit zeichnet sich das Job-Tandem dadurch aus, dass die Beschäftigten miteinander kommunizieren und sich gegenseitig über anstehende Aufgaben informieren. Auch die Arbeitszeiten werden zwischen den Beschäftigten abgestimmt. Beide Seiten profitieren von den Kenntnissen des Tandempartners beziehungsweise der Tandempartnerin – sowohl was die fachliche als auch die organisatorische Ebene betrifft. Durch den intensiven Austausch findet ein kontinuierlicher Lernprozess statt.

>»Jobsharing ist auch für den Bereich Topsharing
>interessant. Das Teilen einer Führungsfunktion mit einer
>älteren, erfahrenen Kraft ist natürlich perfekt. Hinzu
>kommt oftmals ein großes Verständnis. Ich bin bei-
>spielsweise als Working Mum nicht mehr so im Job prä-
>sent, wie ich es vorher ohne Kinder sein konnte. Ältere
>Kolleg*innen, die aus dieser Phase heraus sind und be-
>reits erwachsene Kinder haben, können sehr schnell
>verstehen, was ich brauche. Schließlich haben sie diesen
>Spagat vor zehn Jahren selbst vollführt. Da gibt es ein
>blindes Verstehen, was die Zusammenarbeit und den
>Wissenstransfer pusht.«

>Eleonore Soei-Winkels, Professorin für
>Wirtschaftspsychologie an der FOM Hochschule

WORKING OUT LOUD (WOL)

Eine Methode für selbstorganisiertes Lernen, die von dem US-amerikanischen Informatiker John Stepper während eines Karrieretiefs entwickelt wurde. Vier bis fünf Personen bilden einen sogenannten WOL Circle und treffen sich zwölf Wochen lang, um gemeinsam an individuellen Lernzielen zu arbeiten. Es geht darum, die eigene Arbeit sichtbar zu machen, Wissen zu teilen und Netzwerke innerhalb des Unternehmens aufzubauen – jenseits von Abteilungen und Hierarchien. Jüngere Arbeitnehmende profitieren von Älteren und umgekehrt, indem sie beobachten und dabei lernen, wie die Partner*innen jeweils an Aufgaben herangehen und Lösungen finden.

»Meiner Meinung nach war und ist es unglücklich, dass sich die Tech-Industrie in erster Linie auf jüngere Menschen konzentriert und vornehmlich Technologie von Jungen für Junge entwickelt. Immer mehr gesellschaftliche Prozesse hängen stark von digitaler Zugänglichkeit und Nutzungskompetenz ab. Die Pandemie war ein extremes Beispiel für die völlige Abhängigkeit von digitalen Technologien, um soziale Kontakte zu pflegen. An vielen Orten, so auch in Deutschland, machen ältere Menschen einen großen Anteil der Gesellschaft aus. Daher ist es ethisch bedenklich, wenn ein großer Teil der Menschen keinen Zugang zu den gängigen Verbindungs- und Kommunikationsmitteln hat oder nicht darin geschult ist, weil sie bei der Konzeption, Gestaltung und Vermarktung digitaler Technologien außen vorgelassen werden. Glücklicherweise gibt es in der Start-up-Szene ein wachsendes Interesse an der Bekämpfung von Altersdiskriminierung hinsichtlich digitaler Technologien und ausgewählte unternehmerische Bemühungen konzentrieren sich auch auf ältere Menschen als Zielgruppe. Am besten

ZUSAMMEN HÄLT BESSER

gelingt das, wenn Unternehmen bei der Entwicklung auf altersdiverse Teams setzen, um Produkte altersdivers gestalten zu können.«

Alina Gales, Leitung Stabsstelle Diversity & Equal Opportunities an der Technischen Universität München (TUM)

JOBSHADOWING

Die wörtliche Übersetzung »Arbeitsplatzbeschattung« sagt eigentlich schon alles. Personen heften sich für eine bestimmte Zeit an die Fersen erfahrener Mitarbeitender und begleiten sie wie deren Schatten durch den Arbeitsalltag. So können sie Arbeitsabläufe, Interaktionen und Tagesroutinen beobachten und sich ein Bild von dem Job machen: Welche Anforderungen gilt es zu bewältigen, wie sieht das Arbeitsumfeld aus, welche Kompetenzen sind nötig? Die erfahrenen Mitarbeitenden übernehmen die Rolle von Coach*innen, einmalig für ein paar Tage oder längerfristig im Rahmen einer Mentoring-Beziehung. Jobshadowing kann aber auch genutzt werden, um Einblick in andere Unternehmensbereiche zu erhalten. Das fördert in der Regel nicht nur den Erfahrungs- und Ideenaustausch zwischen den Abteilungen, sondern auch das Verständnis füreinander. Das Besondere an dieser Methode: Sie ist für Berufseinsteiger*innen, Nachwuchsführungskräfte und etablierte Mitarbeitende ein Gewinn. Dank digitaler Kommunikationstools funktioniert Jobshadowing auch sehr gut über den Bildschirm.

»Um dem Fachkräftemangel gegenzusteuern, buhlen wir bundesweit sogar in Schulen um junge Leute und versuchen sie als Azubis oder Dual-Studierende zu gewinnen. Die zahlenmäßig wenigen Jungen stehen einer deutlich höheren Anzahl an zukünftigen Rentnern gegenüber. Hier sehe ich

eine Herausforderung und Chance darin, Arbeitsabläufe entsprechend zu vereinfachen, damit der Nachwuchs die bestehende Arbeit auch bewältigen kann. Ich wünsche mir, dass ein zukünftiger Rentner seine Expertise selbst an die jüngere Person weitergibt.«

Margit Barthel, Betriebsrätin und Vertriebsassistentin bei M-net

JOBROTATION

Arbeitnehmende rotieren innerhalb des Unternehmens, sie können entweder eine andere Tätigkeit in derselben Abteilung bekleiden oder auf eine ranghöhere Stelle rutschen, etwa von einer Stab- zu einer Linienfunktion. Dieser systematische Arbeitsplatzwechsel wirkt sich positiv auf den Wissens- und Kompetenztransfer aus und die Gefahr, dass nur wenige Personen über relevantes Wissen verfügen, wird verringert.

»Wenn wir uns die gesamte Wertschöpfungskette anschauen und überlegen, wo wir unsere vorhandene Experience rotieren lassen können: Dann haben wir in puncto Wissenstransfer sehr viel gewonnen. Denn wir motivieren die älteren Mitarbeitenden im Sinne von: Ihr werdet gebraucht! Ihr seid wertvoll, nicht nur für eine bestimmte Abteilung, sondern für das gesamte Unternehmen. Und wir ermutigen die Jüngeren im Sinne von: Ihr dürft euch ausprobieren und Fehler machen! Dabei lassen wir euch nicht alleine, sondern helfen euch mit unserer Erfahrung, eure Learnings zu reflektieren und einzuordnen.«

Eleonore Soei-Winkels, Professorin für Wirtschaftspsychologie an der FOM Hochschule

CORPORATE MEETS START-UP

Zusammen mit Inessa Kuhnert, ex-Global VP ISVs vom Software-konzern SAP, sprechen wir gerade über eine Initiative, die die Zusammenarbeit zwischen erfahrenen Mitarbeitenden aus der Konzernwelt mit Mitarbeitenden von Start-ups fördern soll. Oftmals stehen junge Unternehmen vor dem Problem, dass sie sich die kristalline Expertise nicht leisten können, weil zu teuer. Doch wenn sich beide Parteien die Kosten teilen, kann es zu einem echten Win-win kommen. Sowohl in puncto »Innovation« als auch »intergenerationalen Austausch«. Natürlich könnte man wie beim Corporate Volunteering erfahrene Mitarbeitende pro bono ausleihen, doch durch die Bezahlung wird es erst zu einer Zusammenarbeit auf Augenhöhe.

REVERSE MENTORING

Eine Methode für Wissens- und Kompetenztransfer, die ich besonders hervorheben möchte, sind Mentoring- und Reverse-Mentoring-Programme. Gerade letztere haben einen besonderen Charme.

Sie stellen den klassischen Prozess »Alt coacht Jung« auf den Kopf und heben das Senioritäts-prinzip auf, so dass sowohl Mentor*in als auch Mentee aus ihren gewohnten Denk- und Handlungsmustern ausbrechen können.

Die Jüngeren müssen nicht klein beigeben, die Älteren nicht Chef*in spielen. Entlastung auf beiden Seiten, wodurch mehr Nähe entsteht. Die perfekte Basis für einen Austausch auf Augenhöhe, ein Win-win.

»Älteren Mitarbeitenden und Führungskräften fällt es oftmals schwer, das Zepter aus der Hand zu legen. Wie sollte es anders sein? Gemäß dem Senioritätsprinzip sind sie es gewohnt, Antworten zu geben und nicht Fragen zu stellen. Oder gegenüber einer jüngeren Person gar einzugestehen, dass sie in manchen Bereichen vielleicht doch nicht so viel wissen wie behauptet. Genau dort beginnt es aber, richtig interessant zu werden! Denn wenn ich anfange, mich ehrlich zu machen und einräume, an diesem und jenen Punkt bin ich blank, kann erst ein fruchtbarer Boden entstehen, auf dem ein so zartes Pflänzchen wie Innovation gedeihen kann. Zudem bedeutet Reverse Mentoring nicht, dass die erfahrene Person schweigen muss. Mitnichten. Es findet immer ein beidseitiges Lernen, ein beidseitiger Austausch statt. Und zwar bei jeder oder fast jeder Begegnung. Im besten Fall wird aus einem Übereinander- oder gar Gegeneinander-Reden ein Miteinander- oder gar Füreinander-Reden.«*

*Paul Wilhelm von Preußen,
Gründer von Digital8*

Ich erinnere mich noch gut an den Tag, an dem ich auf diese Variante gestoßen bin. Besser gesagt: Gestoßen wurde. Begonia Vazquez Merayo von *net4tec* rief mich an, um sich mit mir zum Mittagessen zu verabreden. Beim Nachtisch rückte sie mit ihrer Frage raus: »Würdest du mich coachen? Ich möchte dein Mentee sein.« Zuerst dachte ich, sie nimmt mich auf den Arm. Was soll ich ihr beibringen, Begonia ist etliche Jahre älter als ich und ein echtes Powerhouse. Müsste es nicht andersherum sein?

In meinem damaligen Weltbild kannte der Fluss des Wissens nur eine Richtung: von Alt zu Jung.

ZUSAMMEN HÄLT BESSER

Doch Begonia blieb dabei und sagte nur: »Ich möchte mein Netzwerk ausbauen, meine Sichtbarkeit und meine Reichweite vergrößern, eine Community aufbauen und Sponsor*innen akquirieren – und du weißt, wie das geht.«

> **»Das tatsächliche Alter einer Person und berufliches Leistungsvermögen sind nicht systematisch miteinander verkoppelt.«**
>
> **Sylke Meyerhuber, wissenschaftliche Mitarbeiterin, Universität Bremen**

Zurück in meinem Büro, habe ich recherchiert, so gut wie alles gelesen, was ich über Reverse Mentoring finden konnte, mich auf das Abenteuer mit Begonia eingelassen und inzwischen zusammen mit meinem Team eine App für den perfekten Generationen-Match entwickelt. Denn klar ist: <u>Sich ab und an treffen und nett miteinander plaudern reicht nicht. Der Prozess muss – wie bei anderen Methoden auch – initiiert, begleitet, getrackt und evaluiert werden.</u> Viele Reverse Mentoring-Programme scheitern, weil zu lose, zu unverbindlich, zu unstrukturiert, ohne Ziel und Themensetzung.

> *»Alte sind nicht überheblich, Junge sind nicht faul. Punkt. Durch das Reverse Mentoring-Programm von Irène habe ich gelernt: 1. Sei kein Besserwisser, bloß weil du 20 Jahre älter bist. 2. Bleib neugierig und profitiere von den innovativen Ideen und neuen Ansätzen der jüngeren Generation. 3. Nimm Feedback an – auch von denen, die weniger Erfahrung haben, halte Spannung und Streit aus, denn wo Reibung ist, entsteht Wärme. 4. Nimm destruktive Kritik nicht an und kämpfe nicht um Anerkennung. Suche dir besser eine Umgebung und Menschen, die dich schätzen. Sei mutig und verändere dich. 5. Netzwerke mit den jungen Wilden, weil neue Perspektiven frischen Wind*

bringen und guttun.»*Teamwork makes the dream work*«
ist nicht nur ein dummer Spruch, sondern eine Haltung.
6. Entwickle ein Tech Savvy-Mindset, sei offen und neu-
gierig gegenüber neuen Technologien, digitalen Tools,
technischen Innovationen und schwimm vor die Welle
und lerne, lerne, lerne. Alt und Jung.«

Christina Hildebrandt, Director CrossCommunications
Avantgarde Gesellschaft für Kommunikation

Auch wenn viele es vermuten: <u>Beim Reverse Mentoring muss</u>
<u>es nicht immer nur um digitale Tools und Social Media gehen.</u>
<u>Spannender ist oftmals das Kennenlernen der jüngeren Ge-</u>
<u>nerationen an sich.</u> Das hat auch Lea-Sophie Cramer erkannt.
Beim LinkedIn Reverse Mentoring Programm 2022 suchte
die ehemalige Gründerin des Online-Erotikshops Amorelie und
heutige Business Angel, Coachin und Podcasterin eine*n Mentor*in aus der Generation Z, um zu lernen:

> Wie blickt die Gen Z auf die Zukunft?

> Was ist ihr bei der Arbeitgeberwahl wichtig?

> Mit welcher Führung kann sie am besten arbeiten?

> Wie und auf welchen Plattformen lernt sie?

> Was sind ihre Vorstellungen für die Wirtschaft?

Den Grund schrieb Cramer gleich mit in ihr damaliges Gesuch:
»Es gibt 12 Millionen Deutsche, die zur Gen Z gehören. Die Generation Z wird 2025 circa 30 Prozent des Bruttoeinkommens
in Deutschland erwirtschaften und bald die größte Käuferge-
neration stellen. Ich will diese Generation besser verstehen«.

ZUSAMMEN HÄLT BESSER

»Ich hatte ein Reverse Mentoring mit Nick. Generation Z. Bevor wir loslegten, sagte er offen: ›Ganz ehrlich, ich weiß nicht, worüber ich mich mit einer alten Frau unterhalten soll. Für eine*n 25-Jährige*n ist bereits ein*e 45- oder 50-Jährige*r alt und damit fremd. Das erzeugt erst mal Unsicherheit, Ablehnung, Angst. Damit Reverse Mentoring klappt, muss das Framing passen. Viel zu oft wird die Methode noch unter dem Motto verkauft: ›Die Jungen bringen den Alten jetzt bei, wie sie mit ihren Handys umgehen können.‹ Für mich geht es bei Reverse Mentoring vor allem darum, die jüngere Generation besser kennenzulernen: Was wollen sie, was erwarten sie, was brauchen sie? Aber auch darum, durch die Augen eines jungen Menschen anders auf mich selbst zu blicken. Ich habe dank Nick festgestellt: Wer und wie man im Alter ist, hängt sehr stark von den mittleren Lebensjahren ab. Mit 40, spätestens 50 stellt man die Weichen für ein erfülltes Berufsleben im letzten Karrieredrittel. Nick hat selbst auch profitiert. Er fand es ausgesprochen wertvoll, dass ihm jemand mal wirklich zugehört und sich für seine Sichtweise interessiert hat.«*

Gerda-Marie Adenau, Global Communications Managerin bei Siemens AG

Inzwischen habe ich mich coachen lassen, in Sachen »Social Media« jenseits meiner LinkedIn und Xing »bubble«. Felix Kunze und Johannes Besteck von der Agentur Vertikalo haben mich überzeugt, mit meinem Content auch auf TikTok aktiv zu werden. Und Florence Brokowski-Shekete, Schulamtsdirektorin und Trainerin für interkulturelle Kommunikation, hat mir bei der Einstellung von Instagram Live geholfen. Wie wenig Wissen und Kompetenz mit Alter zu tun haben, sehen wir, dass Felix Gen-Zler und Florence Gen-Xlerin, ja, fast Babyboomerin ist. Hierzu noch eine zusätzliche Stimme aus meiner Community:

*»In Teams kommt es sehr schnell zu Schubladen-
denken. Was dazu führt, dass die Generationen auch
bei informellen Treffen – Mittagessen, Feierabendbier,
Kinobesuch, Geburtstagsfeiern – unter sich bleiben.
Das ist schade und nicht leicht aufzubrechen. Auch
hier kann Reverse Mentoring helfen, Brücken zu bauen.«*

Am Anfang habe ich geschrieben, dass mich die Zahl von knapp
13 Millionen ausscheidenden Babyboomern ein wenig in Panik
versetzt, warum nur ein wenig? Weil ich ein allmählich steigen-
des Interesse wahrnehme. Nicht nur gegenüber dem Thema
an sich und möglichen Methoden. <u>Auch auf der Tool-Seite ver-
folge ich eine durchaus spannende Entwicklung.</u>

> **»Ich bin davon überzeugt, dass wir insbesondere im
> Zuge der digitalen Transformation jede Lernquelle
> für uns nutzen sollten – je diverser, desto besser.
> Mich begeistert das wechselseitige, auch insbesondere
> generationenübergreifende Lernen sehr. Geht nicht,
> gibt es nicht (mehr) – und wenn wir alle verstanden
> haben, dass Lernen nicht nur in der Schule stattfindet,
> können wir noch mehr und noch nachhaltiger voneinan-
> der lernen. Im Sinne der Wertschätzung von Diversity
> ist die Altersdiversität eine unglaublich wertvolle
> Quelle des Wissens. Auch wenn viele Aspekte des
> Handlings neuer Technologien im Alter nicht zwangs-
> läufig intuitiv erscheinen, ist es die Extrameile wert.
> Gemeinsam mit- und voneinander zu lernen, schafft
> Wertschätzung und Mehrwert. Für alle.«**

> ***Julia Freudenberg, CEO der Hacker School***

Manche*r mag sich an den Satz: »Wenn Siemens wüsste, was
Siemens weiß, dann wären unsere Zahlen noch besser« erinnern.
Heinrich von Pierer soll ihn 1995 als damaliger Vorstandsvor-

sitzender auf einer Bilanzpressekonferenz gesagt haben, um auf den riesigen, verborgenen Wissensschatz hinzuweisen, zu dem das Technologieunternehmen keinen Zugang findet. Offensichtlich fühlten sich auch andere Unternehmen ertappt, denn ziemlich zeitgleich erlebte Wissensmanagement seine erste Hochphase – und kurz darauf seinen Absturz. Enttäuschung machte sich breit. Denn die angepriesenen Softwarelösungen konzentrierten sich sehr auf explizites Wissen und verkamen nicht selten zu ungepflegten Datenfriedhöfen. <u>Heute stehen dank Digitalisierung und künstlicher Intelligenz ganz andere technologische Möglichkeiten zur Verfügung.</u>

Ich übertreibe nicht, wenn ich sage: Die internationale HR-Tech-Szene dreht sich nach »Recruiting« immer stärker um die Themen »Learning«, »Development«, »Coaching« und »Wissenstransfer«.

Start-ups entwickeln beispielsweise digitale Assistenten*innen, die Mitarbeitende dabei unterstützen sollen, ihr Wissen per Tastatur, Sprache- oder Videoaufzeichnung festzuhalten. Gezielt Fragen stellen, Texte zusammenfassen, Inhalte strukturieren und mittels KI und Natural Language Processing (NLP) Echtzeitkonversationen durchführen können. Oder suchen nach Lösungen, wie sich unterschiedliche Dokumente in Erklärvideos zu unterschiedlichen Themen umwandeln lassen. Nicht nur für die Gen Z interessant – wer hat schon groß Lust, sich durch Berichte, Präsentationen, Excel-Tabellen, E-Mails oder Gesprächsnotizen seiner Vorgänger*innen zu quälen?

Noch sind etliche Fragen in der Pipeline, für mich vor allem die folgenden drei:

> Wie sieht es mit der Bereitschaft aus, Dokumente wie Gesprächsnotizen und E-Mails offenzulegen? Welche Maßnahmen muss ein Unternehmen zuvor ergreifen, um Mitarbeitende von der Sinnhaftigkeit zu überzeugen?

> Wie geht man mit Mitarbeitenden um, die über ein enormes Wissen verfügen, es aber weder per Schrift noch Sprache auf den Punkt bringen können? Braucht es Übersetzer*innen, die den Inhalt zuvor vereinfachen, ohne ihn zu trivialisieren?

> Können Künstliche Intelligenz (KI) und Natural Language Processing (NLP) dazu beitragen, das Kompetenz- und Erfahrungswissen eines Unternehmens realistischer abzubilden, weil alle Mitarbeitende Zugang zu den Systemen haben und somit vielleicht erstmalig überhaupt die Chance, gehört zu werden?

Lasst mich den letzten Punkt zum Abschluss dieses Kapitels wenigstens kurz vertiefen, ich finde ihn sehr wichtig. Bei »Wissens- und Kompetenztransfer« konzentrieren wir uns gerne auf die Generationen, vornehmlich auf die scheidenden Babyboomer und die nachrückenden Gen-Zler*innen. Das ist auch okay, um bei dem Thema überhaupt sensitiver zu werden. Doch wenn wir genauer hinschauen, wird die Frage, wer innerhalb eines Unternehmens als Wissenssubjekt angesehen wird, wesentlich feingranularer beantwortet.

Wessen Wissen gilt als glaubwürdig, relevant und wertvoll? Wessen Wissen wird transferiert?

Das von allen älteren Menschen oder nur das von älteren Menschen mit jugendlichem Auftreten? Das von allen jungen Menschen oder nur das von jungen Menschen mit souveräner Eloquenz? Das von allen Mitarbeitenden oder nur das von Mitarbeitenden mit Hochschulabschluss? Die Aufzählung könnte ich noch um etliche Punkte erweitern. Die britische Philosophin Miranda Fricker nennt es »Zeugnisungerechtigkeit« – also die grundlegende Verletzung, nicht als vertrauenswürdige Quelle von Informationen wahrgenommen zu werden, obwohl man eine ist.

> »In den USA gibt es inzwischen Firmen, die ältere Arbeitnehmende während ihrer letzten Berufsjahre filmen, damit ihr explizites und vor allem implizites Wissen nicht verloren geht. Dennoch wird aus meiner Sicht das Erfahrungswissen, das wir angeblich alle so toll finden, nicht wirklich wertgeschätzt, und vor allem nicht als Potenzial integriert. Möglicherweise liegt es daran, dass wir den Wert von Erfahrungswissen nicht messen können und wir allem, was wir nicht messen können, keinen wirklichen Stellenwert einräumen. Die Frage, die es meiner Sicht zu beantworten gilt, lautet daher: Wie zukunftsfähig ist Erfahrungswissen? Inwiefern brauchen wir es für unsere Zukunft? Ich bin gespannt, ob es uns gelingen wird, Antworten zu finden.«

> Dagmar Wagner, Gerontologin, Speakerin und Dokumentarfilmerin, älterwerden.net

Ihr seht, das Brett, das es zu bohren gilt, ist ziemlich dick. Dennoch stehen für mich die Chancen so gut wie noch nie, dass wir in puncto »Wissens- und Kompetenztransfer« jetzt tatsächlich einen Schritt vorankommen.

Der Methoden- und Tool-Koffer ist gut bestückt. Hinzukommen Sensibilität und Handlungsdruck. Kein Grund also zu warten, bis der Schmerz unaushaltbar wird.

REVERSE MENTORING IN NEUN SCHRITTEN

1. Erstelle einen klaren Mentoring-Leitfaden, der die Ziele, Methoden und den Zeitrahmen des Reverse Mentoring-Programms festlegt.
2. Benenne für alle eine*n feste*n Ansprechpartner*in für das Programm, um eine reibungslose Kommunikation und Organisation zu gewährleisten.
3. Akquiriere aktiv die älteren Mentees und übergebe ihnen eine Anleitung, damit sie die Ziele für das Programm verstehen.
4. Identifiziere die jüngeren Mentor*innen und stelle sicher, dass sie die notwendigen Fähigkeiten und Erfahrungen besitzen, um ihre Kenntnisse effektiv zu teilen. Falls nicht: qualifiziere sie!
5. Organisiere eine Kick-off-Veranstaltung, um den offiziellen Start des Programms zu markieren, alle Beteiligten kommen zusammen, lernen sich kennen und legen ihre Erwartungen fest.
6. Achte auf den perfekten Match und bilde Tandems, die auf gemeinsamen Kenntnissen, Erwartungen und Zielen basieren.
7. Messe und dokumentiere regelmäßig die Fortschritte und die Erfolge des Reverse Mentoring-Programms, um den Mehrwert zu quantifizieren.
8. Verbreite aktiv Erfolgsgeschichten, um die Akzeptanz und Motivation für Reverse Mentoring zu steigern. Dies trägt zur Schaffung eines positiven Programmbildes bei.
9. Gründe eine Mentor*innen-Community, um den Austausch zwischen den Mentor*innen und dadurch auch die langfristige Nachhaltigkeit des Programms zu fördern.

ZUSAMMEN HÄLT BESSER

KULTUR DER WEISHEIT

Ich bin erst vor kurzem über den Begriff »Appreciation of Wisdom-Kultur« gestoßen und finde das Konzept dahinter recht spannend. Da Weisheit als ein entscheidender Faktor für den Unternehmenserfolg angesehen wird, wird sie nicht nur geschätzt, sondern auch aktiv gefördert und genutzt. Hier einige Kernelemente, die eine Appreciation of Wisdom-Kultur auszeichnen:

1. Respekt für formelles *und* informelles Wissen, das über Jahre hinweg gesammelt wurde.
2. Raum und Zeit für Austausch und kollaboratives Lernen, sowohl zwischen verschiedenen Hierarchieebenen als auch Generationen. Verschiedene Methoden kommen zum Einsatz.
3. Förderung von Reflexion, Selbstentwicklung und persönlichem Wachstum der Mitarbeitenden.
4. Aktive Verbindung von altem Wissen und neuen Ideen, nur aus beiden Elementen kann Innovation entstehen. Tradition trifft Fortschritt trifft Tradition ...
5. Entscheidungen und Strategien basieren auf Erfahrungswerten und langfristigen Perspektiven.
6. Führung nicht nur aufgrund von Fachwissen, sondern auch aufgrund der Fähigkeit, eine Umgebung zu schaffen, in der sich Menschen mit ihrem formellen und informellen Wissen, ihrer Weisheit, zeigen und einbringen wollen.

CALL2ACTION

> Suche dir eine*n jünger*e Mentor*in, die/der dich vier Wochen begleitet. Wen würdest du spontan wählen und was möchtest du von ihr/ihm lernen?

Einen Namen, eine Begründung. Kurz und prägnant.

> Was hindert dich daran, dein Wissen an Kolleg*innen weiterzugeben? Was bräuchte es, um dich mitzuteilen?

Drei Ideen, drei Begründungen. Kurz und prägnant.

4
HUNGRIG
BLEIBEN

> warum die Farbe deines Lebensweges bunt sein sollte

INKLUSIVE
GENERATIONENTRAINING:

DIE SOUL-METHODE

Ich gestehe. Mein Lebenslauf lässt keinen Zweifel zu. Fünf Jahre BMW, ein Jahr Siemens, zwei Jahre Deloitte: In meiner Zeit als Festangestellte war ich eine Jobhopperin. Oder das, was man landläufig darunter versteht. Ein Mensch, der nach wenigen Jahren seine*n Arbeitgeber verlässt und zu sich sagt: <u>Auf, auf! Auf zu neuen Ufern!</u>

In den letzten Jahren ist diese angebliche Wechselwütigkeit, gerade der jüngeren Generationen, auf den Themenlisten von Unternehmen immer weiter nach oben gerutscht. Kaum ein Monat vergeht, in dem mich nicht Manager*innen oder Geschäftsführer*innen anrufen mit der Frage: <u>»Was sollen wir tun, uns laufen die Mitarbeitenden weg – und neue sind nicht in Sicht.«</u> Demografischer Wandel. War for Talents. Fachkräftemangel. Arbeitnehmer*innenmarkt. Wir kennen die Punkte.

»Die jungen Menschen müssen schon auch verstehen lernen, dass sie nicht alles tun und lassen können, was sie wollen. Ich führe das Verhalten der jungen Menschen zum einen auf die Erziehung und zum anderen auf die Umstände zurück. Schon die Generation Y, aber noch mehr die Generation Z sind in einer Multioptionsgesellschaft groß geworden. Das heißt, sie haben sich daran gewöhnt, viele verschiedene Möglichkeiten zur Auswahl zu haben. Hinzu kommt, dass die deutsche Gesellschaft in den letzten 20 Jahren noch nie so reich und vermögend war. Erst jetzt erleben wir zum ersten Mal wieder einen massiven Einschnitt, der uns zum Nachdenken zwingt, ob wir unser Wohlstandsniveau halten können. Wahrscheinlich nicht. Doch gerade die Gen Z hat gesamtgesellschaftlich betrachtet 20, 25 Jahre lang nur den einen Weg nach oben mitbekommen. In Kombination mit anderen gesellschaftlichen Entwicklungen – wir alle kennen den Begriff der Helikoptereltern – hat das zu einem materiellen sowie immateriellen recht hohen Versorgungsniveau geführt.

Diese Silbertablett-Mentalität und Anspruchshaltung wieder zurückzufahren, ohne zu viel Friktion zu erzeugen – das ist die Kunst, aber auch das Gebot der Stunde.«

Rudolf Kast, Geschäftsführender Gesellschafter bei Die Personalmanufaktur, bis 2022 Vorsitzender bei Das Demographie Netzwerk (ddn e. V.)

Lasst uns in diesem Kapitel genauer hinschauen, warum Menschen einem Unternehmen den Rücken kehren.

> Welche Antworten finden wir bei den jüngeren Generationen, die angeblich »keine Loyalität mehr kennen und nur noch um sich selbst kreisen«?

> Welche Antworten finden wir bei den Arbeitgeber – werden sie verlassen oder heizen sie nicht vielmehr die Fluktuation an?

> Und warum sollte gerade bei dem Thema »Jobhopping« das Alter (k)eine Rolle spielen?

Wenn mich Geschäftsführer*innen mit großen Augen anschauen, schaue ich mit großen Augen zurück und stelle zwei Fragen, die die wenigsten in diesem Kontext hören wollen:

> Nennen Sie mir einen Grund, warum junge Mitarbeitende gegenüber Ihrem Unternehmen loyal sein sollten?

> Was bieten Sie ihnen an und vor allem was bieten Sie ihnen nicht mehr an?

> *»Wir haben die Qual der Wahl! Wir können uns auf dem aktuellen Arbeitsmarkt zwischen so vielen Organisationen entscheiden. Wir müssen nicht mehr die Jobs unserer Väter und Mütter machen – und überhaupt gibt es so viele Dinge auf der Welt zu sehen. Um uns zu halten, reicht es*

nicht zu sagen: Wir haben einen Obstkorb für euch. Das haben andere Unternehmen auch. Es geht um andere Themen – und um das Gefühl ernstgenommen und gehört zu werden. Ohne dass sich dann gleich wieder die Älteren beschweren.«

Paul Wilhelm von Preußen, Gründer von Digital8

Vor kurzem bin ich über den *Spiegel*-Artikel »Die Legende von der anspruchsvollen Generation Y« gestoßen, den Bernd Kramer im November 2015 verfasst hat, also vor achteinhalb Jahren. Mit seinem Geburtsjahr 1984 gehört der Autor selbst zu dieser Kohorte – so wie ich auch. Aus seiner Sicht ist unsere Generation mit Blick auf befristete Arbeitsverträge – ich würde anfügen: sinkende Löhne und unbezahlte Langzeitpraktika – »in Wahrheit eine Generation Prekär. Der Berufseinstieg verläuft heute nicht einfacher, sondern schwieriger als früher.« Das Loblied, das von so manchen Zukunftsforscher*innen, Trendscouts und Buchautor*innen auf die Ypsiloner gesungen wird – superflexibel, superselbstbewusst, supergefragt – wirke »wie eine Bestärkung für eine neue Riege junger, selbstbestimmter Arbeitnehmer«, die um ihren Wert weiß und Veränderung als Chance begreift. In Wirklichkeit diene es aber nur »den Interessen der Arbeitgeber an einem flexibel nutzbaren Arbeitskräftematerial, das nicht zu jammern wagt.« Auch wenn ich Kramer nicht zu hundert Prozent folge, sein Artikel hat mit Blick auf die Gen Z an Aktualität nicht verloren. Im Gegenteil. *History repeating itself.*

Meiner Generation, der Generation Y, wurde das gleiche Schicksal zuteil. Wir wurden als zögerlich und unschlüssig bei der Berufswahl wahrgenommen mit mangelndem Biss und Entscheidungsschwäche. Vorurteile gegenüber der Generation Y umfassen oft den Glauben, dass sie eine »Trophäen-Generation« ist, sogenannte »Zertifikatejäger«, die zu sehr auf Belohnung und

Anerkennung fixiert ist, dass sie ungeduldig und anspruchsvoll in der Arbeitswelt und übermäßig technologieabhängig und unfähig ist, persönliche Beziehungen zu pflegen.

»Die Generation Z lässt sich nicht mehr vom Internet, Smartphone und der digitalen Welt trennen – und das muss nicht zwangsweise negativ sein. Statt zu kritisieren, sollten wir das Verständnis der Jungen nutzen und von ihnen lernen. Ihnen Fragen stellen und Aufgaben geben. Unser Fokus sollte darauf liegen, wie wir das Potenzial der Generation Z positiv für unser aller Zukunft nutzen können.«

Sarah Emmerich, Gründerin der Agentur Emmerich Relations

Gerade faire Entlohnung und transparente Karriereentwicklung gehören in vielen Unternehmen nicht mehr zur Selbstverständlichkeit. Immer wieder höre ich von jungen Menschen, dass sie keine Antwort auf die Fragen erhalten: Wie geht es weiter, wo stehe ich in zwei, drei Jahren, mit was kann ich rechnen, auf was kann ich mich verlassen? <u>Angesichts einer Generation, die sich nicht weniger, sondern tendenziell stärker nach Sicherheit sehnt, nicht die beste Strategie, um junge Menschen für sich zu gewinnen und an sich zu binden.</u>

»Schon John F. Kennedy hat gesagt: ›Es ist das Schicksal jeder Generation, in einer Welt unter Bedingungen leben zu müssen, die sie nicht geschaffen hat‹. Daran kann man nichts ändern, das ist so! Deswegen müssen Generationen miteinander sprechen, sich auseinandersetzen, ja auch streiten, um gemeinsam eine Antwort auf die Frage zu finden: In welcher Welt wollen wir leben? Welchen Kompromiss sind wir bereit zu schließen? Ich verstehe den 20-Jährigen, der sich festklebt und ruft: ›Ihr habt alles kaputtgemacht, wir haben keine Zukunft wegen euch‹. Und ich verstehe den 80-Jährigen,

der in seinen letzten Lebensjahren nur noch auf sein
Hier und Jetzt blickt. Da helfen nur Toleranz, Offenheit
und Perspektivwechsel.«

Andreas Rickert, CEO und Gründer PHINEO gAG,
Co-CEO Nixdorf Kapital AG, Vorstandsvorsitzender
Bundesinitiative Impact Investing

Erst kürzlich habe ich ein Interview mit Jörg Arnold, CEO und Mitglied der Konzernleitung der Swiss Life Gruppe, gelesen. Gerade der Gen Z bescheinigt er ein erstaunliches Interesse an Lebensversicherungen. Sie sind sich vollkommen bewusst, dass die Rente nicht reichen wird und auch der Aufbau von Eigentum nicht mehr selbstverständlich ist. Aber nicht nur das.

Bereits die Generation Y, aufgewachsen zwischen dem Terroranschlag vom 11. September 2001 und dem Zusammenbruch des weltweiten Finanzsystems 2007/2008, gilt als eine Generation der Krise. Bei der Generation Z werden die prägenden Jugend- und jungen Erwachsenenjahre von der Coronapandemie, der zunehmenden Sensibilität gegenüber dem Klimawandel, dem wachsenden Rechtsruck in Europa und den USA, der rasanten Entwicklung der Künstlichen Intelligenz, dem russischen Angriffskrieg auf die Ukraine, der Energiekrise, der erneuten Geflüchtetenkrise, den Kämpfen im Gaza-Streifen, der konfliktreichen Beziehung zu China und der erneuten Warnung vor einem Dritten Weltkrieg flankiert.

Angesichts dieser außergewöhnlichen Ballung muss man nicht erst auf die 19. Shell Jugendstudie warten, um zu erfahren, welches Grundgefühl sich da gerade unter jungen Menschen ausbreitet.

»Ist sowieso alles egal«

trifft auf
»Bevor die Welt untergeht, lass mitnehmen, was geht«

trifft auf
»Wenigstens in einem Bereich meines Lebens, im Freundeskreis, in der Partnerschaft, im Job, will ich Stabilität erfahren«.

trifft auf
»Jetzt erst recht«.

Ich versuche, meine Gesprächspartner*innen zu sensibilisieren, dass Jobhopping nicht per se mit der Generation Z zu tun hat. Es ist der Zeit geschuldet. Und einem System, das die Genera-tionen vor ihnen geschaffen haben und qua ihres Status und ihrer Autorität jeden Tag aufs Neue zementieren. Die Jungen versuchen, sich, nur so gut es geht, auszustatten und auszurich-ten. Eigentlich ein nachvollziehbares und vermutlich erlerntes Verhalten. Oder schicken Eltern ihre Sprösslinge mit derselben Ausrüstung und denselben Ratschlägen in den kühlen Chiem-see wie in den tosenden Atlantik und erwarten, dass sie sich in beiden Gewässern gleichermaßen ausdauernd über Wasser hal-ten? Ich denke nicht. Warum also schimpft die Großeltern- und Elterngeneration über die Kinder- und Enkelgeneration?

»Aus Erzählungen und eigenen Erfahrungen weiß ich, dass viele Unternehmen mit der Unwissenheit von Be-rufsanfängern spielen oder gar darauf setzen. Praktika werden teilweise noch immer nicht bezahlt und das Einstiegsgehalt steht nicht im Verhältnis zu dem poten-ziellen Wert der Person für das Unternehmen. Wer junge Talente langfristig gewinnen will, muss diese auch wert-schätzen können. Und dazu gehört neben einem fairen Gehalt: Mentoring, Feedback, Entwicklungsmöglichkei-ten, Verantwortung, Anerkennung. Mein Tipp: Kenne deinen Wert. Informiere dich über ein angemessenes

Gehalt für den Berufseinstieg in deiner Branche und bekomme ein Gefühl dafür, ob ein Unternehmen dich auch fördert oder nur fordert.«

Marisa Arat, Business Psychologist und Employer Branding bei Schwarz Dienstleistungen

Ich will nicht die Erfahrung der jüngeren Generation gegen die Erfahrung der älteren Generationen stellen! Doch in der Debatte »Jobhopping« fehlt es mir ganz besonders an generationsübergreifendem Wohlwollen, das Eltern zwar ihren eigenen Kindern schenken, aber nicht der Kindergeneration an sich.

Umso mehr freue ich mich, wenn ich Zuschriften wie die von Philipp Schild erhalte. Der Programmgeschäftsführer von funk, dem Online-Content-Netzwerk von ARD und ZDF, bringt es für mich sehr gut auf den Punkt – seine Branche gehört zu jenen, die sich bereits seit Jahren in einem extremen Umbruch mit zunehmender Prekarisierung der Arbeitsverhältnisse befindet:

»Für die junge Generation ist nichts mehr an Planstellen da, keine langfristige Perspektive – das ist auch eine Frage von Gerechtigkeit. Aus meiner Sicht ist es extrem ungerecht, als Arbeitgeber von jungen Menschen irgendein Maß oder gar Übermaß an Loyalität einzufordern. Ich finde, die Leute sind bei uns extrem loyal, sie geben wirklich alles, während sie bei uns sind. Mehr darf man nicht erwarten!«

Oder auch wie dieser Zuruf aus meiner Community:

»Die Generation Z ist vor allem eins: Unsere Zukunft – wir haben keine andere. Ich bewundere, dass viele

*junge Menschen aus dieser Generation, mit denen
ich arbeite und die ich kenne, nicht nur zielstrebig und
echte ›Macher*innen‹ sind, sondern vor allem zu ihren
Werten stehen.«*

Sie brechen das einseitige Bild von der angeblich verwöhnten Gen Z auf. Längst nicht alle blicken auf eine sorgenfreie Kindheit und Jugend zurück. Und längst nicht alle leben als junge Erwachsene sorgenfrei. 2021 galten laut Statistisches Bundesamt knapp 38 Prozent aller Studierenden in Deutschland als armutsgefährdet. Ich weiß nicht, wie es euch geht, aber mir war dieses Ausmaß nicht bewusst.

> **»Wir haben erst kürzlich 10 000 Jugendliche über
> Zukunft und Beruf befragt, das Ergebnis: 93 Prozent
> wissen nicht, was sie nach dem Abitur machen wollen.
> Das ist schade, denn eigentlich geht man davon
> aus, dass die Schulen die jungen Menschen nicht
> nur auf den Abschluss, sondern auch auf das Danach vorbereiten. Wo liegen meine Interessen, meine
> Stärken, was gibt es für Möglichkeiten? Insofern sehe
> ich es als absolutes Privileg an, dass ich schon während meiner Schulzeit mit PlayTheHype angefangen
> habe und wusste, wohin. Natürlich haben auch wir
> als kleines Start-up Angst davor, Mitarbeitende
> zu schnell zu verlieren. Deswegen können Interessierte
> in jede Abteilung reinschnuppern, um herauszufinden,
> was für sie am spannendsten ist. Außerdem bieten
> wir Praktika in diversen Formen und Längen an. Man
> muss einfach flexibel sein und attraktive Angebote
> machen, um Bewerber*innen und Mitarbeitende in
> Unternehmen richtig zu platzieren. Vor allem, wenn sie
> Lust haben, für einen zu arbeiten, sich verbunden fühlen.«**

Neil Heinisch, Mitgründer von PlayTheHype

Wenn ich an meine eigene Jobhopperei zurückdenke, muss ich sagen, dass es bei mir anders war. Ich bin nicht von BMW weg, weil es mir an Geld oder Sicherheit gefehlt hätte. Ich hatte eher Schiss, dass ich es mir in meinem goldenen Käfig zu gemütlich einrichte und bequem werde.

Wer bei BMW unterschreibt, hat es aus der Sicht vieler geschafft. Ausgesorgt. Gerade in München gilt der Automobilhersteller als Top-Arbeitgeber. Das merkt man auf privaten Partys und beruflichen Netzwerktreffen. Als BMWler*in steigst du sofort im Ansehen. Jede*r möchte sich mit dir unterhalten, wissen, wie du es dorthin geschafft hast. Insofern waren die Reaktionen vor und nach meiner Kündigung erwartbar: Das hast du nicht wirklich vor! Bist du verrückt? Brauchst du einen Arzt? BMW ist wie ein Sechser im Lotto! Bei so einem Arbeitgeber bleibt man bis zum Schluss und ist jeden Tag dankbar!

> *»In meinen ersten Berufsjahren war ich zu lange in ein und demselben Unternehmen. Gerade in der Anfangsphase nach der Ausbildung ist es wichtig, viele Arbeitsfelder kennenzulernen. Gen Z macht es genau richtig: Nach 18 bis 24 Monaten weiterziehen und erst viel später in einem Unternehmen sesshaft werden oder sogar selbst gründen.«*
>
> *Selena Gabat, Head of International Brand Marketing, LinkedIn*

Natürlich hat mich das verunsichert, unter Druck gesetzt, mich zweifeln lassen. Mache ich einen Fehler, habe ich einen Fehler gemacht? Heute kann ich sagen: Es war richtig und auf keinen Fall zu früh. Denn ich habe gespürt, dass mich gerade diese angebliche Pflicht zur Dankbarkeit immer stiller und angepasster hat werden lassen. Zwei Jahre länger und ich hätte den Absprung vermutlich nicht mehr geschafft. Noch heute läuft es mir kalt den Rücken runter, wenn ich an den Ausspruch einer BMW-Führungskraft zurückdenke: »Du bleibst eh bis zur Rente hier.«

Spürt auch ihr die Diskrepanz? Unternehmen möchten innovative, agile Mitarbeitende mit Rundumblick und Biss. Gleichzeitig sollen sie dankbar, demütig, ausharrend sein …

Aber gut, lasst uns unseren Blick wieder weiten.

Menschen verlassen Unternehmen, wenn proklamierte Werte wie Nachhaltigkeit, Vielfalt, Authentizität, Fairness und Respekt im Inneren nicht gelebt werden. In diesem Punkt sind die Jungen in der Tat wechselbereiter, Werte sind für sie weniger verhandelbar, sie fragen nach und fordern ein. Von der Generation meiner Eltern kenne ich das nicht so sehr – auch nicht, als sie selbst zur Riege der jungen Arbeitnehmenden gehörten.

> *»Wenn ich Sätze höre wie: ›Die Gen Z will stolz darauf sein, zu den Guten zu gehören. Und sie will vor ihren Netzwerkfreund*innen nicht dumm dastehen, wenn ihr Unternehmen mit einer sozialen oder ökologischen Sauerei aufgefallen ist‹, frage ich mich, warum die nicht selten mit einer Spur Häme daherkommen: Sollte das nicht unser aller Bestreben sein? Ist es nicht toll, dass eine Generation die Nachhaltigkeitsfrage über die Gehaltsfrage stellt?«*
>
> *Tatjana Kiel, Founding Partner Score4Impact, CEO Klitschko Ventures*

Menschen verlassen Unternehmen, weil der Lohn ihres Vollzeitjobs kaum zum Leben reicht. 2023 erhielten 9,3 Millionen

Arbeitnehmende lediglich Niedriglohn, also weniger als 14 Euro brutto die Stunde. Die Journalistin Julia Friedrichs, spezialisiert auf Themen wie »Soziale Gerechtigkeit«, macht mit ihren Filmen und Büchern deutlich, wer hinter diesen Zahlen steht: Menschen, die sich oftmals nur das Allernötigste leisten können und keine Rücklagen bilden können. Ich kann mich da gut hineinversetzen.

Während meiner Kinder- und Jugendzeit kam es einer Katastrophe gleich, wenn der Computer oder die Waschmaschine kaputtging. Einfach neu kaufen, war nicht drin. Alle mussten zusammenhelfen. Meine Mutter hat mitunter ihren Schmuck verkauft, wir Kinder zusätzlich gejobbt oder auf Klassenfahrten verzichtet. Gott bin ich froh, dass diese Phase vorbei ist, es reibt die Nerven auf, wenn nichts Außerplanmäßiges passieren darf – was natürlich ein Ding der Unmöglichkeit ist.

Die lang gehegte Hoffnung, Billigjobs könnten für alle als Sprungbrett in bessere Berufe dienen, hat sich nicht erfüllt. Erst seitdem die Machtverhältnisse verrutschen und Menschen aufgrund des Fachkräftemangels eine etwas größere Auswahlmöglichkeit haben, wendet sich das Blatt ein wenig.

<u>Menschen verlassen Unternehmen, weil sie auf der Stelle treten und in der Lebensmitte den Schritt in die Selbstständigkeit wagen.</u> Laut der Studie »Age and High-Growth Entrepreneurship« vom Massachusetts Institute of Technology (MIT) sind die erfolgreichsten Gründer*innen im Durchschnitt 45 Jahre alt. Jüngere und ältere Gründer*innen werden bislang gleichermaßen benachteiligt, gerade, was die Vergabe von Krediten betrifft. Die Jungen sind angeblich noch zu jung, um mit Geld umzugehen, die Alten zu alt, um das Geld zurückzubezahlen. Dabei scheint der Groschen längst gefallen zu sein, wenn man Gründerexperte Carsten Maschmeyer erfreulicherweise sagen hört:

»Seit ich ab Anfang 2016 bei ›Die Höhle der Löwen‹ viele weitere Erfinder treffe, die ich sonst vermutlich nicht kennengelernt hätte, ist mir noch klarer geworden, dass es beim Gründen keine Altersgrenzen gibt. Abhängig ist der Erfolg allein vom Innovationsgrad. Erfolgreiches Gründen hat gar nichts mit dem Alter zu tun, sondern ist eine Frage der Kreativität oder Geisteshaltung.«

Die Einstellung ändert sich. Und die Einstellung muss sich ändern, da es besonders junge Gründer*innen zunehmend ins Ausland zieht.

Mona Ghazi, CEO Neuropreneur Institute, bestätigt: »Als junge Unternehmerin bekomme ich oft Ratschläge von älteren Unternehmer*innen. Einer davon lautet: ›Gründe am besten woanders, wo die Chancen besser sind. Ein Unternehmen aufzubauen ist immer gleich hart, aber der Return je nach Standort anders.‹ Mich überrascht das nicht. Viele meiner befreundeten Unternehmer*innen gehen ins Ausland – nicht nur, um weitere Standorte zu eröffnen, sondern auch, um ihre neuen Firmen dort zu gründen. Der Hauptgrund neben potenziellen Steuervorteilen, geringeren Energiepreisen und höherem Digitalisierungsgrad ist beispielsweise in den USA das Growth und Failure Mindset. Warum ich (noch) nicht ausgewandert bin: Deutschland gibt mir viel. Ich fühle mich sehr privilegiert, hier geboren und aufgewachsen zu sein. Ich sehe ein großes Potenzial und die Voraussetzungen dafür, dass wir weiterhin führende Industrienation bleiben und zukünftige Generationen einen tollen Lebensstandard ermöglichen zu können. Aber ich bin mir auch bewusst, dass da viel Arbeit vor uns als Gesellschaft liegt.«

Menschen verlassen aber auch Menschen. Ich habe keine Zahlen, hinter wie vielen Jobwechseln cholerische Vorgesetzte oder selbstverliebte Teamleiter*innen stehen. Aber ich denke, es sind angesichts der Führungsqualität von Führungskräften nicht wenige. Wir alle wissen: <u>Auf die Topsessel unserer Nation schaffen es nicht immer nur die Kompetentesten.</u> Sondern oftmals auch diejenigen, die sich nicht schnell genug wegducken oder am lautesten »Hier« schreien. *I'm simply the best!*

> *»Leider gibt es sie – und zwar gar nicht so selten: Widerlinge, Egomanen und soziale Analphabeten, die mit ihrem abstoßenden Verhalten ganze Organisationen vergiften. Wenn sie erfolgreich sind und ihre Zahlen stimmen, ist das oftmals der ›Freibrief‹ dafür, dass ihr Verhalten toleriert wird. Das ist falsch, falsch und nochmals falsch! Leute, die ein solches Verhalten an den Tag legen, müssen sich ändern oder sie haben keinen Platz in einer Organisation! Punkt. Denn sie reproduzieren sich, infizieren andere und befallen so den Organismus des ganzen Unternehmens mit schlechtem Benehmen, negativem Klima und beißender Arroganz. Und sie sorgen dafür, dass die besten Leute das Unternehmen verlassen. Mit Robert Sutton gesprochen: ›Life is too short to put up with assholes‹.«*

Anja Förster, Autorin & Gründerin Rebels at Work

Ich habe schon viele Diskussionen darüber geführt, ob man seinen Job zeitnah verlassen sollte, wenn einem ein*e Vorgesetzte*r das Berufsleben – und damit oftmals ja auch das Privatleben – versaut und höre bei meinen Gesprächspartner*innen sehr oft ein »Ja schon, aber«.

Hierzu exemplarisch Astrid Maier (dpa): *»Ich finde die junge Generation sehr mutig. Ihr Mut, am Arbeitsplatz zu sagen, ›Moment, Sie mobben mich gerade‹ oder ›Was soll das?‹*

hätte auch älteren Generationen gut zu Gesicht gestanden! Umgekehrt gilt aber auch: Je älter man wird, desto gelassener kann man Dinge sehen. Diese Gelassenheit an die junge Generation weiterzugeben, finde ich ebenfalls wichtig, weil sie leider – so empfinde ich es zumindest – auch ganz gerne hyperventiliert.«

Ich kann Astrids Standpunkt gut nachvollziehen – und doch handhabe ich es anders. Denn wie nahe liegen Altersgelassenheit und Resignation beieinander? <u>Wie oft geht einer Altersmilde ein jahrelanges Spiel voraus:</u>

Man lässt Grenzen überschreiten und baut sie danach mühsam wieder auf. Man lässt Grenzen überschreiten und baut sie danach mühsam wieder auf ...

Bis irgendwann die Einsicht kommt: Dieser Mensch wird sich nicht ändern! Wenn ich bleiben möchte, muss ich an meiner Haltung arbeiten, meine Grenzsteine versetzen, mir mehr bieten lassen, milder und gelassener werden. Ein mühsames Unterfangen, das ich nicht auf mich nehmen möchte. Nicht für eine Führungskraft, nicht für eine*n Teamleiter*in, nicht für eine*n Geschäftspartner*in.

<u>Berufliche Beziehungen sind für mich in aller erster Linie Zweckbeziehungen. Leistung gegen Geld und im besten Fall Wertschätzung und Anerkennung. Das ist der Deal. Nicht Leistung gegen Geld, Verletzungen und Frust.</u>

Nennt es Grundarroganz. Aber ich opfere für unreflektierte Menschen keine Lebenszeit. Pure Energieverschwendung, denn Zeit ist die wichtigste Ressource, die wir besitzen und sich nie wieder erneuert. Und ich ziehe die Reißleine nicht erst, wenn die

Beziehung zwischen uns beiden ungesund ist, sondern bevor sie ungesund wird. Mag extravagant klingen – und ich will es auch nicht als Ratschlag für alle Menschen missverstanden wissen. Es ist nur mein Weg, mit solchen Situationen umzugehen. Und dieser ist, wenn ich ihn in Gedanken rückwärtsgehe, unweigerlich mit markanten Stationen und Weggabelungen verknüpft.

»Ich kenne viele Menschen in Konzernen, die dort schon seit vielen Jahren nicht mehr glücklich sind. Aber sie gehen nicht weg, ein bisschen goldener Käfig. Die jüngeren Generationen empfinde ich da als mutiger, einen Schlussstrich zu ziehen. Ich denke, die große Chance für Unternehmen ist es, sich im Guten zu trennen und wertschätzend im Kontakt zu bleiben. Wir selbst haben ganz viele Kolleginnen und Kollegen, die mal zwei, drei Jahre woanders waren und dann wieder zurückgekehrt sind. Das ist völlig fein. Wir sind nicht eingeschnappt, sondern freuen uns! Alles andere wäre auch komisch. Wir können nicht unseren Kandidat*innen bei der Karriereberatung sagen, dass die wirklich großen Karriere- und Gehaltssprünge eigentlich nur durch einen Unternehmenswechsel zu realisieren sind und es sinnvoll ist, sich breit aufzustellen, viele Erfahrungen zu machen. Gleichzeitig aber von unseren Mitarbeitenden erwarten, dass sie ihr ganzes Arbeitsleben bei uns verbringen. Das wäre nicht glaubwürdig!«

Michaela Jaap, Head of
Corporate Culture & Responsibility, Hays AG

Meine Erkenntnis: Je länger du die erst zartgelben, dann orangen und irgendwann dunkelroten Warnsignale ignorierst, desto härter schlägt das Universum zurück.

HUNGRIG BLEIBEN

Anders ausgedrückt: Die Lernkurve wird steiler, der Ritt ruppiger, das Risiko, physisch und psychisch Schaden zu nehmen, größer, die Regenerationszeit länger.

Aber kommen wir zu Jobhopping zurück. <u>Am wichtigsten ist für mich, den Jobwechsel, auch den schnellen, von einem negativen Beigeschmack zu befreien.</u> Und jeden Grund, der einer Veränderung zugrunde liegt, als legitim zu erachten – ganz gleich, wie alt die Person ist, die ihn vollzieht.

> Du kannst bei einem anderen Unternehmen mehr Geld verdienen oder deine Karriere besser vorantreiben? You can go!

> Die Unternehmenswerte sind andere, als man dir beim Bewerbungsgespräch erzählt hat? You can go!

> Dein Chef, deine Chefin macht dir das Leben zur Hölle? You can go!

> Du empfindest deinen Aufgabenbereich als zu klein? You can go!

> Du würdest gerne intern wechseln, aber die Personalverantwortlichen lassen dich nicht? You can go!

> Du möchtest dich noch einmal komplett neu erfinden? You can go!

»Nehmt es doch nicht immer so persönlich, wenn Mitarbeitende euer Unternehmen verlassen. Sie sind nicht eure Leibeigenen – und wenn ihr alles richtig gemacht habt, kehren sie nach ein paar Jahren vielleicht wieder zurück.«

Vera Schneevoigt,
ehemalige Chief Digital Officer bei Bosch

Wenn man sich die Zahlen anschaut, sind die Vertreter*innen der Gen Z in der Tat die größten Jobhopper. Doch auch unter der Generation X und den Babyboomern gibt es die Sehnsucht nach einem Wechsel, nur trauen sie ihn sich oftmals nicht mehr zu.

> *»Loyalität steht und fällt mit der Führungskraft. Das war früher so und das ist auch heute noch so. Nichtsdestotrotz ist die Gen Z anders. Das merke ich, wenn ich Bewerbungsgespräche führe. Da muss ich zum Teil schon schlucken, welche Fragen sie stellen. Aber dann denke ich mir: Völlig zurecht, kann ich mir eine Scheibe von abschneiden. Insofern würde ich sagen: Die Gen Z ist nicht illoyaler. Sie hat einfach eine höhere Erwartungshaltung als die Generation davor, die ja gerne mal sagt: ›Jetzt haben wir schon so viel miteinander erlebt, jetzt fechten wir das auch noch miteinander aus.‹ Die Jungen haben für sich ein klares Ziel. Und wenn sie das Ziel innerhalb eines Unternehmens nicht erreichen können, dann haben sie den Mut, zu gehen. Ich finde das nur konsequent und vollkommen berechtigt.«*

> *Dominique Jäger, Chief Diversity Officer, Deutsche Kreditbank*

Wenn man sich mit Menschen jenseits der 45 unterhält, fällt oft der Satz: »Als ich jung war, habe ich mir auch nichts dabei gedacht. Wenn es mir bei einem Unternehmen nicht gefallen hat, habe ich meine Sachen gepackt und bin ein Haus weitergezogen. Aber heute ...« Gerade den über 55-Jährigen erscheint der Wechsel zu risikoreich. Sie haben sich nicht nur an ihr Einkommen gewöhnt und ihr Leben entsprechend gestaltet. Sie haben sich über die Jahre oftmals auch Sichtbarkeit und Wertschätzung von Seiten der Führungsebene erarbeitet. In einem

HUNGRIG BLEIBEN

anderen Unternehmen, so die Sorge, müssten sie von vorne beginnen. Lohnt sich das noch?

So sehr ich die Gedanken nachvollziehen kann, so sehr wünsche ich mir eine Arbeitswelt, die den Menschen erlaubt, sich ihren Mut für neue Herausforderungen bis zur Rente und darüber hinaus zu bewahren.

Schon allein der Begriff »roter Faden« stört mich gewaltig, rot steht für Achtung, bloß nicht aus den Augen verlieren. Warum nicht grün, warum nicht bunt? Und warum nicht viele Fäden, die sich miteinander zu einem immer kunstvolleren Lebensteppich verknüpfen?

Ich muss hier nicht groß die Gallup-Studie zitieren, ihre Ergebnisse sind hinlänglich bekannt. Doch wie viel Energie, Spirit und Dynamik gehen uns verloren, weil Menschen Dienst nach Vorschrift schieben (69 Prozent) oder innerlich bereits gekündigt haben (18 Prozent, so viele wie zuletzt 2012) – und anscheinend keine Möglichkeit sehen, auszuscheren? Nicht einmal vorübergehend. Je nach Studie wollen zwischen 43 (WIMDU) und 87 Prozent (Viking) der deutschen Arbeitnehmenden eine berufliche Auszeit nehmen, um zu reisen, neue Perspektiven zu gewinnen, Burn-out vorzubeugen, Sprachkenntnisse zu verbessern. Doch die allerwenigsten setzen ihren Wunsch tatsächlich um. Mal liegt es an den Unternehmen – gerade Manager*innen stoßen bei Vorgesetzten auf taube Ohren –, mal an den Mitarbeitenden selbst. Dabei würden beiden Seiten gleichermaßen profitieren.

Gerichtet an Arbeitgeber: Die meisten Menschen kehren nach einem Sabbatical zufriedener und energetischer an ihren Arbeitsplatz zurück. Bedeutet: Mehr Leistung. Mehr Produktivität. Warum also nicht gezielt fördern oder gar im Schulterschluss mit anderen Unternehmen über organisiertes Jobhopping nachdenken?

Mitarbeitende könnten mehrere Monate in einen anderen Betrieb oder eine andere Branche eintauchen und dann mit frischem Blick und neuen Ideen zurückkehren. Ich bin mir sicher, dass das Mantra vom ewigen Wachstum einen zeitgemäßeren Klang erhalten würde, wenn es von Menschen gesungen würde, die ebenfalls nicht aufhören zu wachsen.

Gerichtet an uns alle: Worauf warten? Warum sich nicht die Chance auf neue Erfahrungen und damit auf ein erfüllteres Leben gönnen? Viele verkennen, dass Stagnation im Beruf oftmals auch den Energiefluss durch Körper, Geist und Seele stagnieren lässt. Sicher, gar seinen Job zu kündigen, erfordert einen gewissen Schneid. Vor allem, wenn nichts Neues in Aussicht steht. Doch das Leben geht rasend schnell vorbei. Ich habe häufig das Gefühl: Gestern war ich noch 20, morgen werde ich schon 50 und übermorgen 70 sein.

Möglicherweise ist auch diese Einstellung etwas flippig: Doch jede Stunde Lebenszeit, die ich in einem Job ausharre, der mich energetisch aussaugt, ist eine Stunde Lebenszeit zu viel. Voraussetzung ist natürlich, dass man nach dem Cut aufs Gaspedal steigt.

Zwei, drei Tage Wunden lecken sind okay, doch dann muss es heißen: Es gibt nur eine Richtung, mit Vollgas volle Kraft voraus! Jetzt erst recht! Das ist der Preis, den man für ein Mehr an Freiheit zu bezahlen hat.

Ein Tipp: Wenn ich vor der Frage stehe: »Bleiben oder gehen?« versuche ich die Situation nicht nur als Frau zu betrachten, sondern in mich hineinzudenken:

> Wie würde ein Kind reagieren?

> Wie würde sich ein Mann verhalten?

Diese Vielstimmigkeit versetzt mich in einen wunderbaren Vibe aus weiblicher Passion, kindlicher Unbekümmertheit und männlicher Furchtlosigkeit, der mich schon mehrfach hat gut entscheiden lassen.

Natürlich habe ich auch für die Arbeitgeberseite Verständnis. Jobhopping bedeutet für sie vor allem Kosten. Stellenausschreibung, Recruiting, Einarbeitungsprozess – alles verschlingt Zeit, Kraft und Geld. Umso wichtiger ist es, dass sie sich mit den Beweggründen ihrer Jobhopper auseinandersetzen. Warum verlassen Menschen unser Unternehmen? Oder positiv formuliert: Warum bleiben Menschen unserem Unternehmen treu, was gefällt ihnen, was tut ihnen gut, was lässt sich verbessern? Ich kenne nur wenige, die ihren Mitarbeitenden diese simplen Fragen stellen. Nicht, bevor sie das Weite suchen, nicht, nachdem sie über alle Berge sind.

»In einem Unternehmen von der Ausbildung bis zur Rente bleiben – diesen Traum haben jüngere Arbeitnehmer*innen tatsächlich nicht mehr so oft. Auch wenn das Bedürfnis nach Jobsicherheit durchaus vorhanden ist. Dennoch rate ich Unternehmen, unbedingt nachzufragen: Warum springen Mitarbeitende nach nur wenigen Jahren ab? Nicht selten liegt es an der Zusammenarbeit mit der Führungskraft, das kann ein Drehrad sein. Manchmal fehlen aber auch schlicht die Entwicklungs- und Aufstiegsmöglichkeiten – insbesondere nach einer Ausbildung. Dann entscheiden sich viele Menschen nach etwa fünf Jahren Betriebszugehörigkeit für ein nachträgliches Studium. Warum? Weil sie innerhalb ihres Unternehmens mit ›nur‹ einer Ausbildung höhere Positionen nicht erreichen können oder für die gleiche Arbeit gemäß Tarif weniger verdienen. Davon

müssen wir dringend wegkommen: Interne oder nebenbe-
rufliche Weiterbildungsmaßnahmen haben denselben Wert
und sollten langfristig dieselben Karrieren ermöglichen. Auf
diese Weise können auch Kündigungen verhindert werden.«

Ronja Ebeling, Journalistin & Gründerin
von Team of Tomorrow

Eine Bekannte von mir, 57 Jahre alt und seit 26 Jahren bei ein- und demselben Arbeitgeber, habe ich mal gefragt, ob sie nie über einen Wechsel nachgedacht hat. Ihre Antwort: »Nachgedacht schon. Aber mein Unternehmen hat für viel Abwechslung gesorgt. Es wurde nie langweilig, ich konnte immer dazulernen, mich ausprobieren, meine Stärken ausspielen und stärken. Dazu Gehalt, Sicherheit, Zugehörigkeitsgefühl. Es gab und es gibt für mich keinen Grund zu gehen.«

Was mich zu meinem abschließenden Punkt führt: Vielleicht ist es gar nicht so kompliziert und die Generationen erwarten von der Arbeitswelt unisono vier grundlegende Dinge:

> Als Mensch gesehen und gehört werden.

> Respektiert und wertgeschätzt werden.

> Faires Gehalt und transparente Entwicklungschancen.

> Interne Netzwerke, regelmäßiger Austausch, informelle Begegnungspunkte.

> Gemäß seinen individuellen Stärken arbeiten und nicht gemäß einem eher holzschnittartigen Profil- und Rollenbild. Weil mindestens 20 Prozent der Aufgaben, die dazugehören, einem nicht liegen und überproportional viel Energie fressen.

»Wir müssen aufpassen, dass wir nicht alle Menschen einer Generation in eine Kiste packen. Deckel zu, Label drauf. Jede*r bringt eine eigene Geschichte mit, vor allem, wenn wir unseren Blick über die Grenzen Deutschlands schweifen lassen. Die junge Generation aus Spanien oder Italien hat aufgrund der langen und hohen Jugendarbeitslosigkeit ganz andere Erwartungen und Bedürfnisse als unsere Gen Z, die im Vergleich noch immer eine hohe Jobsicherheit vorfindet – wenn auch nicht in allen Branchen und Berufen gleichermaßen. Wir müssen differenzieren und immer schauen, wer uns da gegenübersitzt. Und dann die Bereitschaft aufbringen, uns auseinanderzusetzen und zu reiben. Ich empfinde Reibung als etwas Positives. Denn Reibung erzeugt Wärme und Energie, die im besten Fall ein dynamisches Arbeitsklima schaffen, in dem auch jüngere Menschen gerne bleiben wollen – selbst in schwierigen Phasen.«

Eva Voß, Head of Diversity, Inclusion & People Care Germany I Austria und Co-Chair Charta der Vielfalt e. V.

Für die Jungen, ich habe es schon angesprochen, würde ich einen fünften Punkt anführen: <u>Sie wollen ihren Werten treu bleiben, durch ihre Arbeit etwas bewegen, einen positiven Beitrag leisten.</u> Job ist nicht mehr nur Job, der einem selbst ein angenehmes Leben ermöglicht. Job bedeutet Verantwortung gegenüber der Gesellschaft, der Umwelt, dem Klima, dem globalen Süden. Neusprech: *Purpose & Impact.* Eigentlich doch eine wunderbare Sache, von der wir alle lernen können. Lasst Bullshitjobs Bullshitjobs sein! Ist das nicht das, was wir uns im Grunde alle wünschen?

»Gerade im Moment sehe ich viele Menschen, die sich im Zuge des Fachkräftemangels immer weniger gefallen lassen. Sie schauen sich interessiert auf dem Arbeitsmarkt

um und lassen sich hofieren. Wir dürfen nicht vergessen: X, Y und Z sind die Generationen der Nachkriegskinder und Nachkriegsenkel. Sie müssen nicht wie ihre Eltern und Großeltern Deutschland aufbauen! Sondern können sich – topausgebildet und teils mit Erbe im Blick – auf andere Fragen konzentrieren: Was macht mir Freude, was ergibt für mich in der Arbeit Sinn?«

Katharina Krentz, CEO und Co-Founder Connecting Humans, vormals Robert Bosch GmbH, Corporate Transformation

Am Anfang habe ich geschrieben: Ich war eine Jobhopperin. Die Wahrheit ist: Ich bin eine Jobhopperin!

Sich aufzumachen zu neuen Ufern, neugierig und hungrig zu bleiben, hat nichts mit Festanstellung oder Alter zu tun, sondern mit Mindset. Und wenn einem das innerhalb des bestehenden Rahmens nicht möglich ist, dann sucht man sein Glück, ja, Lebensglück auch jenseits von bestehenden Riegeln und Stäben. *You wanna go? You can go!*

Mein Karrieretipp, speziell für Frauen: Konzentriert euch auf die persönliche Entwicklung, anstatt nur Zertifikate oder Abschlüsse zu sammeln. Formale Bildung und Qualifikationen haben ihre Berechtigung, doch persönliches Wachstum, Selbstbewusstsein und Weiterentwicklung eurer Stärken sind ebenso wichtig. Nehmt euch Zeit, eure Bedürfnisse zu verstehen und nach Umgebungen und Aufgaben zu suchen, die zu euch passen, damit ihr mit euren einzigartigen Stärken einen Mehrwert schaffen könnt. Und macht Schluss mit Entweder-oder: Karriere oder Spaß, angemessenes Gehalt oder Sinn, Stärke oder Leidenschaft. Da draußen gibt es Jobs, die euch beides zu bieten haben.

DIE SOUL-METHODE

Leider machen viele Menschen den Fehler, dass sie entweder nach einem Job suchen, in dem sie ihre Stärken ausleben können, oder nach einem, bei dem sie ihrer Leidenschaft nachgehen. Meiner Meinung nach müssen beide Aspekte berücksichtigt und miteinander in Einklang gebracht werden. Nur dann kann man sich vollends entfalten. Deshalb habe ich die SOUL-Analyse entwickelt. Das Akronym steht für:

S – Stärken
O – Offerten
U – Unterstützung
L – Leidenschaften

Die Analyse soll dir vergegenwärtigen, wo deine Stärken liegen, was deine Leidenschaft ist, welchen Mehrwert du zu bieten hast und welche Qualität dein Netzwerk aufweist. Interesse geweckt? Dann gehen wir die Punkte durch:

> **Stärken:** Definiere deine Stärken und Kernkompetenzen, was kannst du richtig gut? Deine Schwächen kannst du ignorieren, meine Meinung, niemand interessiert sich dafür – ich konnte den Appell: »Arbeite an deinen Schwachpunkten« noch nie verstehen. Aus einer Schwäche wird niemals eine Stärke, außer, du arbeitest jahrelang daran. Um herauszufinden, wo die eigenen Talente liegen, finde ich den Gallup StrengthsFinder sehr gut, inzwischen heißt der Online-Test CliftonStrengths Assessment. Nach etwa einer Stunde liegen die Ergebnisse vor. Ich empfehle diesen Test auch Studierenden und Schüler*innen. Je früher man Bescheid weiß, desto besser.

> **Offerten:** Versuche die Bedürfnisse deiner (potenziellen) Kund*innen zu verstehen und analysiere ihren Schmerz. Wo drückt es genau? Und finde dann heraus, was du gemäß deiner Stärken anders machen kannst als deine Mitbewerber*innen. Anders! Nicht zwangsläufig besser! Du musst das Rad nicht neu erfinden. Vielleicht bringst du nur zwei Dinge, zwei Perspektiven zusammen, die noch keiner zusammengebracht hat. Du musst dich als Pille gegen den Schmerz verstehen. Als Pain-Killer, der Kund*innen die beste Erleichterung schafft. Antworten findet man nicht auf Fingerschnips. Manchmal braucht es Stunden, Tage oder auch Wochen. Nehme dir ausreichend Zeit dafür!

> **Unterstützung:** Die Ressource Zeit spielt auch bei diesem Punkt eine große Rolle. Dein Netzwerk ist dein unschlagbares Kapital, aber es baut sich nicht von heute auf morgen auf. Hört sich vielleicht übertrieben an, aber am besten fängst du schon als Schüler*in oder Student*in damit an: Wer von deinen Mitschüler*innen, Mitstudent*innen, Lehrer*innen, Professor*innen oder Freund*innen kann dich unterstützen? Denn du kannst nie wissen, wie sich eure Wege entwickeln und an welchem Punkt ihr euch wiederseht. Das Lebenskarussell dreht sich bei jedem und jeder weiter. Plötzlich bekleiden deine Banknachbar*innen relevante Positionen und können dir Türen öffnen, die dir sonst verschlossen bleiben. Doch vergesse niemals die goldene Netzwerk-Regel: »Give, give, give first. Then ask«. Heißt: Unterstütze Menschen, ohne etwas zu verlangen. Und vertraue darauf, dass die Energie fließt, wenn du sie fließen lässt. Vergiss nicht: *Your network is your net worth.*

> **Leidenschaften:** Eigentlich wollte ich diesen Punkt Passion nennen, aber dann würde die Methode SOUP statt SOUL heißen, nicht so nice. Stelle dir hier die Frage, was du am

liebsten machst. Was würdest du tun, wenn Geld keine Rolle spielen würde oder du morgen den Jackpot knackst? Was treibt dich an, wofür brennst du, welche Tätigkeiten fallen dir leicht und lassen dich strahlen? Sei unbesorgt, es gibt sie. Manchmal hat man seine Leidenschaften nur vergessen.

Zu jedem einzelnen Punkt gäbe es spezielle Aufgaben und weiterführende Fragestellungen. Doch wenn du die vier Punkte für dich klärst, erhältst du ein gutes Grundgefühl, in welche Richtung es für dich gehen sollte. Außerdem erkennst du, welche Punkte du bislang außer Acht gelassen hast. Gerade Frauen, egal ob jung oder alt, nutzen meist ihr Netzwerk nicht strategisch und scheuen sich, um Hilfe und Unterstützung zu bitten. Dabei ist das keine Schande! Aber auch der Punkt »Offerten« ist oftmals ein blinder Fleck. Es geht darum, sich selbst besser kennenzulernen. Wo steht man mit all seinen Stärken, Ideen, Leidenschaften und Potenzialen. Wer und wie viele stehen einem zur Seite? Um dann entscheiden zu können, was es braucht, damit sich das eigene Leben gut anfühlt. Merke: Dein Leben wird nie dir selbst gehören, wenn du dich ständig darum sorgst, was andere Menschen von dir denken könnten. Tue das, was du liebst! Und nicht das, was dir andere sagen oder worin du dich beweisen zu müssen glaubst.

CALL2ACTION

> Wähle drei Menschen aus deinem Netzwerk aus, die du um Rat fragen würdest, wenn du den Job wechseln oder Selbstständig werden wolltest.

Drei Namen, drei Begründungen.
Kurz und prägnant.

5
KLARTEXT

> über die Kunst einer zeitgemäßen Kommunikation

INKLUSIVE
GENERATIONENTRAINING:

BILD' DIR DEINE HEADLINE UND
PERSONAL BRANDING

Zum Auftakt eine Szene von vielen. Nachdem ich eine E-Mail an eine Gen-Zlerin geschrieben und eine Woche lang auf ihre Antwort gewartet habe, kommt es zu folgendem Dialog per Telefon:

Ich: »Hi, ich hatte dir eine E-Mail geschickt, hast du sie gesehen?«

Gen-Zlerin: »E-Mail, sorry, in meine Mailbox schaue ich nur sporadisch rein, aber ich mach das gleich und melde mich.«

Drei Tage später ...

Ich: »Und?«

Gen-Zlerin: »Was und?«

Ich: »Meine E-Mail?!«

Gen-Zlerin: »Was ist damit?«

Ich: »Hast du sie gelesen?«

Gen-Zlerin: »Nicht ganz, war mir ehrlich gesagt zu lang.«

Ich: »Zu lang? War nur ein Absatz ... aber egal, kannst du die Aufgabe erledigen?«

Gen-Zlerin: »Welche Aufgabe? Tut mir echt leid, Irène, aber wenn du etwas von mir willst, musst du es explizit reinschreiben. So fühle ich mich nicht angesprochen! Schreib mir das nächste Mal doch bitte eine kurze WhatsApp! Das spart uns beiden Zeit!«

Es bringt nichts, Unterschiede zwischen den Generationen negieren zu wollen. Gerade nicht beim Thema »Kommunikation«. <u>Menschen nutzen immer die Technologien, mit denen sie aufwachsen. So einfach, so simpel.</u> Als Michael Rotert von der Universität Karlsruhe am 3. August 1984 die erste E-Mail über seine Adresse rotert@germany erhielt, waren die Babyboomer zwischen 20 und 38 Jahre alt, an diesen *hot shit* haben sie sich im Laufe ihres Berufslebens gewöhnt. Wenn sie jemanden kontaktieren oder informieren wollen, verschicken sie auch heute bevorzugt elektronische Briefe oder greifen wie ihre Eltern zum Telefon, sie lieben Live-Präsentationen, Meetings und Jours fixes. Die Gen Z setzt hingegen auf Signal, Discord, Telegram oder WhatsApp – der Instant-Messanger-Dienst ging 2009 an den Start, da schwammen die Jüngsten dieser Kohorte noch im Fruchtwasser! Und bei den beiden Generationen dazwischen, Gen Y und Gen X, findet man ab und an noch SMS und Skype.

Hinzu kommen persönliche Präferenzen.

Als Ypsilonerin greife auch ich ganz *old school* auf die gute alte E-Mail zurück, weil ich das Zehnfingersystem beherrsche und über die Tastatur meines Laptops schneller tippen kann. Außerdem erfasse ich längere Anfragen oder Briefings auf einem größeren Monitor rascher als über das kleine Display eines Handys. Und da ich sowieso viele Stunden meines Arbeitstages vor dem Computer sitze, nehme ich eintrudelnde E-Mails in meinem Posteingang schneller wahr und reagiere dementsprechend schnell. Bei einer WhatsApp – wenn ich nichts anderes vereinbart habe – können durchaus mehrere Stunden oder auch mal ein Tag vergehen.

»*Ich versuche grundsätzlich, nicht zu generalisieren. Aber bei der Kommunikation gibt es ganz klar Unterschiede zwischen den Generationen. Ich habe drei Monate interimistisch das Employer Branding geleitet und dafür mit drei jüngeren Kolleginnen zusammengearbeitet. Alleine die Frequenz ihrer Nachrichten über die unterschiedlichen Channels wie Teams, WhatsApp oder Snapchat! Spannend zu sehen, aber auch herausfordernd! Dazu keine ausformulierten Sätze und viele Emojis. Im Gegensatz dazu schreiben ältere Arbeitnehmer*innen Briefe in Form von E-Mails, wo ich mich* *mitunter frage: Wer liest das bis zum Ende, ist das spannend? Ich denke, die ideale Kommunikation für alle ist in der Mitte zu finden. Ein Mix aus schnell und ausführlich, digital und face-to-face. Die Älteren müssen digitalaffiner werden und die Jüngeren den Mehrwert von analogen Treffen sehen – insbesondere für die kulturelle Transformation eines Unternehmens sind sie nach wie vor unerlässlich.«*

Eveline Breitwieser-Wunderl, Diversity, Equity & Inclusion (DE&I) Lead bei Porsche Holding

Die Frage ist nur: <u>Ist das tatsächlich ein Problem, das zu Kommunikationslosigkeit zwischen den Generationen beziehungsweise Menschen führen muss?</u> Oder lassen sich die angeblichen Gräben nicht schnell schließen, wenn man sich bei der Diskussion: »Über welche Tools wollen wir kommunizieren« nicht auf Generationen, Gepflogenheiten und Vorlieben konzentriert, sondern auf Zweckmäßigkeit?

<u>Welch ein bunter Strauß an Tools steht uns als Team, Abteilung, Unternehmen und Individuen inzwischen zur Verfügung – eigentlich ein Geschenk! Und wie können wir sie für unterschiedliche Belange gewinnbringend einsetzen?</u>

Sowohl E-Mail als auch Instant-Messengerdienste – ob über Handy oder Web – und Videotelefonie haben unschlagbare Vor- und gravierende Nachteile.

Ich nenne es demokratischen Aushandlungsprozess, offen, pragmatisch, fernab von Schubladendenken (»für die Alten ist Twitch doch nur eine Live-Streaming-Plattform fürs Gamen«) und Emotionen (»die Jungen gehen mir mit ihren Emojis auf den Zeiger, die können keine E-Mail lesen, die länger als drei Zeilen ist! Alles bitte knackig und unterkomplex«).

Zu diesem Aushandlungsprozess gehört:

> Anerkennen: Jeder Mensch ist in seinem Kommunikationsverhalten unterschiedlich geprägt, Misskommunikation entspringt in der Regel keiner bösen Absicht.

> Abklären: Welche Kommunikationsbedürfnisse gilt es zu befriedigen: Wissenstransfer, Austausch von Neuigkeiten, Networking, Meinungsumfragen, Teambuilding, gezielte Zielgruppenansprache? Welche Tools sind dafür am besten geeignet und werden einer zunehmend hybriden Arbeitswelt gerecht?

> Offen und kreativ sein: Lange Texte, kurze Texte, mit und ohne Fotos und Videos – Inhalte können unterschiedlich aufbereitet werden, um Generationen gleichermaßen zu erreichen.

> Begrenzen: Zu viele Kanäle stressen jede*n. Jung, alt, völlig egal. Deswegen unbedingt eine Auswahl treffen.

Gerade zum letzten Punkt kann ich euch eine Geschichte erzählen: März 2022, Hackathon Update Deutschland, vielleicht erinnert ihr euch: Unter der Schirmherrschaft des Bundeskanzleramtes sollten innovative Konzepte für die Zivilgesellschaft und öffentliche Verwaltung entwickelt werden, ich war mit JOINT GENERATIONS als Botschafterin mit an Bord. Nach der Aktion schrieb ein Herr 60 Plus in den Slack Channel: »Beim nächsten Mal bitte auf die Älteren mehr Rücksicht nehmen, der ständige Switch zwischen vielen verschiedenen Tools ist zu anstrengend«. Meine Antwort: »Ich empfand es ebenfalls als überfordernd, hat aus meiner Sicht nichts mit Alter zu tun.«

Zumal ich aus meiner Erfahrung sagen kann, dass der Befund, ältere Menschen kämen mit neuen Tools nur schwer zurecht, haltlos ist. Es ist wie so oft eine Frage von Bereitschaft.

Bin ich als Arbeitgeber beziehungsweise Führungskraft bereit, auch meine älteren Mitarbeitenden bei jedem Technologiesprung mitzunehmen? Halte ich sie auf dem Laufenden? Will ich sie empowern? Gerade mit Blick auf die Zukunft.

Fest steht: Unsere Kommunikation wird sich rasant weiterentwickeln. Künstliche Intelligenz hält schon heute Einzug in Unternehmen und unterstützt Mitarbeitende, ihre tägliche E-Mail-Flut smart zu bewältigen. Darüber hinaus sprechen wir über 3D-Videotelefonie, bei der wir zukünftig unsere Gesprächspartner*innen nicht mehr wie bei Zoom oder Teams über den Bildschirm begrüßen, sondern virtuell in unseren Gesprächsraum projizieren. Oder, noch abgespacter: Brain Computer Interfaces, kurz BCI, die uns erlauben sollen, unsere E-Mails durch Gesten, Sprache oder sogar Gedanken zu erzeugen.

Anna Schulte-Loosen vom Fraunhofer-Institut für Naturwissenschaftlich-Technische Trendanalysen, schreibt dazu:

»»Noch ist die Vision einer schnellen, intuitiven und präzisen Gedankenkontrolle von Computern und Maschinen Zukunftsmusik. Doch angesichts der aktuellen Fördermaßnahmen für neurowissenschaftliche Grundlagenforschung in Europa (Human Brain Project) und den USA (BRAIN Initiative) ist auch im Bereich der BCI-Technologien in den nächsten Jahren mit signifikanten Fortschritten zu rechnen.‹ Ein besseres Verständnis darüber, wie neuronale Signale erfasst, interpretiert und sogar beeinflusst werden können, so die Geschäftsfeldleiterin Corporate Technology Foresight, ›könnte langfristig den Weg für disruptive Entwicklungen ebnen.‹«

Aber kehren wir wieder ins Hier und Jetzt zurück und zu dem Thema »Medienkompetenz«.

Nicht nur ich stelle fest, dass die weitverbreitete Annahme »Babyboomer können oder wollen mit der rasanten Entwicklung in den Bereichen Consumer Hardware, Connectivity und Digital Media nicht Schritt halten«, eine Mär ist.

»Allein an meinen Söhnen, zehn und zwölf, sehe ich, wie selbstverständlich sie digitale Kommunikationstools nutzen. Ältere Kollege*innen tun sich da mitunter schwerer. Aber das ist das Schöne an der Altersdiversität, dass man gut voneinander lernen und sich gegenseitig helfen kann. Zumindest in meinem Team mit Menschen zwischen Anfang 20 und Mitte 50 klappt das wunderbar. Wir verwenden ganz unterschiedliche Kommunikationskanäle, neben dem klassischen Intranet auch Yammer als eine Art internes Facebook mit Kommentarfunktion. Während die jungen Kolleg*innen Yammer von Anfang an nutzten, blieb ich zum Beispiel anfangs eher zurückhaltend. Doch das hat sich rasch gelegt. Ich habe eine junge Mitarbeiterin, die mir regelmäßig Hacks zeigt. Gleichzeitig lernt sie von mir viel über Kommunikationsstrategien oder wie man Kommunikation aufbaut. Eine ideale Ergänzung. Und von meinen Söhnen habe ich mitbekommen, dass ich mir meine Sprachnachrichten auch mit der anderthalbfachen oder doppelten Geschwindigkeit anhören kann. Alleine wäre ich nicht darauf gekommen, schon cool.«

Michaela Jaap, Head of Corporate Culture & Responsibility, Hays AG

Es gibt etliche Studien und Forschungsergebnisse, die meine Beobachtung stützen. Deloitte konstatierte bereits 2019 in seiner Studie »Boom ohne Baby Boomer?«, dass die ältere Generation neue technologische Entwicklungen immer stärker annehmen und sich die Lücke zu den Jüngeren sowohl in puncto Hardwareverbreitung als auch Social Media-Nutzung zunehmend schließt. So besaßen schon damals 96 Prozent der Boomer*innen einen Computer, 81 Prozent ein Smartphone und beim beliebtesten Messenger-Dienst WhatsApp lag der Nutzeranteil mit 83 Prozent nur noch unwesentlich unter dem altersübergreifenden Durchschnitt von 88 Prozent.

Eine andere Untersuchung kommt vom Stanford Center on Longevity, die darauf hindeutet, dass ältere Menschen, wenn sie denn die Gelegenheit und Unterstützung haben, sich in neue Technologien einzuarbeiten, diese genauso effektiv nutzen können wie jüngere Generationen, möglicherweise aufgrund ihrer Lebenserfahrung und Reife sogar besonders nutzbringend.

Eine Zuschrift zu dem Thema habe ich von der Journalistin und KMU-Beraterin Ronja Ebeling erhalten, die seit einiger Zeit ihre Mutter beschäftigt:

»Meine Mutter Sigrid hat jahrelang als Schulsekretärin gearbeitet und kommt bei Team of Tomorrow nun mit ganz anderen Tools in Berührung. Das fordert sie, aber es gibt nichts, was man nicht lernen kann. Insgesamt bewundere ich ihre Offenheit. Wir schauen gemeinsam, welche Tools für unser Team überhaupt infrage kommen und wo jede Person ihre Stärken einbringen kann. Zu Sigrids Stärken gehören definitiv ihre Strukturiertheit und ihre Erfahrung im Office Management – bei bürokratischen Themen hat sie den Durchblick, außerdem kennt sie aus ihrer Zeit als Sekretärin die Vorzimmer-Codes.«

Eine weitere Nachricht kommt aus meiner Community:

»›Was für jüngere Generationen der normale Alltag ist, ist für ältere Generationen eine große Herausforderung.‹ Ich frage mich immer wieder, woher solche Pauschalaussagen kommen. Vor circa 25 Jahren wurde das Internet kommerzialisiert, das vergisst man schnell. Damals waren die heute ›älteren Generationen‹ jung. Wie ich, Mitte 20. Und heute muss man sich anhören, man wisse ja nichts anzufangen mit Smartphones oder Instagram. Jemand muss der ›älteren Generation unter die Arme greifen‹. Nein, selbst weißhaarige Senioren kennen sich gut aus. Zumindest macht es meiner 92-jährigen Nachbarin Spaß, WhatsApp zu nutzen.«

Gerne würde ich das Kapitel mit diesen beiden Posts schließen, sie sind wunderbar. Doch so einfach ist es nicht. Denn neben den Tools spielt auch die Sprache eine Rolle. <u>Welche Wörter benutzen die Generationen? In welcher Sprache sprechen sie miteinander?</u> Und wie lässt sich hier ein gemeinsamer Nenner erzielen?

Ich erinnere mich an eine Szene vor ein paar Jahren. Zwei jüngere Mitarbeitende von mir tauschten sich über ein Projekt aus und haben dabei ziemlich viel gelacht. Sie verstanden sich auf Anhieb, die Ideen flogen zwischen ihnen nur so hin und her. Als ich mich einklinken wollte, entspann sich folgendes Gespräch:

Mitarbeiter: »Irène, du bist immer so sleek.«

Ich: »Was meinst du damit? Sneak? Dass ich mich von hinten heranpirsche?«

Mitarbeiterin: »Nein, nein, sleek. Propper meinen wir, du bist propper!«

Ich: »Propper? Echt jetzt? In meiner Generation ist das ein anderes Wort für dicklich, gut genährt!«

Mitarbeiter: »OMG! Propper bedeutet ordentlich, tipptopp gestylt.«

Irène: »Ach so, proper, mit einem p, oder geschniegelt ...«

Mitarbeiterin: »Geschniegelt? Noch nie gehört! Was ist das denn?«

Damit ging die Diskussion von vorne los ... bis wir irgendwann bei dem Begriff »lost« landeten, der mir auch noch nichts sagte, aber mein damaliges Gefühl ganz gut wiedergab. Eine Melange aus ahnungslos, unsicher und ein bisschen verloren.

Von Gesprächspartner*innen werde ich darauf hingewiesen, dass sich auch vor 30, 40 Jahren die Jugendsprache von der Eltern- und Großelternsprache unterschieden hat. Das stimmt natürlich, Babyboomer haben vermutlich auch nicht Malefiz für Verbrechen, Buttervogel für Schmetterling oder Hagestolz für Junggeselle sprich Single gesagt. <u>Doch ich denke, dass durch den Einzug vieler Anglizismen mehr Aufklärungsbedarf besteht.</u> Werfen wir einen Blick auf die angeblich wichtigsten Jugendwörter, die jedes Jahr vom Langenscheidt-Verlag ermittelt werden. 2023 war es »goofy«. 2022 »smash«. 2021 »cringe«. Und 2020 eben »lost«.

»Die Jüngeren benutzen mehr englische Begriffe, das stimmt. Dafür achtet gerade die Gen Z sehr darauf, welche Wörter sie überhaupt noch benutzt und welche nicht mehr. Sie denkt über die Herkunft bestimmter Begriffe intensiv nach und bemüht sich diskriminierungs- und gendersensibel zu sprechen. Vielleicht haben sie einfach mehr Erfahrungen mit unterschiedlichen Menschen und Kulturen, auch weil sie in einem anderen Land studiert und durch Reisen mehr von der

Welt gesehen haben. Zudem vermeiden sie Du-Bot-schaften und gehen direkten Konfrontationen aus dem Weg. Möglicherweise ist das mit ein Grund, warum sie ungern telefonieren und lieber eine Nachricht schreiben. Schwierig finde ich Diskussionen, in denen Ältere sich darüber lustig machen und abwertende Begriffe extra sagen nach dem Motto: ›Hey, ich spreche schon seit 30, 40 Jahren so. Es war immer in Ordnung – und jetzt soll das alles falsch sein?‹ Auch wenn ich mir natürlich vorstellen kann, dass es nicht einfach ist, aus Gewohnheiten auszubrechen, Feingefühl zu entwickeln und Sprache ein Stück weit neu zu lernen.«

Angelina Eßer, Ex Chief Tomorrow Officer,
T-Systems International

Dazu kommt der allmähliche Switch zum Englischen als Business-Sprache. Wie viele Besprechungen, Vorträge und Podiumsdiskussionen finden inzwischen in Deutschland nicht mehr auf deutsch statt? Auf der einen Seite integrieren wir dadurch viele Menschen, Professionals aus dem Ausland beispielsweise. Auf der anderen Seite grenzen wir aus. Erfahrungsgemäß nicht nur ältere Generationen, die Englisch vielleicht in der Schule lernen und während des Studiums noch ein paar Fachbücher im Original lesen mussten. Sondern auch jüngere Deutsche ohne und mit Migrationshintergrund.

Die Journalistin Melisa Erkurt, laut Wikipedia 33 Jahre alt, hat dazu im Januar 2022 einen eindrücklichen Artikel in der *Berliner Tageszeitung* geschrieben – kurz nachdem sich die Öffentlichkeit über Annalena Baerbocks Versprecher in Südafrika lustig gemacht hatte – statt »beacon of hope« (Hoffnungsschimmer) sagte die Außenministerin »bacon of hope« (Speck der Hoffnung). Erkurt merkt an:

»»Ich habe Deutsch studiert, ich arbeite in Österreich. Dass ich nach sechs Jahren Französisch in der Schule kaum mehr was kann, schockt niemanden. Wenn ich von meinen kaum vorhandenen Mathekenntnissen erzähle, nicken alle wissend – aber Englisch? Muss man in den Kreisen, in denen ich mich beruflich bewege, fließend beherrschen, sonst stimmt irgendwas nicht.‹ Englisch sei keine schwere Sprache, zumindest die Basics schaffe man sich schnell drauf, so Erkurt. ›Doch eine Sprache auf akademischem Niveau zu beherrschen, ist in jeder Sprache schwer‹ und sie sei froh, dass sie als Kind von bosnischen Eltern und ohne Chance auf ein, zwei Semester in den USA oder der UK, mittlerweile auf Deutsch akademische Diskurse führen kann. ›Der Weg dahin war mühsam – jetzt dasselbe noch in Englisch? Uff.‹«*

Ich selbst habe kein Problem mit Englisch. Doch ich merke schon auch, dass sich meine deutschen Mitdiskutant*innen mitunter unwohl fühlen und ihre Beiträge ungelenker daherkommen als Beträge von Mitstreiter*innen aus englischsprachigen Ländern. Auch Fragen aus dem Publikum lassen gefühlt länger auf sich warten als bei Veranstaltungen auf deutsch. Manche verweigern sich regelrecht.

Beobachtet doch bitte einmal selbst: Wer meldet sich zu Wort, wer schweigt? Wie exklusiv ist die zunehmende Verlagerung von Business-Deutsch auf Business-Englisch?

Auch hier gilt es einvernehmliche Lösungen über alle Altersgruppen hinweg zu finden. Ohne Abwertung, Fingerzeig oder gar Gelächter.

Denn wie die Düsseldorfer Professorin für Wirtschaftspsychologie Eleonore Soei-Winkels mir kürzlich schrieb:

»Wir können nur das denken, wozu wir sprachlich fähig sind. Wir brauchen also eine gemeinsame Sprache, die es uns ermöglicht, uns einfacher in das Denken und die Perspektive unserer Mitmenschen hineinzuversetzen.«

Mir hat das zu denken gegeben. Und dazu geführt, dass ich mich nach einem zusätzlichen Gespräch mit Dagmar Hirche, Unternehmerin und Gründerin des Vereins *Wege aus der Einsamkeit*, entschieden habe, meinem Buch keinen englischen Titel zu verpassen. Sie kümmert sich um die Belange von Babyboomern und erklärte mir: »Auch mit nur zwei englischen Begriffen wie Age Diversity oder Generation Gap auf dem Cover, verlierst du Leser*innen aus der Generation 60, 70 Plus. Sie werden dein Buch nicht kaufen, weil sie vermuten, dass du auch im Text viele Anglizismen verwendest. Das schreckt ab, grenzt aus. Selbst mit Begriffen wie Work-Life-Balance können sie nichts anfangen.«

Zugegeben, ein Dilemma. Tatsächlich benutze ich im Inneren meines Buches englische Wörter und fühle mich hin und hergerissen. Habe ich meine Leser*innen getäuscht? Gerade Anglizismen gehören inzwischen zu meinem Wortschatz dazu, sie komplett wegzulassen würde nicht nach mir klingen. <u>Deswegen meine Frage: Wie kann sich Sprache weiterentwickeln, ohne Menschen dabei zu verlieren?</u>

Gerade das Thema »gendersensible Sprache« hat in unserer Gesellschaft eine kontroverse Debatte ausgelöst. Die einen fordern sie ein, die anderen lehnen sie ab, weil zu kompliziert, zu abgehoben, zu exklusiv. <u>Ich gendere meine Texte, weil für mich dahinter auch die Frage steht, ob ich etwas zulassen, mich</u>

einlassen und beweglich bleiben kann. Auch wenn mir ehrlich gesagt lieber gewesen wäre, wir hätten zuerst die Gleichberechtigung in puncto Löhne, Care-Arbeit und Zugängen zu Jobs erreicht. Sprache formt soziale Wirklichkeit, aber soziale Wirklichkeit formt auch Sprache. So oder so ist es ein Ringen, das eine Demokratie auszuhalten hat.

> *»Ich registriere immer wiederkehrende Diskussionen und Argumente: ›Jetzt darf ich das Z-Wort nicht mehr benutzen, ich meine es doch nicht böse, was soll ich denn stattdessen sagen?‹ oder ›Quer, trans, inter ... was gibt es denn noch alles? Ich blicke überhaupt nicht mehr durch!‹. Es ist für Menschen natürlich bequem, sich nicht verändern zu wollen. Meine Antwort darauf: Es gibt tausende Bücher, YouTube-Videos, Podcasts, um sich zu informieren. You don't need to be in the dark. Wenn du sie nicht nutzt, darfst du dich auch nicht beschweren, wenn du aus Debatten ausgeschlossen wirst. Die Welt bewegt sich weiter und wir alle sind gefordert, uns mitzubewegen.«*

> *Mirijam Trunk, Chief Crossmedia Officer und Chief Sustainability & Diversity Officer bei RTL Deutschland*

Manchmal denke ich, dass wir es in puncto Kleidung – auch eine Form von Kommunikation – ganz gut hinbekommen. Die Älteren passen sich den Jüngeren und die Jüngeren den Älteren an. Heraus kommt ein stimmiger Mix 'n' Match, den die allermeisten gut finden. Businesshose und Budapester treffen auf Hoodie und Sneaker statt Hemd und Jackett. Auch wenn es immer noch Geschäftszweige und Branchen gibt, die die althergebrachte Tradition in Ehren halten, in der höchstens über die Krawattenfarbe ein Tupfer Persönlichkeit aufleuchten darf. Das betrifft natürlich nicht nur Männer – der Dresscode in der Businesswelt hat sich besonders durch die Pandemiezeit für alle Menschen stark entkrampft.

»Meine Generation war es gewohnt, Vorgesetzte zu haben, die einfach nur Befehle gaben, von oben herab und durchaus rüde im Ton. Man hat seine Mitarbeitenden gerne spüren lassen, dass man am längeren Hebel sitzt. Das wird mit jungen Menschen echt schwierig. Sie lassen sich das nicht mehr gefallen, weil sie es jetzt sind, die am längeren Hebel sitzen. Ich finde, dieser Wandel tut uns allen gut.«

Astrid Maier, stellvertretende Chefredakteurin und Strategiechefin bei der Deutschen Presse Agentur (dpa)

Kommen wir zu einem meiner Lieblingsthemen: »Social Media«. Wie verläuft Kommunikation auf den sozialen Plattformen? Was funktioniert? Oder besser: Was könnte besser funktionieren?

Warum verhalten wir uns online anders als offline – obwohl zu dem Thema doch schon einige Netiquetten formuliert wurden?

Wann die erste Guideline erschien, konnte ich nicht herausfinden. Doch eines der ersten und bekanntesten Dokumente trägt den Namen »RFC 1855« und wurde noch im Zeitalter des UseNet 1995 von Sally Hambridge verfasst. Neben Copyright, Datenschutz und Netzressourcen – »bitte keine Mail größer als 50k verschicken« – definierte die damalige Intel-Mitarbeiterin auch Regeln des Miteinanders. Die wichtigste: Auf der anderen Seite sitzt ein Mensch!

Hierzulande kursiert in der Unternehmenswelt manchmal noch der Zwölf-Punkte-Kodex, den der Deutsche Knigge-Rat 2010 veröffentlicht hat. Dessen Plädoyer geht in dieselbe Richtung: Bitte keinen Unterschied zwischen realer und virtueller Welt machen! Denn nur dann könnten »diese Netzwerke auf Dauer das sein, was früher einmal die Dorflinde war, unter der sich Menschen zum täglichen Meinungsaustausch getroffen haben«, ein Ort des sozialen Gefüges und Miteinanders.

Ich möchte an dieser Stelle nicht über Hass im Netz schreiben. Wir alle erleben täglich, dass er allen proklamierten Selbstregulierungen und Selbstverpflichtungen der Plattformbetreiber zum Trotz inzwischen zum Massenphänomen geworden ist. Ich möchte vielmehr auf den beruflichen Austausch blicken. Er verläuft auf Business-Netzwerken wie LinkedIn oder Xing weitaus gesitteter, keine Frage! Und doch ist auch hier Luft nach oben.

Wenn ich vor Manager*innen und Mitarbeitenden über dieses Thema spreche, präsentiere ich ihnen gerne drei Bilder. Das erste zeigt mehre Menschen auf einem Businessevent, das zweite zwei Frauen beim Lunch, das dritte einen Mann und einen Verkäufer in einer Boutique. Jede*r versteht sofort, was ich mit den drei Szenen verdeutlichen möchte.

Auf einem Businessevent quatsche ich nicht alle Leute voll, wie toll ich bin und drücke allen meine Visitenkarte in die Hand. Ich betrete den Raum, schaue mich um, sage Hallo und meinen Namen. Vor einer Wortmeldung denke ich nach, ob mein Beitrag tatsächlich den anderen einen Mehrwert bietet, wenn nicht, höre ich erst einmal nur aufmerksam zu.

Bei einem gemeinsamen Mittagessen halte ich keinen Monolog und ignoriere weder die Kommentare auf meine Ausführungen noch vernachlässige ich die Antworten auf Fragen. Es ist ein gleichberechtigtes und respektvolles Pingpong, ein Austausch auf Augenhöhe mit Begrüßung, Bedanken und Verabschieden.

In einer Boutique verhält es sich ähnlich. Verkäufer*innen erwarten, dass Kund*innen freundlich sind, Bitte und Danke sagen können. Hingegen können Kund*innen davon ausgehen, dass ein*e Verkäufer*in im Geschäft ist und Fragen beantwortet – anstatt im Nirvana des Warehouses zu verschwinden.

Im Zuge der Präsentation entspinnt sich schnell ein Gespräch über die <u>wundersamen Gepflogenheiten in der virtuellen Parallelwelt und jede*r ertappt sich selbst</u>:

> »Stimmt schon, ich poste gerne, aber danach auf alle Kommentare und Fragen zu reagieren, ist mir oft zu anstrengend.«

> »Ich muss zugeben, wenn mich jemand aus meinem Netzwerk anschreibt, schalte ich auf Durchzug. Ich lasse die Person mit seinem Anliegen im Regen stehen.«

> »Ich erhalte sehr oft Anfragen von Menschen, die mich gar nicht kennen. Am Anfang hat mich das verunsichert, inzwischen bin ich einfach nur verärgert. ›Geben ist seliger als Nehmen‹ gilt auch im Web!«

Gerade den letzten Punkt, kann ich nur unterschreiben. Praktisch jede Woche erhalte ich Anfragen wie diese:

Liebe Irène ...

> ... kannst du über mein LinkedIn-Profil schauen?

> ... kannst du mir Tipps geben, wie ich meine Personal Brand aufbaue?

> ...kannst du mir Tipps geben, wie ich eine große Followerschaft generiere?

> ... kannst du mir Tipps geben, wie ich auf LinkedIn sichtbarer werde?

> ... kannst du mir Tipps geben, um mehr Reichweite zu erzielen?

> ... kannst du mir Tipps geben, wie man eine Community aufbaut?

> ... kannst du ein gutes Wort für mich einlegen und eine Empfehlung für mich aussprechen?

> ... kannst du mir eine*n Co-Founder*in finden?

> ... kannst du mir eine*n Investor*in besorgen?

> ... kannst du mir ein kostenfreies Ticket für dieses oder jenes Event organisieren?

> ... kannst du mich mit Person xy vernetzen?

> ... kannst du mir eine Empfehlung schreiben?

> ... kannst du meinen Post liken?

> ... kannst du meinen Post kommentieren?

> ... kannst du meinen Post weiterleiten?

> ... kannst du meinen Post in deinem Netzwerk streuen?

> ... hast du zwei Stunden Zeit, mit uns zu brainstormen: Wie könnten die nächsten Schritte in unserem Unternehmen aussehen?

Hinzu kommen Menschen, die mich fragen, ob sie für mich arbeiten dürften – und dann, bevor ich überhaupt meine Zustimmung erteilt habe, auf ihrem Profil schreiben: »Ich bin so froh, Teil von JOINT GENERATIONS zu sein«. Mal als *Head of Communication*, mal als *Head of Strategy Partnership* – Positionen, die es in meinem Unternehmen gar nicht gibt.

Ich schreibe so ausführlich darüber, weil ich sensibilisieren möchte.

Berufliche Netzwerke sind zu wertvoll, als dass wir sie durch unachtsame Kommunikation verkommen lassen dürfen. Sie geben allen Menschen die Chance, sich mit seinen Themen zu präsentieren und die eigene berufliche Karriere voranzutreiben. Alter? Egal!

Ein schönes Beispiel ist Gerda-Marie Adenau. Sie hat mir gestattet, euch ihre Geschichte zu erzählen. In dem Konzern, in dem sie arbeitet, wollte sie sich für das Thema »Altersvielfalt« stark machen. Sie hat selbst gemerkt, wie schnell es mit vier Generationen unter einem Dach zu Konflikten kommen kann. Doch so richtig Gehör schenkte man ihr nicht. Heute ist das anders. Über LinkedIn hat sie sich eine solche starke Präsenz erarbeitet, dass sie von Unternehmen und Organisationen eingeladen wird, um über Generationenmanagement zu sprechen. Zudem coacht sie Frauen jenseits der 50, die ihre Karriere nochmal richtig pushen wollen. Sie schreibt Artikel, ist bei Podcasts zu Gast und lädt regelmäßig zum »Intergenerativen Dialog« im Münchner Café Eigenleben ein, bei dem Jung und Alt über extra kontroverse Themen debattieren. Allein auf LinkedIn folgen der 63-Jährigen mehr als 18 000 Menschen. Ihr Traum wahrgenommen zu werden, hat sich erfüllt.

> *»Die jüngste Generation ist immer Early Adopter neuer Social Media-Plattformen. Das war bei keiner Kohorte anders. Bei den Millenials nicht, bei der Gen Z nicht und auch bei der Generation Alpha nicht, die bereits in den Startblöcken steht. Hinzu kommt die zunehmende Konzentration auf Short-form Content, also kurze Videos, GIFs, Bilder, Text-Snippes oder Microblogs – einfach, weil die Generationen über die letzten Jahre und Jahrzehnte hinweg immer stärker darauf trainiert wurden. Mit all den Konsequenzen, die wir kennen: sinkende Aufmerksamkeitsspanne, Vorliebe für Plattformen, auf*

denen User durch KI-generierten Content eher passiv berieselt werden, allen voran TikTok. Während sich die Älteren noch eher proaktiv aussuchen, welche Themen sie interessieren, wem sie folgen und mit wem sie sich vernetzen wollen, allen voran auf Twitter und LinkedIn. Wenn ich in meine Glaskugel blicke, werden sich diese Parallelwelten zunehmend auflösen. Statt weniger, großer Plattformen wird es viele, kleinere Communities geben, die sich vielleicht im Metaverse wieder unter einem Dach vereinen. Jede Community steht für ein bestimmtes Thema oder Interessensgebiet. Mehr Konzentration, weniger Noise. Was dazu führen kann, dass Menschen anders über Themen nachdenken. Fokussierter. Kreativer. Über alle Generationen hinweg.«

Neil Heinisch, Mitgründer von PlayTheHype

Ähnlich wie Greta Silver oder Angelika Kindt hat auch Gerda-Marie die Bühne LinkedIn perfekt für sich genutzt und sich in Sachen »Social Networking« auf die entscheidenden Punkte konzentriert:

> Finde dein Thema, dein Warum.

> Bestimme deine Zielgruppe.

> Lege fest, wer du hauptsächlich sein möchtest: Entertainer, Infotainer, Motivator oder Educator?

> Kreiere dementsprechend regelmäßig mehrwerthaltigen Content. Gerade hier kommt der Vorteil von Älteren zum Tragen, sie haben mehr Geschichten erlebt und können dementsprechend auch mehr Geschichten erzählen.

> Bleibe fokussiert und klinke dich nicht bei Themen ein, die nicht die deinen sind. Sonst verwässert dein Profil und du wirst über kurz oder lang zur Person für Alles und Nichts.

Ich selbst achte sehr darauf, mich nicht in Diskussionen rund um »Sexismus«, »Rassismus« oder »Migration« reinziehen zu lassen. Motto: »Irène, sag du doch auch mal was dazu ...«. Als Schwarze Frau bin ich dafür nicht zwangsläufig Expertin. Auch bei meinen Schwerpunktthemen versuche ich, weder für die Jüngeren noch für die Älteren Partei zu ergreifen. Ich stehe für Ausgleich. Gründe verstehen und Lösungen erarbeiten. Ohne jedoch allen nur nach dem Mund zu reden.

Konfrontation, wenn Konfrontation sein muss. Getreu dem Motto »Choose your battle«. Höflich. Sachlich. Bestimmt.

Wenn ich Menschen frage, warum sie auf beruflichen Plattformen nicht aktiv sind, höre ich oft: »Weil ich keine Lust auf Diss und Shitstorm habe«. Kann ich verstehen. Wer aus der Deckung geht, muss mit Angriff rechnen. Vor allem nicht durchdachte Aussagen, zu schnell veröffentliche Beiträge oder sarkastische Kommentare werden von der Community sofort abgestraft.

>*»Die Unterschiede, die ich zwischen den Generationen beobachte, sind folgende: Jüngere Menschen überschätzen sich gerne, gehen in Diskussionen mit höheren moralischen Ansprüchen rein und interessieren sich mehr für die Zukunft als für die Gegenwart. Ältere hingegen werden mit jedem Lebensjahrzehnt verschlossener, ziehen sich zurück, interessieren sich stärker für die Gegenwart als für die Zukunft und unterschätzen die jüngeren Generationen. Doch letztlich geht es darum, sich als Menschen offen zu begegnen, einfach weil sich bessere Ergebnisse erzielen lassen, wenn sich zwei Perspektiven kreuzen und miteinander vereinen.«*

>*Tim Gabel, YouTuber & Unternehmer*

Was ich jedoch nicht verstehen kann, ist folgende Begründung:

»Für mich ist es nicht so einfach, eine persönliche Marke aufzubauen. Es ist etwas anderes, wenn man CEO eines Unternehmens, Gründer*in eines Technologieunternehmens oder eine Berühmtheit ist. Aber ich bin nur ein*e einfache*r Angestellte*r, Solo-Entrepreneur*in, zu unwichtig, zu unbekannt, zu jung, zu alt ...«

Ich muss da widersprechen!

Auch CEOs waren nicht immer CEOs. Sie sind nicht nur aufgrund ihrer Leistungen und Kompetenzen in diese Position gekommen. <u>Sondern vor allem, weil sie ein Netzwerk um ihre Marke herum aufgebaut haben.</u> Nehmen wir Arnold Schwarzenegger. Ein junger Mann aus Österreich und ärmlichen Verhältnissen. Die Art und Weise, wie er an sich selbst glaubte und seine Persönlichkeit prägte, brachten ihn dahin, wo er heute ist. Hören wir also auf, uns zu entschuldigen und beginnen wir im eigenen Tempo und individuellem Stil mit dem Aufbau und Ausbau unserer persönlichen Marke.

Nicht nur, um sich einen Namen innerhalb seines Netzwerks zu machen und die eigene Sichtbarkeit für potenzielle Arbeitgeber und Auftraggeber*innen zu erhöhen. Sondern vor allem um die Welt, in der wir leben und leben wollen, mitzugestalten. <u>Partizipation und Wissenstransfer statt Rückzug in private Echokammern!</u>

Auch ich könnte sagen, warum beschäftige ich mich mit »Altersdiskriminierung« und »Altersdiversität«? Soll sich die Politik doch dem Thema widmen. Schluss mit Posts, Keynotes, Fachartikeln, Büchern und der Entwicklung von Apps. Doch aus meiner Sicht ist das das falsche Mindset! Vielleicht wirst du keine Gesetzgebung verändern.

Doch indem du dich mit deinen Kompetenzen, deinem Wissen und deiner Erfahrung sichtbar machst, wirst du mindestens für einen Menschen da draußen ein Vorbild sein, seine Perspektive und dadurch sein Denken und vielleicht sogar sein Handeln verändern. Stop Making Excuses. Start today not tomorrow!

Was mich zum Schlusspunkt dieses Kapitels führt.

Kommunikationsblockaden zwischen den Generationen lassen sich nur durch Kommunikation lösen. Lasst uns aufeinander zugehen, den Dialog bewusst suchen, miteinander statt übereinander reden. Denn dann werden wir vermutlich wie einer meiner Follower*innen erkennen, dass die angeblichen Gräben keine wirklichen Gräben sind:

»Ist das Alter wirklich ausschlaggebend?
Ich werde den Gedanken nicht los, dass dieses
Gespenst oft herbeigeredet wird.
Wenn die Kommunikation stimmt, wird das Alter
zur Nebensache.«

Drei kurze Sätze, voll auf den Punkt!

BILD' DIR DEINE HEADLINE

Es stimmt schon. Gerade die Gen Z möchte nicht durch ewig lange E-Mails scrollen, die schlimmstenfalls noch mit Anhängen daherkommen. Die Aufmerksamkeitsspanne dieser Generation ist sehr gering: Zu viele Details oder irrelevante Informationen lassen das Interesse schneller schmelzen als der Klimawandel die Gletscher. Besser packt man sie mit kurzen prägnanten Sätzen, Videos, vielen Bildern und gegebenenfalls Emojis. »Headlines und Aufmachung wie in der Bild-Zeitung« habe ich das in einem Gastbeitrag und einem Workshop zum Thema »Interne Kommunikationsbedürfnisse verschiedener Generationen« mal genannt. Außerdem wichtig: Duzen – damit signalisiert man der Generation, es gibt kein Senioritätsprinzip – und ein klarer *Call2Action!* Das und das möchte ich von dir bis dann und dann. Sonst kann es passieren, dass sich die jungen Adressat*innen nicht angesprochen fühlen und die Absender*innen ewig auf Antwort warten.

Doch ist das alles ein Beleg dafür, dass die Gen Z komplexe Sachverhalte weniger gut durchdringen kann? Ich finde diese Diskussion mühsam. Und plädiere dafür, lieber nach vorne zu blicken und voneinander zu lernen. Denn genauso wie ein langes Meeting nicht per se ein gehaltvolles Meeting ist, so ist auch eine lange Nachricht nicht per se eine gehaltvolle Nachricht. Und ganz ehrlich: Ich kenne viele Menschen, die nicht zur Gen Z gehören, und dennoch eine kurze, prägnante Sprache bevorzugen.

Folgende Übung kann ich euch empfehlen:

1. Bestimmt ein Thema, das euch gerade unter den Nägeln brennt.
2. Jede*r erhält fünf Minuten Zeit, sich Gedanken zu machen, wie er dafür die Aufmerksamkeit seiner*ihrer Kolleg*innen am besten erzielen kann. Wie verpacke ich die Information sprachlich, welches Tool bietet sich an?
3. Jede*r arbeitet für sich seine Ideen in einem vorgegebenen Zeitrahmen aus, je nach Thema vielleicht 20 oder 40 Minuten.
4. Bildet Zweierteams aus jeweils einem älteren und einem jüngeren Mitarbeitenden und lasst sie gegenseitig ihre Pitches präsentieren und nachfragen: Was hat überzeugt, was könnte verbessert werden?
5. Kommt wieder zur größeren Runde zusammen und sprecht darüber, was ihr voneinander und miteinander gelernt habt. Welches Format hat das Thema am besten transportiert? Gibt es Unterschiede zwischen den Generationen? Welche Rolle spielen Sprache, Ton und Visualisierung? Und was könnt ihr daraus generell für eure intergenerationale Kommunikation ableiten?

Meine Prophezeiung: viele Aha-Momente.

PERSONAL BRANDING

Im digitalen Zeitalter beschränkt sich Markenbildung nicht mehr auf Produkte, Services oder Unternehmen. Auch Geschäftsführer*innen, Manager*innen, Politiker*innen, Aktivist*innen, Künstler*innen, Selbstständige oder Arbeitnehmende positionieren sich immer stärker als Marke und versuchen, ihren eigenen USP (Unique Selling Proposition = Alleinstellungsmerkmal) in den Vordergrund zu stellen – wobei ich lieber von UVP (Unique Value Proposition = einzigartiges Wertversprechen) spreche, da es den Mehrwert deutlich hervorhebt. Denn Menschen kaufen nicht WAS du verkaufst, sondern WARUM du es verkaufst! Mir ist bewusst, dass die Begriffe »sich positionieren« und »sich vermarkten« schnell Kritiker*innen auf den Plan rufen, die beklagen, dass Menschen in unserer Leistungsgesellschaft immer stärker zum Produkt degradiert werden. Doch mit plumper Verkaufe oder Selbstdarstellung hat Personal Branding nichts zu tun. Wer übertreibt oder sich gar toller darstellt als er ist, fällt schnell durchs Aufmerksamkeitsraster.
Im Folgenden möchte ich ausführlicher darauf eingehen, wie ihr eure Reichweite und eure Sichtbarkeit vergrößern könnt.

> Menschen vernetzen sich mit Menschen. Daher muss dein Profil nicht nur aussagekräftig sein, du musst auch Sympathien wecken, nahbar sein, dich klar positionieren. Damit meine ich nicht nur deine Ausrichtung auf einen bestimmten Kund*innenavatar, sondern auch den Mut zur eigenen Meinung. Denn potenzielle Follower*innen wollen wissen, wer du bist, wo du stehst, wie sie dich einordnen können, für welches Thema und für welche Werte du einstehst. Merke: Wir alle sind emotionale und gefühlsbetonte Wesen und möchten berührt, motiviert

und inspiriert werden. Oder wie ein Neurowissenschaftler einmal zu mir sagte: »Alles ist nutz-, sinn- und wertlos, wenn es keine Emotionen hervorruft«.

> Rühre nicht nur die Werbetrommel. Das nervt. Konzentriere dich besser auf deine Follower*innen und ihre Bedürfnisse: Warum folgen sie dir, welche Inhalte sind für sie interessant, was können sie von dir lernen? Ich empfehle die 70-20-10-Regel, die besagt: 70 Prozent eigene Inhalte, die deine Kompetenz in Bezug auf ein bestimmtes Thema verdeutlichen. 20 Prozent geteilte Inhalte aus vertrauenswürdigen Quellen, um deine Glaubwürdigkeit zu steigern. Und zehn Prozent Werbung für deine Produkte oder deine Dienstleistungen. Achte jedoch darauf, dass auch dieser Part nicht zu werblich und für deine Zielgruppe relevant ist.

> Finde einen guten Mix aus persönlich, informativ und kurzweilig. Erzähle auch Geschichten, die du selbst erlebt und aus denen du Learnings gezogen hast – werde nicht emotional, anklagend oder besserwisserisch. Ziel ist, Inhalte zu schaffen, die zum Nachdenken anregen und zu Kommentaren und Shares führen. Schreibe in leicht verständlicher Sprache, spreche deine Leser*innen mit Du an und denke an Rich Media wie Fotos, Infografiken oder Videos.

> Versuche mit der Zeit, eine Vordenker*innenrolle einzunehmen, indem du Informationen anbietest, die noch nicht überall zu lesen sind. Berichte über aktuelle Trends und Analysen, teile tiefere Einblicke in die Branche, biete innovative Problemlösungen an.

> Achte auf Konsistenz und Kontinuität, da Plattformalgorithmen diejenigen belohnen, die häufig posten.

Veröffentliche nicht nur eigene Beiträge, sondern beteilige dich auch an wichtigen Diskussionen und reagiere schnell auf Kommentare. Vergiss nicht, andere relevante Unternehmen und Kontakte in deinen Beiträgen zu erwähnen. Setze Hashtags sorgfältig ein (Beiträge mit zu vielen # wirken schnell spammy), trete relevanten Gruppen bei und sei wachsam gegenüber Plattformmodifikationen und Algorithmusanpassungen.

Alles klar? Dann lasst uns checken, ob du die drei wichtigsten Joker eingesetzt hast:

☐ **Joker 1:**
Du verfolgst eine klare Mission und sie wird sofort ersichtlich.

☐ **Joker 2:**
Du zeigst Persönlichkeit und deine Follower*innen können sagen, wer du bist. Du scheust dich nicht, auch über Failures zu berichten und was du aus ihnen gelernt hast.

☐ **Joker 3:**
Du bietest ein regelmäßiges Format an (zum Beispiel jeden Mittwoch um 13 Uhr ein Leadership-Tipp oder jeden Freitag ein Tool für innovatives Teamworking), damit deine Follower*innen einen Grund haben, dir kontinuierlich zu folgen.

CALL2ACTION

> Wie kannst du verhindern, dass sich Menschen sprachlos fühlen?

Drei Ideen, drei Begründungen.
Kurz und prägnant.

> Welche Entschuldigung hörst du am häufigsten, wenn es darum geht, keine persönliche Marke aufzubauen?
Was entgegnest du?

Eine Ausrede, eine Entkräftung.
Kurz und prägnant.

6
SCHRITT
FÜR
SCHRITT
VORAN

> mit 15 Fragen zu einer neuen Perspektive

INKLUSIVE
GENERATIONENTRAINING:

PERFECT TEAM

Zur Abwechslung möchte ich euch eine Frau vorstellen, die ich durch den Dokumentarfilm *Working: What We Do All Day* kennengelernt habe. Hinter dem Plot steht Barack Obama mit seiner Produktionsfirma *Higher Ground*, es ist nicht das erste Mal, dass sich der ehemalige US-Präsident dem Thema »Arbeit« filmisch widmet. Dieser Aspekt ist zwar interessant, soll uns aber erst einmal nicht weiter interessieren. Meine Aufmerksamkeit gebührt Randi aus Mississippi, die mit der Kamera begleitet wird und auf dem Weg zu ihrem neuen Job als häusliche Pflegekraft aus ihrem Leben erzählt. Hier ihre Aussagen zusammengesampelt:

»Ich wandle auf einem schmalen Grat. Ich bin nicht mehr jung, aber auch nicht alt. Ich habe noch jede Menge Zeit, aber sie läuft mir davon. Ich muss in mich gehen und entscheiden, was ich aus meinem Leben machen will. Auf dem Land findet man nur schwer Arbeit, wer will schon einen Job, der schlecht bezahlt ist oder bei dem man Knochenarbeit leisten muss. Ich habe bei McDonald's gearbeitet, in einer Hühnerfabrik Hühnerkeulen entbeint und mir überlegt, wieder als Schweißerin in einer Autofabrik zu arbeiten. Aber ich möchte jetzt etwas Sinnvolles tun, ich möchte Menschen helfen und meiner Tochter zeigen, dass sie tun kann, was immer sie will. Dieser Job ist ein Neuanfang – und in meinem Traum schwebt mir eine Art Cottage vor. Mit drei Schlafzimmern, einem Gewächshaus und einem Garten, in dem ich Gemüse und Kräuter ziehen kann. Ich habe viele kranke Verwandte, es wäre schön, wenn ich sie zu mir holen und ihnen helfen könnte, in meinem Haus gesund zu werden. Es soll ein Haus voller Frieden und Harmonie sein. Man tritt ein und vergisst alle Mühe und Sorgen, man entspannt einfach, wird gesund und ist geheilt. Deswegen nenne ich es meine Heilstätte.«

Nach 35 Filmminuten ziehen dunkle Wolken in Randis Traum auf. Sie kündigt ihren Job bei einem mobilen Pflegedienst. Zwar lag der Lohn mit neun Dollar pro Stunde über dem bundesstaatlichen Mindestlohn von 7,25 Dollar, doch die vielen spontanen Überstunden waren mit der Betreuung ihrer kleinen Tochter nicht vereinbar. Randi fängt stattdessen in einer Einrichtung für Menschen mit Behinderung an, ihre Arbeitszeiten sind dort etwas klarer strukturiert. Wie man erfährt, ist es bereits der sechste Job in nur einem Jahr.

NEXT STEP. NEXT TRY

Natürlich! Solche Geschichten lassen sich bei uns genauso finden, <u>Deutschland leistet sich einen der größten Niedriglohnsektoren Europas</u>. Und um einen Einblick in den Gesundheitssektor zu gewinnen, hätte ich mir diesen Film ebenfalls nicht anschauen müssen. Sowohl meine Schwester als auch meine Mutter arbeiten in der Pflege oder haben dort gearbeitet.

Ich weiß um die vorherrschenden Arbeitsbedingungen in einer Branche, <u>die in greifbarer Zukunft eine der größten gesellschaftlichen Herausforderungen zu meistern hat:</u> Personalmangel. Zeitdruck. Das ständige Gefühl, Patient*innen, die oftmals unter Einsamkeit leiden, nicht gerecht zu werden. Unverbindliche Dienstpläne. Überbordende Dokumentation. Knochenarbeit, weil zu pflegende Menschen tendenziell immer schwerer werden. Mangelnde Wertschätzung von Seiten der Gesellschaft. <u>Der Applaus für die Pflegekräfte während der Coronapandemie ist schnell verhallt.</u>

Und doch hat sich Randi bei mir festgesetzt, wenn es um das Megatrend-Thema »New Work« geht und all die Fragen, die daran andocken:

In welcher Welt wollen wir leben und arbeiten? Können wir sie so gestalten, dass alle Menschen einen neuen Grad an Freiheit, Selbstbestimmung, Sinnhaftigkeit und Gestaltungsmöglichkeiten erreichen, ganz gleich welche Tätigkeit sie verrichten oder welcher Generation sie angehören?

Denken wir zusammen, was zusammengehört, um eine neue Perspektive zu gewinnen? Oder spielen wir Gruppen gegeneinander aus, benutzen gar die ein oder andere, um in einer Debatte, in der es eigentlich um Chancen gehen könnte, einen finalen Punkt zu setzen?

»Z ist anders. Y und X sind es auch. Das ist vollkommen normal. Ich erinnere mich an meine Schulzeit. Damals haben wir im Englischunterricht bereits über das Thema ›Generation-Gap‹ gesprochen. Bei Weitem nichts Neues, dass sich im Laufe der Zeit die Menschen und ihre Gewohnheiten verändern. Was ist neu und anders? Am ehesten ist ein Vergleich mit der industriellen Revolution zulässig. Von dort an arbeiteten die Menschen in völlig neuen Berufen und unter anderen Bedingungen. Jetzt haben wir eine neue Form der Revolution der Arbeit, die durch COVID-19 beschleunigt wurde. Und diese neuen Arbeitsweisen, die viel zitierte ›New Work‹, ist für alle Generationen gut. Generation Z fordert sie ein, Y findet sie gut für eine bessere Work-Life-Balance und auch X und Babyboomer genießen die Vorteile der neuen Flexibilität. Gleichzeitig zu den neuen Formen der Arbeit wie mobile Arbeit, agile Arbeitsformen, hybride Teams entstehen neue generationsübergreifende Modelle, wie beispielsweise Teams aus Teilzeit-Rückkehrer*innen und Mitarbeitenden in Altersteilzeit. Modelle wie diese schaffen gegenseitiges Verständnis für die unterschiedlichen Lebensphasen und Bedürfnisse und sind für die Unternehmenskultur sehr positiv. Ein weiteres

SCHRITT FÜR SCHRITT VORAN

Im Moment passiert oft Letzteres. Nicht nur die Gen Z muss her-
halten. Auch Menschen wie Randi tauchen regelmäßig auf, um
gleich wieder aus dem Sichtfeld zu verschwinden.

Manchmal ist es fast gespenstisch, wie gleich-förmig die Diskussionen verlaufen, sie scheinen ein und demselben Drehbuch zu folgen.

Zuerst sprechen die Diskutant*innen über ein zeitgemäßes Verständnis von Arbeit und gehen auf die neuen Freiheiten dank
der Digitalisierung ein. Vertrauenskultur schlägt Kontrollkultur,
spätesten seit Corona haben wir den Beweis: Es geht auch ohne
Chef*in im Nacken! Doch dann ergibt ein Wort das andere.
Home-Office. Remote Work. Hybrid Work. Work-Life-Balance.
Bis es plötzlich nur noch um die Vier-Tage-Woche geht und der
anfangs fruchtbare Austausch in einer hitzigen Leistungs-, Ge-
rechtigkeits- und Generationendebatte endet – weswegen wir
um dieses Thema nicht herumkommen:

> Diskutant*in 1: »Die Gen Z möchte überhaupt nicht mehr
ins Büro! Die will am liebsten nur online arbeiten. Und eine
32-Stunden-Woche dazu. Weil sie den ganzen Stress
nicht mehr mitmachen will. Ich frage mich da schon, wie
wir unseren Wohlstand halten wollen! Ich sehe schwarz.«

> Diskutant*in 2: »Wir wären nicht einmal auf die Idee ge-
kommen, solche Forderungen zu stellen. 32 Stunden! Ein
Witz beim gegenwärtigen Fachkräftemangel. Wir müssen

nicht weniger, sondern mehr arbeiten. Im internationalen Vergleich landet Deutschland in Bezug auf die geleisteten Arbeitsstunden auf dem vorletzten Platz, nur die Luxemburger und Luxemburgerinnen arbeiten noch weniger pro Jahr. Und überhaupt: Warum sollte es den Jungen besser ergehen als uns?«

> Diskutant*in 3: »Für mich ist dieses ganze Gerede über New Work und Vier-Tage-Woche eine krass abgehobene Elitendiskussion! Was ist mit den Busfahrer*innen, Postbot*innen und Pflegekräften in unserem Land? Die können nicht von zu Hause arbeiten oder ihren Kund*innen und Patient*innen am Donnerstagabend ein schönes Wochenende wünschen. Die müssen Freitag, Samstag und teilweise auch Sonntag ran. Die jungen Leute bräuchten dringend einen Realitätscheck! Denen geht es zu gut.«

Klar! Ich kann die Dynamik der Diskussion nachvollziehen. Hinter jedem Beitrag stehen Erfahrungen und Befindlichkeiten, die wir nicht wegwischen sollten. Gerade die Babyboomer, Jahrgänge 1946 bis 1964, haben die heutige Arbeitswelt aufgebaut und auf Vieles verzichtet. Das Gefühl der Ungerechtigkeit wabert durch jeden Diskussionsraum: »Wir Alten haben uns kaputtgerackert, unsere Kinder nicht aufwachsen gesehen, unsere Beziehungen aufs Spiel gesetzt. Jetzt soll das alles falsch und umsonst gewesen sein?«

»Ich finde es schwierig, Menschen in Schubladen stecken zu wollen. Und doch stelle ich Unterschiede fest, wie Generationen über Arbeit denken. Die Generation Z arbeitet eher, um zu leben. Während die Generation X und die Babyboomer eher leben, um zu arbeiten. Das führt zu Missverständnissen und Konflikten. Die Älteren denken, dass die Jüngeren faul sind. Und die Jüngeren denken, dass die Alten bekloppt sind und ihre Zukunft zerstören.

SCHRITT FÜR SCHRITT VORAN

Wir müssen es schaffen, die Sollbruchstellen zu kitten, um eine Arbeitsumgebung zu schaffen, in der sich alle Mitarbeiter wohlfühlen können. Ich bin gespannt, welche Wege Unternehmen zukünftig einschlagen werden. Wer sind die Wegbereiter, wer taugt als Vorbild?«

Astrid Maier, stellvertretende Chefredakteurin und Strategiechefin bei der Deutschen Presse Agentur (dpa)

Zudem vergeht kaum ein Tag, an dem in Zeitungen kein Artikel über die angebliche Arbeitsunlust sowie Freizeitorientierung der Gen Z erscheint – mal mehr, mal weniger plakativ. Oder Politiker'innen wie die Chefin der Bundesagentur für Arbeit, Andrea Nahles, nachschießen: »Arbeit ist kein Ponyhof!«. Und doch bin ich überzeugt: <u>Wir können aus der New Work-Diskussion mehr herausholen. Mehr für uns alle. Wenn wir bereit sind, nicht zu allem immer sofort eine Meinung zu haben. Sondern zunächst Fragen zu stellen. Offen, unsortiert und ohne Anspruch auf Vollständigkeit.</u> Machen wir viel zu selten.

»Ich stelle älteren Menschen gerne mal die Frage, inwiefern sie denn überhaupt Kontakt zu jüngeren Generationen haben – abgesehen von den eigenen Kindern. Joint Generations passiert nicht von selbst. Um jüngere Menschen besser verstehen zu können, muss man seinen Hintern schon aus dem Ledersessel hieven und seinen Dunstkreis verlassen. Ich jedenfalls sehe eine Generation heranwachsen, die sich viele Gedanken macht, tolle Ideen hat und sehr reflektiert handelt.«

Sabrina Scharpen, stellvertretende Leiterin Technologie, ZDF

FRAGE 1:

Was haben Pflegekräfte davon, wenn wir das Rad anhalten und Wissensarbeiter*innen wieder weniger flexibel arbeiten lassen? Wird nicht umgekehrt ein Schuh daraus? Entlastet nicht jedes Instrument, das Menschen am Laufen und auf dem Laufenden hält, das Gesundheitssystem und somit auch die Arbeit der Pflegekräfte? Mich erinnert das an ein Gespräch mit der Demografie-Expertin Margaret Heckel, die darauf hinweist:

»Menschen, die nach der Jahrtausendwende geboren sind, also ab 2000, haben sehr hohe Chancen, 100 Jahre alt zu werden. Jedes zweite Mädchen wird das schaffen. Das bedeutet, dass wir unser Leben neu gestalten und vor allem die Rush-Hour zwischen 25 und 45 entzerren müssen, um langfristig arbeitsfähig und gesund zu bleiben. Längere Pausen oder Teilzeit werden über kurz oder lang der Normalität angehören.«

Warum also nicht sofort mit der Neugestaltung anfangen? Täte nicht allen Generationen ein vernünftiger Mix aus Arbeits-, Lern- und Reflexionsphasen gut, schon alleine, um die multiplen Herausforderungen und Krisen mit ausgeruhtem Kopf bewältigen zu können?

»Allerspätestens mit 55 sollten Menschen ein Sabbatical einlegen können. Weil die allermeisten dadurch ein sehr gutes Gefühl dafür bekommen, was Arbeit für sie persönlich bedeutet und wie sie Arbeit für sich gestalten müssen. Was fühlt sich gut an, was stört, wie kann eine gute Taktung zwischen Ausruhen, Arbeiten und Lernen aussehen? Wenn Menschen sich mit 55 darüber Klarheit verschaffen, können sie locker und mit Enthusiasmus noch einmal zehn, fünfzehn, zwanzig Jahre arbeiten. Auch

wenn sie herausfinden, dass sie jedes Jahr zwei Monate freinehmen wollen. Einfach nur das Renteneintrittsalter erhöhen ist keine Strategie. Unser Ziel sollte sein, dass Menschen besser arbeiten und leben – nicht einfach nur länger.«

Margaret Heckel, Journalistin, Buchautorin und Speakerin mit Schwerpunkt Demografischer Wandel

FRAGE 2:

Ist eine 32-Tage-Woche für Paketzusteller*innen oder Lieferant*innen tatsächlich ausgeschlossen? Haben wir es ausprobiert? Und welche Einbußen an Komfort wären wir gegebenenfalls bereit, hinzunehmen, wenn die Sendung oder der Einkauf nicht am nächsten Tag oder binnen weniger Minuten vor der Tür steht? Treiben wir die Beschleunigung in etlichen Berufen der Dienstleistungsbranche nicht extra an und verunmöglichen dadurch immer mehr eine Arbeitswelt ohne Hetze, Überstunden und Prekarisierung?

FRAGE 3:

Würden nicht gerade Berufe, die körperlich und psychisch stark belastend sind, von neuen Arbeitsmodellen profitieren? Schon alleine deswegen, weil sich dadurch die Attraktivität erhöhen und die Fluktuation verringern könnten. Möglicherweise werden diese Branchen nicht die ersten sein, aber sie könnten von den Erfahrungen der First Mover profitieren, um sich dann leichter einen eigenen Weg in die Zukunft der Arbeit zu bahnen.

FRAGE 4:

Warum soll es den Jungen nicht besser ergehen? Und warum halten die Älteren es so schlecht aus, wenn sie mit ihrer Arbeitsweise konfrontiert werden? Ich selbst kenne die Erfolgsformel schon auch noch:

Karriere ist nur mit Überstunden zu haben und wichtige Seilschaften werden erst nach 19 Uhr geknüpft. Ehrlich: Was hat davon noch Bestand, was ist ein Relikt aus einer überholten Zeit?

Zumal das Konzept »New Work« mit der zentralen Forderung »Tu, was du wirklich, wirklich willst!« bereits in der 1980er (!) Jahren durch den österreichisch-amerikanischen Sozialphilosophen Frithjof Bergmann ausgerufen wurde – da war die Gen Z noch lange nicht geboren.

> *»Ich wuchs in einem typisch schwäbischen, mittelständischen Umfeld auf. Dort herrschte die prägende Vorstellung, ein Leben lang für dieselbe Firma zu arbeiten. Im Ruhestand würde man dann anfangen, das Leben zu genießen und alles nachzuholen, was man vorher verpasst hat. Diese Einstellung sehe ich kritisch. Niemand kann vorhersagen, wie fit er oder sie jenseits der 65 sein oder ob man dieses Alter überhaupt erreichen wird. Zugleich leben wir heute länger. Was, wenn uns nach dem Renteneintritt noch 30 Jahre bleiben? Hier fehlt es an neuen Modellen und Ideen, wie wir dieses Lebensdrittel sinnvoll und erfüllend gestalten können. Die starre Einteilung ›Lernen, Arbeiten, Ruhestand‹ müssen wir hinter uns lassen.«*

> *Laura Aline Bechthold, Professorin für Technology Assessment & Cultural Management, Bayerisches Foresight-Institut, Technische Hochschule Ingolstadt*

SCHRITT FÜR SCHRITT VORAN

FRAGE 5:

Braucht die Gen Z nach der Schule, die viele durch G8 und Einschulung mit sechs oder gar fünf Jahren in Rekordzeit absolviert haben, vielleicht auch deswegen einen softeren Einstieg, weil es an Orientierung fehlt? Mehrmals im Jahr bin ich an Schulen, das Feedback der Schüler*innen klingt unisono: »Wir stehen unter Druck, jede*r erwartet, dass wir zielstrebig sind – nur zielstrebig wohin?« Schon zu meiner Zeit war die Berufsberatung verschenkte Zeit, hätte ich dem Testergebnis mit seiner Berufsauswahl Glauben geschenkt, wäre ich Lehrerin geworden. Unternehmerin, Business-Influencerin, Beirätin oder Investorin standen da nicht zur Auswahl. Heute, so erzählen mir Schüler*innen, bildet die Beratung noch viel weniger die breite Palette an neuen Berufsbildern, Ausbildungen und Studiengängen ab, die fortlaufend entstehen. Die Bertelsmann Stiftung kam 2022 zu dem Ergebnis, dass 53 Prozent der Schüler*innen der Durchblick fehlt und ihre Eltern für 73 Prozent nach wie vor die wichtigsten Wegweiser*innen sind. Meine Frage: Können sie das wirklich leisten? Ich höre aus meiner Community eher, dass sie ihren Kids keine Tipps mehr geben können, weil sie ihren Abschluss vor der Bologna-Reform abgelegt haben und das neue Bachelor- und Mastersystem gar nicht verstehen.

Die Ergebnisse der aktuellen PISA-Studie haben das Vertrauen ins Bildungssystem zusätzlich geschwächt. Nur knapp ein Drittel der 14- bis 21-Jährigen, ebenfalls laut einer Umfrage der Bertelsmann Stiftung, ist der Meinung, dass die Schule ihnen relevante Kenntnisse und Fähigkeiten für die Zukunft vermittelt. Der große Rest ist pessimistisch. Das Beherrschen der deutschen Sprache rangiert nebst Fähigkeit zur Selbstorganisation ganz weit oben. Ich würde hinzufügen: Die Fähigkeit, sich selbst etwas beizubringen, weil sich Formen und Inhalte von Arbeit immer rascher verändern. Ebenso kritisches Denken sowie grundlegende technologische, mediale und unternehmerische Kompetenzen. Mittlerweile berichten mir viele, dass sie durch YouTube-Tutorials am meisten lernen.

FRAGE 6:

Verhält sich die Gen Z nicht einfach nur rational, wenn sie sagt: »Ich mache nicht mehr, als bezahlt wird! Wenn du für mehr Stunden kein Geld hast, musst du über dein Businessmodell nachdenken und nachjustieren.« Weil ein Modell, das auf den Goodwill seiner Mitarbeitenden setzt, nicht nachhaltig, nicht zukunftsfähig ist. Im August 2023 war ich bei der ZDF-Sendung *13 Fragen/unbubble* zu Gast, bei der sechs Diskutant*innen der Frage nachgingen, ob die Gen Z faul sei und ob nicht auch auf der Unternehmensseite ein Umdenken stattfinden müsse. Etliche Kommentare dazu auf YouTube zahlen genau auf dieses Thema ein – und die Gen Z bekommt vielfach Schützenhilfe von den älteren Generationen:

»Hätte nie in meinem Leben gedacht, dass es irgendwann mal als kontrovers empfunden wird, dass man nur während seiner festgelegten Arbeitszeiten arbeiten möchte.«

»Hammerhart, dass wir überhaupt darüber diskutieren müssen, dass Arbeitnehmer sich das Recht herausnehmen, nur in den vertraglich vereinbarten Arbeitszeiten zu arbeiten. Ich gehöre zur Generation Y und bin absolut dafür, dass wir das langsam als Klassen- statt als Generationskampf verstehen.«

»Eine Diskussion wie vor hundert Jahren. Ich bin 55, arbeite seit über 30 Jahren im Marketing und habe oft genug miterlebt, wie sich Mitarbeitende bis zum Zusammenbruch selbst ausgebeutet haben. Wenn im Arbeitsvertrag 40 Stunden stehen, sollten das beide

Vertragspartner ernstnehmen. *Leider gibt es viele Firmen und ganze Branchen, die ohne permanente, nicht vergütete Überstunden gar nicht überlebensfähig sind.*«

FRAGE 7:

Vergessen wir bei der ganzen Diskussion um weniger Arbeit nicht all diejenigen, <u>die gerne mehr arbeiten würden?</u> Wie ist Arbeit in unserem Land verteilt? Nutzen wir alle Ressourcen, die uns zur Verfügung stehen? Ich habe darüber bereits in Kapitel 1 geschrieben.

»Eltern und insbesondere Müttern wird es heute noch schwer gemacht, Job und Karriere zu vereinbaren. Das muss sich ändern! Wir brauchen erstens mehr Betreuungsplätze für kleine Kinder. Ich kenne keine Eltern, die bei der Suche keinen massiven Herausforderungen gegenüberständen. Wir brauchen zweitens ein neues Mindset: Auch Mütter können anspruchsvolle Jobs ausüben und meiner Meinung nach auch Topführungspositionen bekleiden. Wir benötigen drittens eine neue Form der Flexibilität und Selbstverantwortung: Es ist in wesentlich mehr Jobs möglich, flexible Arbeitszeiten und -orte anzubieten. Und wir brauchen viertens Führungskräfte, die sich für ihre Mitarbeitenden freuen, wenn sie Eltern werden! Entscheider*innen können hier einen Unterschied machen.«

Laura Bornmann, New Work & Leadership Ambassador, HR-Expertin, Hochschulrätin, LinkedIn Top Voice

FRAGE 8:

Arbeiten wir wirklich weniger? Laut Arbeitsminister Hubertus Heil ist in den vergangenen zehn Jahren das Arbeitszeitvolumen um 2,3 Milliarden Stunden gestiegen. Und auch die Erwerbstätigenquote liegt mit 46 Millionen Arbeitnehmer*innen so hoch wie noch nie.

Gerade Paare mit Kindern stellen dem Arbeitsmarkt heute wesentlich mehr Stunden zur Verfügung als frühere Generationen, die noch auf die klassische Rollenaufteilung – Mann geht arbeiten, Frau bleibt zu Hause – setzten, um Kinder und Beruf miteinander zu vereinen.

Ich kenne Paare, bei denen beide Elternteile Vollzeit arbeiten. Die Koordination bedeutet erheblichen Stress, ihre Work-Kids-Life-Balance gleicht einem Nullfehlersystem. Kinder, Eltern, Großeltern – die zumeist selbst noch im Job stehen –, Betreuung, Schule: Jede*r und alles muss jeden Tag funktionieren, was nicht realistisch ist und auf Dauer belastet. Stichwort: Mental Load. Die alltägliche, unsichtbare Verantwortung für die Organisation von Haushalt, Familie und Beruf sowie das ständige Ausbalancieren von Bedürfnissen und Befindlichkeiten aller Beteiligten. Ist es zielführend, Vereinbarkeit weiterhin als Privatangelegenheit zu sehen? Oder ist sie nicht vielmehr gesellschaftlich und wirtschaftlich relevant?

»Mental Load betrifft größtenteils Frauen, insbesondere Mütter. Das liegt daran, dass wir immer noch eine klassische Rollenverteilung haben und Frauen sich selbst dann federführend um Haushalt und Kinder kümmern, wenn sie selbst voll berufstätig sind oder gar eine Führungsrolle bekleiden. Diesen Spagat zwischen Privat und Beruflich meistern zu wollen, ist sehr sehr heavy und

führt schnell zu einer absoluten Überladung. Unternehmen können ihre Mitarbeitenden unterstützen, indem sie eine Unternehmenskultur schaffen, bei der Wohlbefinden an erster Stelle steht: people-first mentality. Auch flexible Arbeitszeiten sind für berufstätige Elternteile unglaublich wichtig, nur erleben wir im Moment leider einen Rückwärtstrend. Unternehmen pfeifen ihre Mitarbeitenden ungeachtet ihrer privaten Lebenssituation wieder zurück ins Büro.«

Kathrin Erasmus, Gründerin
Mindfluencer & Linkfluencer,
LinkedIn Top Voice für HR & Mental Health

FRAGE 9:

Inwiefern wird Arbeit, so wie wir sie kennen, nicht ohnehin ein Ende finden? Keine*r von uns kann Stand heute vorhersagen, wie genau Robotik, Künstliche Intelligenz und Technologiekonvergenz die Berufswelt in den kommenden Jahren und Jahrzehnten revolutionieren werden. Welche Berufsgruppen, Tätigkeiten und Fertigkeiten werden komplett verschwinden, welche sich nur verändern? Stehen wir gar vor einer Massenarbeitslosigkeit, die uns dazu zwingen wird, das Konzept der Lohnarbeit gänzlich zu überdenken? Oder werden mehr als genug Jobs nachkommen, sogar bessere und wertvollere? Ich bin überzeugt: Jeder Schritt, der die Möglichkeiten von New Work auslotet, Generationen miteinander verbindet sowie das Verständnis für sich selbst und füreinander fördert, wird uns den Weg in die Zukunft erleichtern.

FRAGE 10:

Wie stehen wir zu dem Thema »Kinderlosigkeit«? Es gibt Paare, die sich bewusst gegen Kinder entscheiden. Das ist völlig legitim! Und es gibt Paare, die sich Kinder wünschen, aber aufgrund schlechter Vereinbarkeit den Zeitpunkt immer weiter nach hinten verschieben oder ganz darauf verzichten. Ich habe keine Kinder, kann mir trotzdem vorstellen, wie belastend eine solche ungewollte Kinderlosigkeit für Menschen sein kann. <u>Sie mindert das Vertrauen in den Staat. Verschärft zudem den zukünftigen Arbeitskräftemangel und die Pflegesituation.</u> Wer keine Familie hat, wird sich im Alter auf externe Hilfe verlassen (müssen), um im Alter versorgt zu sein. Auch über dieses Thema habe ich mit vielen Menschen gesprochen, ihre Antworten spannen einen weiten Bogen auf, hier nur mal zwei:

»Die Millennials haben damit begonnen, später im Leben zu heiraten als vorherige Generationen. Dies hat zu reduzierten Familiengrößen oder kinderlosen Familien geführt. Für viele scheint das keine große Sache zu sein. Und doch kann eine geringere Bevölkerungszahl für die Wirtschaft und die Gesellschaft eines Landes ziemlich verheerende Auswirkungen haben. Die Geburtenrate künstlich anzuheben, ist natürlich schwierig. Man kann nur versuchen, die schwierigen Aspekte des Kinderkriegens und der Kinderlosigkeit zu bekämpfen und sozial abzufedern.«

*Sebastian Roloff, Bundestagsabgeordneter &
Rechtsanwalt*

»Unsere Geburtenrate hat sich seit Einführung der Pille bei 1,5 Kindern pro Frau eingependelt, also auf einem mehr oder weniger konstant niedrigen Niveau. Deswegen verstehe ich den Ruf: ›Bitte, bekommt mehr Kinder!‹

nicht wirklich. Klar, wenn man nur auf Deutschland mit seinem Fachkräftemangel, demografischen Wandel und Rentensystem blickt, könnte man zu dieser Empfehlung kommen. Doch wenn wir über den Tellerrand hinausschauen und auch das Thema ›Nachhaltigkeit‹ berücksichtigen, kann es nur heißen: ›Bitte nicht mehr Kinder, unser Planet platzt aus allen Nähten!‹ Wir müssen unsere Probleme anders lösen. Durch Einwanderung, Qualifizierung und technologischen Fortschritt.«

Elke Wolf, Professorin für Volkswirtschaftslehre an der Hochschule München

FRAGE 11:

Sollten wir Arbeit in Stunden messen? Oder uns nicht eher am Ergebnis orientieren? Laut dem neuen »State of Work Report« des Chat-Anbieters Slack sind 43 Prozent der Meetings unnötig und könnten gestrichen werden, sie haben für die Produktivität eines Unternehmens keine Relevanz. Viel Zeit wird vergeudet, weil es an Fokus und Effizienz fehlt. <u>Stundenreduktion bedeutet nicht zwangsläufig Produktivitätsverlust</u>.

FRAGE 12:

Wären flexiblere Arbeitszeitsysteme nicht auch ein Instrument, um das Senioritätsprinzip – je älter die Arbeitnehmer*innen, desto höher die Lohnkosten – zu durchbrechen? Warum nicht mit 50, wenn das Haus abbezahlt und der Nachwuchs aus dem Haus ist, ein Jahr Auszeit nehmen, die Arbeitszeit reduzieren? Oder die Menschen gleich nach Geldbedarf bezahlen? Der ist in der Mitte des Lebens am höchsten, nicht danach. Noch traut sich an dieses Thema kaum jemand heran, aber die demografische Entwicklung wird vermutlich auch diese Fragen irgendwann provozieren. Ich möchte keinen Shitstorm auslösen, aber lassen wir den Gedanken einfach nur mal zu:

Die Älteren verdienen weniger, die Jüngeren mehr – könnte das für Eltern, die heutzutage ihre Kinder weit über ihr Studium finanziell unterstützen müssen, nicht auch ein guter Deal sein? Weil es beispielsweise die Unabhängigkeit beider Seiten stärkt?

Was müssten Arbeitgeber stattdessen in die Lohntüte packen? Gibt es etwas, das ab der Lebensmitte wichtiger wird als Lohnsteigerung qua Alter? Oder der Ausblick auf eine Abfindung? Zumal ältere Menschen oftmals unterschätzen, was es bedeutet, plötzlich nicht mehr zu arbeiten. Die Gefahr, in ein Loch zu fallen, ist hoch. Oder wie aus meiner Community zu hören ist:

»Ich höre immer wieder von Menschen, die jammern, wenn sie arbeiten müssen und sich nach der Rente sehnen. Oft sind das genau diejenigen, die in der Freizeit nur fernsehen. Was soll nach der Arbeit anders werden? Noch mehr fernsehen? Ich freue mich nicht auf die Rente. Weniger Geld und mehr unausgefüllte Zeit. Und es ist so endgültig!«

»Der Arbeitsplatz wird überbetont und seine Wichtigkeit mit 40 Wochenstunden viel zu hoch angesetzt. Die Leute haben keine Kraft und Zeit, sich neben Familie um ihr Seelenheil zu kümmern und herauszufinden, was sie wirklich erfüllt, auch über die Arbeit hinaus.«

»Wir haben einige Mitarbeiter, die während ihrer Rente noch an Bord bleiben. Häufig auf geringfügiger Basis, damit es sich auch lohnt. Für uns und für sie ist es ein Gewinn. Denn viele sind sich nicht bewusst, was für ein harter Einbruch kommt, wenn sie von Hundert auf Null gehen.«

FRAGE 13:

Inwiefern würde das zivilgesellschaftliche Engagement von einer Reduktion der Arbeitszeit profitieren? Oder wäre es sogar denkbar, gemeinwohlorientierte Tätigkeiten auf die Lebensarbeitszeit anzurechnen, weil sie essenziell sind für eine funktionierende, resiliente, lösungsorientierte Gesellschaft? Ich finde es spannend zu beobachten, wie schnell sich die Bilder in unseren Köpfen wandeln.

Erst geht es in den New Work-Debatten um Wertewandel und Sinnökonomie, dass sich Menschen immer stärker als Problemlöser*innen verstehen wollen. Doch wenn es um konkrete Forderungen geht, sehen wir am Horizont vornehmlich Menschen in Hängematten oder Surfbrettern liegen.

Was sagt das über unser Menschenbild aus, trauen wir uns selbst nicht über den Weg? Ist uns das Gemeinwohl tatsächlich so egal? Was bräuchte es, um sich verantwortlich und zugehörig zu fühlen?

FRAGE 14:

Sollten wir den Ruf nach Remote Work oder Vier-Tage-Woche nicht einfach als Flexibilisierungswunsch verstehen, den Menschen in bestimmten Lebensphasen verspüren? Wenn Kinder klein sind und Arbeitnehmende, vornehmlich Frauen, angesichts mangelnder Kitaplätze, verhindern wollen, in die Teilzeitfalle zu tappen, aus der sie nur schwer wieder herauskommen. Angehörige gepflegt werden müssen und eine professionelle Betreuung nicht zu finanzieren ist. Die Gesundheit nicht mitspielt und man zumindest vorübergehend kürzertreten muss. Eine Fortbildung ansteht, weil sich der eigene Job verändert oder wegbricht. <u>Es gibt x Gründe, sie sind hochindividuell und haben mit dem Alter nichts zu tun.</u>

»Die Digitalisierung bedeutet eine krasse Umwälzung für uns alle. Doch die Frage, wie gut Menschen damit zurechtkommen, hat nicht so viel damit zu tun, wie jung oder alt sie sind. Sondern inwiefern sie in ihrem Berufsleben und ihrem Alltag mit neuen Technologien in Berührung kommen beziehungsweise gekommen sind. So tun sich Frauen im Durchschnitt oftmals schwerer, weil in klassischen Frauenberufen Digitalisierung eine weniger große Rolle spielt. Damit wir Menschen mit Blick aufs Alter nicht verlieren, ist es wichtig, auch in puncto Digitalisierung ein lebenslanges Lernen zu implementieren. Wir müssen darauf achten, sie bei jedem technologischen Schritt mitzunehmen, um ihre Abschlussfähigkeit zu erhalten und Ängste vor der Zukunft abzubauen.«

Laura Naegele, Nachwuchsgruppenleiterin am Bundesinstitut für Berufsbildung (BIBB) in Bonn

FRAGE 15:

<u>Und steckt in New Work nicht auch eine gewisse Sehnsucht nach Good Old Work? Weil nicht alles Neue gut und nicht alles Alte schlecht ist?</u>

»Wir haben die Maxime, vorurteils- und diskriminierungsfrei zu rekrutieren, also Bewerber*innen ungeachtet ihres Alters einzustellen. Doch die Frage ist: Haben Menschen jeden Alters überhaupt Lust und Interesse, bei uns zu arbeiten? Das schaffe ich zum einen durch Angebote wie lebensphasenorientierte Zeitmodelle. Und zum anderen durch eine Arbeitskultur, in der sich Mitarbeitende offen

für die Perspektiven und Meinungen aller Altersgruppen begegnen. Es geht nicht darum, Unterschiede zu nivellieren, sondern Unterschiede wertzuschätzen. Diese Offenheit musst du thematisieren, vorleben, einfordern, in Unternehmenswerten und konkreten Zielen verankern. Nur dann bist du als Arbeitgeber attraktiv, kannst Menschen für dich gewinnen und halten.«

Carolin Schlegtendal,
Personalleiterin und Expertin für Talentakquise

Aus dem Off stellt Barack Obama in seinem Film *Working: What We Do All Day* die Frage, was gute Arbeit ausmacht und erzählt die Geschichte von Gail Evans. In den frühen 1980er-Jahren fing die Afroamerikanerin beim damaligen Vorzeigeunternehmen Kodak als Reinigungskraft an. Wie ihre Kolleg*innen arbeitete sie Vollzeit, war krankenversichert und erhielt jährlich vier Wochen bezahlten Urlaub. Dazu Geld für ein Teilzeitstudium am College, jeden März einen Extrabonus und einmal im Jahr die Einladung zum Firmenevent. Mit der Zeit stieg sie bis zum Chief Technology Officer des Unternehmens auf. Heute ist Evans Executive Vice President, Chief Digital und Technology Officer bei Disney Parks, Experiences and Products. Eine typische Geschichte, wie sie die Amerikaner lieben. Tellerwäscherin wird Millionärin. Aber heute im *Land of the free* so gut wie unmöglich. Weil Reinigungskräfte vornehmlich bei einem Subunternehmen unter Vertrag stehen und Mindestlohn ohne Zusatzleistung erhalten. Sie abends oder nachts arbeiten ohne Kontakt zu den Angestellten und statt eines Jobs zwei oder drei benötigen, um über die Runden zu kommen.

Kurz: Unsichtbar. Ohne Anbindung. Ohne Sicherheit. Ohne Chance auf persönliches Wachstum und berufliche Weiterentwicklung.

Obama konnte während seiner Amtszeit »die Ironie unserer Zeit«, wie er sagt, nicht auflösen. Die globale Wirtschaft habe dafür gesorgt, dass Konsumgüter billiger zu erwerben sind, Menschen können sich mehr Kleidung und mehr Elektronik leisten als früher. Dafür koste ein Haus in den USA nicht mehr das Doppelte eines Jahreseinkommens, sondern das Sechsfache. Die Gebühr für ein Studium habe sich seit den 1980er-Jahren fast verdreifacht, die Kinderbetreuung sei um 200 Prozent gestiegen. »Während der Fernseher größer geworden ist, kommt den Menschen das Leben kleiner vor«, so Obama. Und so sind »die Millennials die erste Generation, der es weniger gut geht als den Eltern – und selbst wenn es ihnen nicht schlechter geht, fühlt es sich für sie so an.«

»Private Altersvorsorge, eine Eigentumswohnung oder gar ein eigenes Haus ... so was können sich junge Menschen heute immer seltener leisten, wenn sie nicht erben. Nun geht die Schere zwischen Arm und Reich noch weiter auseinander, wenn zum Beispiel Konzerne wie SAP ihren ohnehin gut verdienenden Mitarbeitenden zinsfreie Immobilienkredite anbieten. Einzelne mittelständische Unternehmen können sich solche Maßnahmen nicht leisten – wie auch? Aber sie sollten sich trotzdem mit der finanziellen Lebensrealität junger Menschen auseinandersetzen und schauen, welche Maßnahmen für sie umsetzbar sind. Ich rate KMUs in teuren Regionen zum Beispiel dazu, dass sie sich zusammentun und für ihre zehn Azubis drei WGs bezuschussen. Wenn sie das nicht tun, fischen sie in einem sehr kleinen Teich und können nur die Azubis aus der Region einstellen, die noch bei ihren Eltern wohnen können. KMUs müssen jetzt ihren Teich vergrößern.«

*Ronja Ebeling, Journalistin & Gründerin
von Team of Tomorrow*

Wir könnten jetzt die Diskussion führen, wie weit wir von amerikanischen Verhältnissen entfernt sind. Wie haben sich hierzulande Jobs, Löhne und Preise entwickelt? Welche Transformation hat Deutschland insbesondere seit Beginn der Nullerjahre durchlaufen – damals trat Bundeskanzler Gerhard Schröder mit dem Versprechen an, die Arbeitslosigkeit durch den Ausbau des Niedriglohnsektors massiv zu senken.

Wird die Politik noch als Bindeglied zwischen Wirtschaft und Gesellschaft wahrgenommen, die Produktivität, Wettbewerb, Wohlstand und soziale Sicherheit gleichermaßen fördert?

Welche Signale sendet sie aus, wie werden sie von der Bevölkerung verstanden? Und wie ist es hierzulande um die Arbeitsqualität bestellt – oder wie Frederick Herzberg, Erfinder der Zwei-Faktor-Theorie, sagen würde: um die Motivatoren (Zufriedenmacher) wie Wertschätzung, Entwicklungsmöglichkeiten, Verantwortung und die Hygienefaktoren (Unzufriedenheitsvermeider) wie Entlohnung, Führungsstil, Arbeitsumfeld? Immerhin *die* Basis für Leistungswillen und Innovationsfähigkeit.

Hierzu nur noch ein kurzer Blick in den »DGB-Index Gute Arbeit«, den der Deutsche Gewerkschaftsbund jährlich erstellt und 2023 zu folgenden Ergebnissen gekommen ist:

Menschen,

> denen das Gehalt gerade so oder nicht zum Leben reicht: 38 Prozent.

> die heute schon wissen, dass sie mit ihrer Rente nicht oder nur so gerade über die Runden kommen werden: 81 Prozent.

- die keine oder nur eine geringe betriebliche Altersvorsorge erhalten: 68 Prozent.
- die keine oder nur eine geringe betriebliche Gesundheitsförderung erhalten: 72 Prozent.
- die nicht glauben, dass sie bis zur Rente arbeitsfähig sein werden: 40 Prozent.
- die sich auch krank zur Arbeit schleppen: 43 Prozent.
- die für sich keine oder nur geringe Aufstiegschancen sehen: 67 Prozent.
- die sich nicht oder nur gering weiterqualifizieren können: 44 Prozent.
- die ein offenes Meinungsklima vermissen: 40 Prozent.
- die sehr häufig oder oft unter Zeitdruck stehen: 50 Prozent.

Doch anstatt mich weiter in diese Thematik zu schrauben, möchte ich euch an dieser Stelle bitten, die vielen Fragen nachklingen zu lassen. <u>An welcher seid ihr hängengeblieben, welche nehmt ihr mit in eine Diskussion mit Kolleg*innen oder Netzwerkpartner*innen? Wie unterschiedlich fallen die Antworten tatsächlich aus, wenn mehrere Generationen sich in einem offenen Austausch üben? Wie weit gehen ihre Argumentationen auseinander?</u>

»Aus meiner Sicht haben wir das Potenzial, all unsere Probleme zu lösen, auch die Energie-, Klima- und Migrationskrise. Doch wir stehen uns selbst im Weg. Wenn wir als Menschheit eine Chance haben wollen, müssen wir die Differenzen überwinden, Themen systematisch angehen sowie technologische Möglichkeiten als Chance begreifen und nutzen. In 20, 30 Jahren

werden wir sagen können, ob wir in Richtung ›Eskalation‹
oder in Richtung ›Blühende Landschaften‹ abgebogen
sind. Noch bin ich optimistisch.«

Sven Lindberg, Professor der Psychologie
an der Universität Paderborn

Um dann den Blick von der Wirtschaft, der Politik und den vielen Analysen, die es gibt, abzuwenden und euch im nächsten Kapitel zu ermutigen, <u>über eure eigene Arbeits- und Lebenssituation nachzudenken</u>.

Bist du zufrieden? Bist du unzufrieden? Was stresst dich genau? In welcher Lebensphase befindest du dich, welche Schwerpunkte möchtest du setzen? Hast auch du einen Traum, was treibt dich an, was hält dich am Laufen?

Dein Leben gehört nicht dir, wenn du dich ständig darum kümmerst, was andere Leute denken. Siehst du es genau so?

<u>Kurz: Lebst du ein Leben, das nicht versucht, einem gewissen Alter zu entsprechen? Sondern nur dir!</u>

PERFECT TEAM: HYBRID, CROSS-FUNKTIONAL UND ALTERSDIVERS

Schauen wir uns zwei Trends an:

> Die meisten Unternehmen werden ihre Mitarbeitenden in naher Zukunft sowohl hybrid als auch cross-funktional arbeiten lassen. Die Strategieberatung McKinsey kommt diesbezüglich in einer Studie aus dem Jahr 2021 auf eine Quote von 90 Prozent. Weil es Arbeitgeber Geld spart und Mitarbeitenden ermöglicht, Beruf sowie Privatleben besser auszubalancieren und dort zu leben, wo sie leben möchten.

> Das Thema »Altersdiversität« wird an Bedeutung gewinnen, nicht nur aufgrund des zunehmenden Fachkräftemangels und des demografischen Wandels, sondern auch aufgrund der Erkenntnis, dass altersgemischte Teams schlagkräftiger und innovativer sind.

Ich frage mich, worauf warten? Warum nicht heute schon beides miteinander kombinieren? Ich habe mir jedenfalls Gedanken gemacht, welche Voraussetzungen geschaffen werden müssten, damit Teams hybrid, cross-funktional *und* altersdivers performen können? Hier meine sechs wichtigsten Punkte:

1. Definiere, welches Ziel es zu erreichen gilt. Welche Kompetenzen und Fähigkeiten benötigt das Team? Welche Fachbereiche sind heute schon in Prozesse oder Projekte involviert, die nützlich sein können? Stelle dementsprechend ein Aufgabenportfolio zusammen und löse dich explizit von alters- oder generationsbezogenen

Stereotypen. Ziel ist die Vernetzung von Menschen qua ihrer Kompetenz – unabhängig von Funktion, Alter und Rolle. Möglicherweise gibt es schon ein Team, das alles mitbringt – vorhandene Potenziale sollten immer genutzt werden! Und vielleicht müssen gewisse Kompetenzen auch nur für einen definierten Zeitraum hinzugezogen werden. Durch dein Aufgabencluster kannst du Lücken schnell aufdecken und schließen. Denke daran: Weniger ist oftmals mehr! Strebe eine Teamgröße von maximal zehn Mitgliedern an.

2. Entwickle zusammen mit deinem Team Strategien und Methoden für eine gute Zusammenarbeit. Achte darauf, dass jede*r zu Wort kommen kann, lasse niemanden ungehört. Setze von Anfang an ein klares Statement: Jede*r ist gleich wichtig! Und durchbreche, falls nötig, die Codes, die nur Eingeweihte verstehen! So ein Start kostet Zeit und Energie, aber jede Abkürzung kommt dich später teuer zu stehen. Kommuniziere ebenfalls, welche Vorstellungen du von Führung hast, was dir wichtig ist, welche Entscheidungen von dir und welche gemeinsam getroffen werden. Ohne Verständnis und Zustimmung besteht die Gefahr, dass deine Führung ins Leere läuft.

3. Damit die Zusammenarbeit funktioniert, müssen alle Teammitglieder bereit sein, sich gegenseitig zu unter-stützen und ihr Wissen zu teilen. Darunter fällt auch der Umgang mit digitalen Tools. Organisiere bei Bedarf Trai-nings und Workshops, damit Wissenslücken so schnell wie möglich geschlossen werden können und jede*r von Anfang an arbeitsfähig ist. Alles andere nährt nur den Boden für Vorurteile! Gewähre zudem genügend Zeit für Austausch, nicht nur, weil er für hybride, cross-funktionale und altersdiverse Teams besonders wichtig ist. Zeit- und Leistungsdruck blockieren Brainstorming und mindern dadurch Kreativität und Effektivität. Doch Vorsicht: Inzwi-schen zieht die Aufforderung »Tauscht euch aus, arbeitet

zusammen« an vielen Menschen ungehört vorüber, weil sie zu oft ausgerufen wurde. Aus meiner Sicht liegt das daran, weil Austausch nicht als Arbeit gewertet wird – ist ja nur Reden –, hier braucht es ein generelles Umdenken! Vor allem, wenn man Diversität wirklich leben möchte.

4. Finde heraus, welche Taktung, welcher Wochentag und welche Uhrzeit in puncto Dailys und Jours Fixes für dein Team sinnvoll sind – solltest du deine Mitarbeitenden im regelmäßigen Turnus im Büro versammeln. Das stärkt das Zusammengehörigkeitsgefühl ungemein. Auch Offsites jenseits der Unternehmensmauern sind eine gute Möglichkeit, sich näher zu kommen, Barrieren zu durchbrechen. Tipp: möglichst ungezwungen und locker, ein Mittagessen beim Italiener um die Ecke ist oftmals mehr wert als ein überorganisiertes Event.

5. Behalte den Prozess im Auge. Damit du einerseits bei Problemen schnell gegensteuern kannst. Es braucht oftmals eine gewisse Zeit, bis man sehen kann, wo die Knackpunkte liegen und ob sich Stärken tatsächlich gewinnbringend summieren. Andererseits, um auch mit Blick auf künftige Konstellationen aus erster Hand zu lernen: Wie können Kommunikation und Verständnis füreinander verbessert werden? Welche Kommunikations- und Projektmanagementsysteme eignen sich für welche Aufgaben? Welche Rahmenbedingungen fördern beziehungsweise hindern den Prozess? Wie viel Führung ist nötig, wie viel Eigenständigkeit möglich?

6. Feiere Erfolge, wie Erfolge fallen. Das fördert nicht nur die Motivation. Sondern stärkt auch das Wir-Gefühl, baut Vorurteile ab und lässt Generationen Hand-in-Hand in die nächste Runde gehen.

SCHRITT FÜR SCHRITT VORAN

CALL2ACTION

> Was hindert dich daran, ein hybrides, cross-funktionales und altersdiverses Arbeitsmodell umzusetzen? Wie könntest du die Blockaden beseitigen?

Drei Ideen, drei Begründungen.
Kurz und prägnant.

7
FIX-
STERN

> warum Tun besser ist als Reden und Wollen

INKLUSIVE
GENERATIONENTRAINING:

UND TSCHÜSS!

An meinem zehnten Geburtstag ging ich mit meiner Mutter zu dem Mädchen-Gymnasium in unserer Stadt, um mich dort einzuschreiben. Ich war aufgeregt. Glücklich. Was für ein Tag! Der Sprung von der Grundschule auf eine weiterführende Schule stand an, meine Noten waren gut genug, Aufbruch lag in der Luft. Wir meldeten uns im Sekretariat an und durften wenige Minuten später ins Zimmer der Schuldirektorin eintreten. Die Frau stellte viele Fragen, nicht um uns kennenzulernen, sondern um ihre eigene Weltsicht zu bestätigen:

»Sie sind alleinerziehend?«

»Sie wohnen in einem Flüchtlingsheim?«

»Sie arbeiten als Putzfrau?«

»Ihre Tochter ist nicht getauft?«

Ich sah, wie meine Mutter neben mir immer mehr in sich zusammensackte, an ihren Blick kann ich mich heute noch erinnern: eine Mischung aus Traurigkeit, Verlegenheit, Ohnmacht, Ich-kann-nicht-mehr! Irgendwann stand die Direktorin auf und geleitete uns mit den Worten zur Tür: »Es tut mir leid, Sie haben sicherlich Verständnis, aber wir können Ihre Tochter leider nicht bei uns aufnehmen. Unsere Schülerinnen kommen aus stabilen Verhältnissen.«

Für mich war dieser Moment lebensverändernd.

> Ich sagte zu mir: Da ist irgendetwas nicht in Ordnung – nicht mit mir, sondern mit der guten Frau.

> Ich gab mir das Versprechen: Niemals werde ich zulassen, dass mich irgendwer oder irgendetwas davon abhalten wird, meinen Weg zu gehen, nur weil ich nicht in sein*ihr Raster passe. Wenn jemand behauptet, dass etwas nicht geht, werde ich herausfinden, ob das tatsächlich so ist. Wenn nicht hier, dann vielleicht woanders.

> Ich nahm mir vor: Nicht aufzuhören, an einem Fundament zu bauen, das es mir ermöglicht, mich in dieser Welt selbstwirksam zu behaupten.

Meine Mutter wollte zu keinem weiteren Gymnasium mehr gehen. Also zog ich am nächsten Morgen auf eigene Faust los, um mir einen Platz zu ergattern. Weit musste ich nicht gehen, waren nur drei Kilometer. Die Sekretärin am Empfang des zweiten Gymnasiums war ganz perplex, als ich ihr mitteilte, dass ich alleine hier wäre, ohne meine Eltern. Sie rief den Schuldirektor. Ein großer, alter, »weißer« Mann mit dem warmherzigsten Lächeln, das ich je gesehen hatte. Um es kurz zu machen: Nach einem Gespräch mit mir und einer Rücksprache mit meiner Mutter nahm er mich an seiner Schule auf.

Die Moral von der Geschichte: <u>Es braucht Menschen, die an einen glauben</u> und die richtigen Rahmenbedingungen für Entwicklung schaffen. Fun Fact: nicht selten sind es diejenigen, von denen man es nicht erwartet hätte. Das ist die eine Medaillenseite. <u>Doch man muss – das ist die andere Seite – genauso an sich selbst glauben. Verantwortung übernehmen.</u>

<u>Weichen stellen. Barrieren überwinden.</u>
<u>Altes loslassen und Neues zulassen.</u>
<u>Um das Leben zu leben, das man leben möchte.</u>

Keine Selbstverständlichkeit.

In den vergangenen drei Monaten habe ich nur wenige Menschen getroffen, die zu mir gesagt haben: »Bei mir läuft's, alles bestens!« Die meisten, ganz gleich welcher Job, welche Branche, welches Alter fühlten sich fremdgesteuert, gestresst und getrieben. Waren erschöpft, leergelaufen, einfach nur müde. <u>Wenn ich genauer nachgefragt habe, woran es liegt, hatten die wenigsten eine Antwort darauf.</u>

Ich denke, dass wir hier schon den ersten Fehler begehen. <u>Wir schaffen es nicht, unsere Situation zu analysieren, und finden uns irgendwann in einer diffusen Gefühlslage wieder: Alles zu viel. Alles Mist. Die Umstände, die Lebensphase, das Alter und überhaupt.</u>

Ich selbst arbeite viel und gerne, würde mich sogar als Workaholic bezeichnen mit Nachhilfebedarf im Fach »Resilienz«. Und doch laufe ich nicht Gefahr, auszubrennen. Von einem Burn-out bin ich meilenweit entfernt. Ein wesentlicher Grund dafür liegt aus meiner Sicht darin, dass ich meine Stressoren kenne. Es ist nicht die Arbeit an sich, die mich an Grenzen treibt, sondern

> Auftraggeber*innen, die einen Projektentwurf sechs Wochen liegen lassen und ihn mir dann Freitagnachmittag zuschicken mit der Bitte, ihn bis Montagvormittag zu überarbeiten.

> Mitarbeitende, die mir um 18 Uhr per Mail mitteilen: »Ich weiß, sollte um 16 Uhr fertig sein, schaffe ich aber leider nicht.«

> Kolleg*innen, die hoch und heilig versprechen, dass sie sich diesmal an die besprochene Aufgabenteilung halten und dann doch wieder nicht abliefern.

Solche Situationen lassen sich nicht vermeiden. Doch man kann besser darin werden, Stopp zu sagen. Gegebenenfalls lässt man ein Projekt auch an die Wand fahren. <u>Denn warum sollten Menschen ihr Fehlverhalten abstellen, wenn sie damit immer wieder durchkommen? Motto: Die hat die letzten zehn Male die Kohlen aus dem Feuer geholt – warum sollte sie es nicht auch ein elftes Mal tun?</u>

Wenn ich bei meinen Gesprächspartner*innen – wie gesagt, von Babyboomern bis Gen-Zler*innen alles dabei – lange genug nachbohre, entsteht auch bei ihnen ein klareres Bild:

Manche haben mit Rettungseinsätzen übers Wochenende kein Problem, vermissen aber eine Passung von Leistung und Gegenleistung. Das Honorar zu gering, die Wertschätzung zu dürftig, an Weihnachten vielleicht ein Gutschein für das Yogastudio next door – irgendwann kippt die Balance, sie verlieren den Spaß an der Arbeit, sind nur noch frustriert …

>»Meinen größten Fuckup-Moment erlebte ich, als mir ein Auftraggeber mitteilte, dass mein Co-Moderator, der deutlich älter war als ich, das Doppelte verdiene. Einfach weil er besser verhandelt hat. Ich habe den Job gemacht und auf der Bühne gelächelt – mir aber Folgendes geschworen: Kenne erstens deinen Wert und stehe dafür ein. Bereite dich zweitens vor, habe gute Argumente, warum du eine gewisse Summe verdient hast und sei dir deiner Schmerzgrenze bewusst – vor allem, wenn du eine*n Auftraggeber*in persönlich kennst. Sei drittens konsequent, verzichte auf einen Job, wenn dir für deine Leistung zu wenig beziehungsweise weniger angeboten wird. Kurz: Stehe für dich ein, sei laut, beschwere dich und sage im Zweifel Nein.«*

*Janna Linke, Journalistin & Moderatorin
ntv-Nachrichten, LinkedIn Top Voice*

Manche fühlen sich im Home-Office einsam. Verständlich, Menschen sind unterschiedlich. Während sich die einen mit Puschen an den Füßen um 9 Uhr morgens an ihren Laptop setzen und loslegen – froh darüber, sich nicht durch den Berufsverkehr quälen zu müssen –, brauchen die anderen das Bürosetting zum Arbeiten. Das Gefühl des Angedocktseins und gemein-schaftlichen Spirits: »Los geht's, jetzt fangen wir an!« ...

»In unserer Arbeitswelt wollen wir von allem das Beste leben: Austausch vor Ort und hybrides Arbeiten, das die Lebensphasen der Mitarbeiten-den berücksichtigt. Eine interne Studie zeigt, dass teamspezifische Regeln dabei sehr positiv wirken. Je besser alle im Team abgestimmt sind, desto höher die Performance.«

Carina Behrends, Diversity und Inclusion Management bei Audi

Manche erleben eine zunehmende <u>Verdichtung ihres Arbeits-volumens</u>, schon alleine deswegen, weil sie an Online-Tagen noch mehr Meetings absolvieren als an klassischen Bürotagen. Der Wechsel von einem Besprechungsraum zum nächsten fällt weg, kann man ja eins nach dem anderen schalten ...

Manche fühlen sich <u>durch Social Media unter Druck gesetzt</u>, weil sie ihr vermeintliches Erfolgskonzept »Höher, schneller, weiter« auf die digitale Netzwerkwelt übertragen und sich dadurch ver-pflichtet fühlen, jeden Tag mindestens einen relevanten Post ab-zusetzen – wenn sie dann nur zehn Reactions erhalten, ist nicht nur die Erschöpfung, sondern auch die Enttäuschung groß ...

Manche hocken auf Führungspositionen, obwohl sie gar <u>keine Lust und auch kein Talent haben, Menschen zu führen</u>, aber ein anderer Karrierepfad ist im Unternehmen nicht vorgesehen ...

Machen reden sich ein, dass sie gescheitert sind, weil ein Pro-jekt nicht so läuft, wie sie sich das vorgestellt haben. <u>Stellen al-les und sich selbst infrage.</u> Sorry Frauen, aber gerade wir Frauen sind Meisterinnen darin ...

Manche fühlen sich wie von einem Laster überfahren. Neben dem Beruf müssen sie auch noch das gesamte Familienleben managen, Stress im Kopf macht sich breit, auch nachts rattern die Gedanken, habe ich an das gedacht und an jenes, *Mental Load*, ich habe den Begriff bereits erwähnt ...

Manche trauen sich nicht, ihren Vorgesetzten oder Teammitgliedern zu sagen, dass sich ihre private Situation verändert hat. Sie pflegen ihre Eltern, kümmern sich um Nachbarn, nehmen vorübergehend ein Pflegekind bei sich auf oder haben plötzlich ein schwerkrankes Kind – tun aber so, als wäre alles wie immer ...

Manche würde gerne länger in Elternzeit gehen, haben aber Angst, sie könnten ihre Karriere dadurch gefährden ...

Ich denke, ihr ahnt, auf was ich hinaus möchte.

Es liegt an uns, unsere berufliche wie private Welt mitzugestalten. Dafür müssen wir offen über unsere Vorstellungen, Wünsche und Bedürfnisse sprechen, die Fallstricke benennen und Forderungen konkret stellen. Wenn es sein muss mit Vehemenz. Das hat nichts mit Gefühlsduselei, Realitätsverlust, Dreistigkeit oder gar unserem Geburtsjahr zu tun, sondern ist die Grundlage, dass wir alle gesund und leistungsfähig sind und auch möglichst lange bleiben. Ich frage mich: Wie viele Warnschüsse braucht es? 2023 haben die Krankenkassen schon vor Ablauf des Jahres in puncto Fehltage ein Rekordhoch verkündet, nicht aufgrund laufender Nasen, sondern zunehmend aufgrund psychischer Erkrankungen: Depression. Angststörung. Erschöpfung.

Generationen-Bashing lenkt nur ab und hilft nicht weiter. Es braucht Lösungen, die wir für unsere Familien, unsere Mitarbeitenden, unsere Teams, unsere Unternehmen und uns selbst entwickeln. Auch hier: Ein Fundament, das uns in die Lage versetzt, uns in dieser Welt selbstwirksam zu behaupten.

Anders formuliert: Nach Wollen, Wollen, Wollen und Reden, Reden, Reden müssen wir Tun, Tun, Tun. Das muss nicht immer viel sein, schon gar kein Sprung zu neuen Ufern. Manchmal reicht ein kleiner Move. Manchmal ein beherzter Schritt. Ich mach das jetzt! Ich stehe für mich ein!

BLICKPUNKT 1: EINSAMKEIT

Natascha Hoffner, Gründerin der Karriereplattform für weibliche Karrieren herCAREER, erzählte mir: »An unterschiedlichen Standorten im Kontext Remote Work haben wir versucht, den ›Talk wie über den Schreibtisch‹ zu simulieren, indem wir dauerhaft über einen Bildschirm, ein Tablet oder einem zweiten Bildschirm kommuniziert haben. So können ad hoc Erfolge oder gar Misserfolge geteilt, Rücksprachen gehalten oder einfach ein kleiner Plausch ermöglicht werden. Für mich persönlich, die mit Menschen arbeiten möchte, und auch für meine Geschäftsführungskollegin ist dies ein tolles ›Tool‹, trotz mehreren hundert Kilometern stetig im Austausch sein zu können. Die Befürchtungen, dass das gemeinsame Führen einer Unternehmung über Distanz nicht klappen könnte, haben wir ausräumen können. Für vertrauliche Gespräche, zu Terminen und jederzeit für konzentriertes Arbeiten sich zurückziehen zu können, ist kein Problem und jederzeit möglich. Feste Termine für den Austausch mit Agenda sind natürlich auch möglich. Diese Umsetzung lässt sich jetzt unserer Erfahrung nach in kleinen Gruppen für ein soziales Miteinander und auch für einen guten Kommunikationsfluss gut nutzen. Für größere Teams möchten wir im nächsten Schritt mit den Kolleg:innen festlegen, wie und ob eine derartige Nutzung weiter sinnvoll ist, sowie die Regeln für eine Nutzung, sofern das Team daran festhalten möchte, gemeinsam festlegen. Für uns steht aber auch fest, dass wir künftig für Mitarbeitende im näheren Umkreis wieder ein bis zwei feste Bürotage einführen möchten. Das Team sucht und wünscht sich diesen Austausch.«

BLICKPUNKT 2: ELTERNZEIT

Ich kenne inzwischen so viele Väter, die mitnichten auf der Straße gelandet sind, weil sie sich mehrere Monate um ihre Kinder gekümmert haben. Im Gegenteil. Sie kehren gestärkt an ihren Arbeitsplatz zurück, wissen besser, was sie wollen und nicht wollen, treten selbstbewusster auf und erfahren oftmals Anerkennung von Seiten ihrer Kolleg*innen und Führungskräfte. Weil sie mithelfen, einen neuen Weg zu bereiten. Bewusstsein verändern, Vorurteile abbauen, die Arbeitswelt neu ordnen, Vorbild sind. Roman Gaida hat dazu das Buch *Working Dad* geschrieben. Er zeigt darin, wie er trotz Top-Position seine Vaterrolle aktiv leben kann. Erster Schritt: Sich klar dafür entscheiden, was man will. Zweiter Schritt: Sich bewusst machen, dass mehr geht, als wir annehmen. Wir diskutieren und polarisieren, als wären wir noch im Gestern gefangen (»Gelten Männer, die sich um ihre Kinder kümmern, nicht immer noch als Softies?«), sind aber mit unserem tatsächlichen Leben schon längst im Heute angekommen und richten es in Richtung Morgen aus (»Männer, die sich um ihre Kinder kümmern, sind normal!«).

»Ich werde oft gefragt, ob die Unternehmenswelt reif ist für aktive Väter. Ich würde sagen: Die Voraussetzungen waren nie besser. Und doch muss jeder für sich sowie zusammen mit seiner/ihrer Partner*in eine eigene Definition von Vereinbarkeit finden. Denn wenn man die ›perfekte‹ Lösung sucht, wird man das Leben zwischen Beruf und Familie als ständiges Versagen wahrnehmen. Das setzt voraus, dass man ehrlich zu sich selbst ist: Was für ein Papa möchte ich sein, wie wichtig ist mir beruflicher Erfolg, bin ich bereit, nicht blind einem Karrieredogma zu folgen, Forderungen zu stellen und Hilfe anzunehmen? Durch meine Kinder habe ich gelernt, den Augenblick mehr wertzuschätzen. Und auch meine Geduld hat sich verbessert, was sich auch auf meine berufliche Führungskompetenz positiv auswirkt.«

Roman Gaida, C-Level Manager & Autor

BLICKPUNKT 3: BELASTUNG

Da ich wie gesagt keine Expertin für Resilienz oder Mental Load bin, habe ich drei Menschen aus meinem Netzwerk gefragt, wie sie es schaffen, trotz multipler Anforderungen, leistungsfähig zu bleiben und nicht die Balance zu verlieren. Ihre Antworten möchte ich gerne mit euch teilen:

Lara Sophie Bothur, Deloitte Voice for Innovation & Corporate Tech Influencerin in Europa:
»Von nix kommt nix! Doch jeder sollte selbst entscheiden, wann er leistet und wann nicht. Rom wurde auch nicht an einem Tag erbaut. Sei dein eigener Driver und teile dir deine Kraft ein. Gas geben, Pause, Gas geben, Pause. Denn niemand wird für dich Grenzen setzen, wenn du an deine Belastungsgrenze kommst. Schätze dich wert, dann schätzen dich auch die anderen.«

Maria Bergler, Executive Beraterin & Coach für Führungskräfte, Gründer*innen und Unternehmer*innen:
»Mental Load betrifft uns alle, unabhängig von Geschlecht, Familienstand, Lebenssituation oder Alter. Es ist ein unsichtbarer Begleiter in unserem hektischen Alltag, der oft unterschätzt wird. Die gute Nachricht: Wir können ihn aktiv steuern. Indem wir erkennen, dass Mental Load keine Schwäche ist, sondern eine Realität, die uns alle betrifft. Und Erholung als unverzichtbaren Bestandteil in unseren Alltag integrieren. Erholung ist kein Luxus, sondern eine Notwendigkeit. Selbstfürsorge ist keine Option, sondern eine Priorität. In unserem Streben nach einem ausgeglicheneren Leben sollten wir aber auch anderen vertrauen und ihnen mehr zutrauen.«

Laura Bornmann, New Work & Leadership Ambassador, HR-Expertin, Hochschulrätin, LinkedIn Top Voice:
»Mein ultimativer Hack, um langfristig mental gesund zu bleiben: ausreichend Schlaf! Wenn ich ausgeruht bin, fühle ich mich besser, mache mir weniger Sorgen und kann mein Stresslevel viel effektiver regulieren. Am besten ist es, zur gleichen Zeit ins Bett zu gehen und circa eine Stunde vor dem Schlafengehen das Handy zur Seite zu legen.«

BLICKPUNKT 4: CARE-ARBEIT

Die Situation in unseren Pflegeheimen ist nicht die beste – 2023 wurde der Pflegemarkt von einer Insolvenzwelle überrollt – , insofern müssen oder wollen sich immer mehr Menschen um die Betreuung ihrer Eltern selbst kümmern. Ein starkes Zeichen hat für mich 2022 die Topmanagerin Vera Schneevoigt gesetzt. Um für ihre Eltern und Schwiegereltern da sein zu können, hing sie ihren Job als Chief Digital Officer bei Bosch an den Nagel und heizte damit eine Debatte an, wie viel Flexibilität eine Konzernkarriere verkraftet. Die Antwort: nicht viel. Auch wenn sich Schneevoigt früh mit »Geld« und »Unabhängigkeit« auseinandergesetzt hat – auch wichtige Themen –, erreichen nur wenige die finanzielle Freiheit, ihren Beruf mit Mitte 50 aufzugeben. Deswegen mein Tipp: Findet in euren Unternehmen Menschen, die in derselben Situation sind, tauscht euch aus und entwickelt konkrete Lösungsvorschläge, wie man euch unterstützen kann. Denn auch hier gilt: <u>So lange ihr still und leise leidet, wird sich nicht ändern.</u> Solche Prozesse der aktiven Verbündetenschaft tragen übrigens den Namen Allyship.

»Als feststand, dass ich Bosch verlassen werde, um meine Eltern zu pflegen, waren die Reaktionen zweigeteilt. Die eine Hälfte zollte mir Respekt für meine Entscheidung. Die andere Hälfte war geschockt – Motto: Wie kann man nur so bekloppt sein, eine solche machtvolle Position aufzugeben –, was mich wiederum schockierte. Bereits 1982 erzählte mein Sozialkundelehrer, dass die demografische Entwicklung erhebliche Auswirkungen haben wird. Auf unsere Wirtschaft und unsere Gesellschaft. Nur 28 Prozent der zu pflegenden Menschen leben in Heimen, 72 Prozent werden privat umsorgt – und doch sehe ich so gut wie kaum Reaktionen von Seiten der Unternehmen. Ich hätte mir beispielsweise ein Co-Leadership mit einem jüngeren Kollegen vorstellen können, doch das war nicht umsetzbar. Mein Rat in Richtung Mitarbeitende: Fordert mehr ein! Mein Rat in Richtung Unternehmen: Löst eure HR-Abteilungen auf, setzt sie neu zusammen und erklärt sie zum Vorstandsreferat. So wie sie jetzt agieren, sind sie null Komma null geeignet, die Transformation zu managen, die vor uns liegt.«

Vera Schneevoigt, ehemalige
Chief Digital Officer bei Bosch

BLICKPUNKT 5: SOCIAL MEDIA

Sozialen Plattformen sind für mich kein Selbstzweck, sondern Mittel zum Zweck. Mir ist es egal, wie viele Reactions ich auf einen Post bekomme. Was zählt ist, was sich daraus ergibt. Wenn sich nur ein*e Geschäftsführer*in bei mir meldet und sagt: »Ich werde meine Recruitingprozesse verändern und auch Menschen jenseits der 50 berücksichtigen«, ist das ein Riesenerfolg. Wenn mir nur eine Followerin schreibt, sie setzt sich für eine*n Generationenmanager*in in ihrem Unternehmen ein oder gründet ein Generationentreff in ihrem Viertel, ist das ein Riesenerfolg. Und nachdem Miss Germany die Altersbegrenzung aufgehoben hat – meine Bedingung, um dem Beirat beizutreten – bin ich mehrere Tage wie ein Flummi durch die Stadt gelaufen. Wie in Trance, ganz ohne Drogen. Seit der Staffel 2023/2024 dürfen sich auch Frauen bewerben, die älter als 39 sind! Angelehnt an den Buchtitel würde ich sagen: Du bist mehr als deine Follower*innenzahl! Denn wenn du mit deinem Thema nichts bewirkst, ist auch die größte Fangemeinschaft nichts wert. Randnotiz: Ältere gehen an diese Sache tatsächlich etwas gelassener als die Digital Natives ran.

> »Ich würde mir wünschen, dass es weniger relevant wird, was man bis zu welchem Alter erreicht haben muss. Das setzt zu viele Menschen unnötig unter Druck. Und tilgt vielleicht auch einen Spruch, den ich ganz furchtbar finde: ›Dafür bin ich zu alt, dafür ist es zu spät.‹«

> Laura Aline Bechthold, Professorin für Technology Assessment & Cultural Management, Bayerisches Foresight-Institut, Technische Hochschule Ingolstadt

BLICKPUNKT 6: MISSERFOLG

Natürlich können wir zum x-ten Mal über die mangelnde Fehler- und Scheiterkultur in Deutschland debattieren und die sich daraus ergebenden Folgen: Angst, Vertuschung, Lügen, Scham, noch mehr Stress. Doch wir können auch an unserer eigenen Haltung arbeiten. Wenn ich etwas vermassele – und das kommt immer wieder vor –, denke ich mir, das Universum will mich testen, indem es mir die Frage schickt: »Irène, willst du es wirklich?«

Scheitern beinhaltet für mich immer auch die Chance, meine Prioritäten erneut auf den Prüfstand zu stellen. Bin ich auf dem richtigen Weg? Und: Was will ich werden?

Es ist mir ein Rätsel, warum wir diese essenzielle Frage nur Kindern und Jugendlichen stellen, anstatt die Vision über uns selbst kontinuierlich aufzufrischen. Was ist mir wichtig? Was möchte ich erreichen? Was ist mein Fixstern, der mich leitet?

Randi, die Pflegekraft aus Mississippi, die ich euch im vorherigen Kapitel vorgestellt habe, möchte eine kleine Heilstätte für kranke Menschen errichten und ihrer Tochter vermitteln, dass sie alles werden kann, was sie sein will.

Ich möchte dazu beitragen, dass Alter in unserer Gesellschaft, in unserer Arbeitswelt, keine Rolle mehr spielt.

Dafür stehe ich jeden Morgen auf. Probiere aus. Passe Tools an meine Bedürfnisse an. Konzentriere mich auf die Chancen, ohne die Risiken auszublenden. Setze Impulse. Schmiede Allianzen. Bringe Druck auf die Straße. Motiviere Menschen, innerhalb ihres eigenen Wirkungskreises ebenfalls Veränderung zu bewirken. Atme durch und ändere die Richtung, wenn ich in einer Sackgasse lande.

Meine drei Tipps an dich:

> Warte nicht auf gute Möglichkeiten, kreiere sie selbst.
> Alles, was du brauchst, trägst du bereits in dir.
> Jedes neue Jahr ist dein bestes Jahr.

Zum Abschluss dieses Kapitels noch eine positive Nachricht. In puncto »Sinnhaftigkeit« verzeichnet der *DGB-Index gute Arbeit* positive Werte.

Menschen, die

> das Gefühl haben, einen wichtigen Beitrag für die Gesellschaft zu leisten: 71 Prozent;
> das Gefühl haben, einen wichtigen Beitrag für ihr Unternehmen zu leisten: 89 Prozent;
> sich mit ihrer Arbeit identifizieren können: 84 Prozent.

Eine tolle Basis, auf der sich aufbauen lässt! <u>Weil es die Rahmenbedingungen sind, die Jung und Alt am meisten schmerzen. Und Rahmenbedingungen sich ändern lassen.</u>

Von dir, von mir, von uns allen.

NEGATIVE GLAUBENSSÄTZE – UND TSCHÜSS!

> »Wenn ich mit 40 noch nicht Führungskraft bin, wird's eng.«

> »Mit Mitte 50 nimmt mich sowieso niemand mehr, ich bleibe wo ich bin.«

> »Bei uns Frauen gehen ab Mitte 40 die Lichter aus – oder wir legen uns unters Messer.«

> »Ich habe keine Lust auf Färben, aber mit grauen Haaren sehe ich alt aus.«

> »Wir Alten haben keine Ahnung von Digitalisierung.«

> »Hach, so etwas Innovatives können nur junge Menschen entwickeln.«

> »Ich bin zu alt, um das noch zu lernen.«

> »Jugend ist die beste Zeit meines Lebens.«

> »Mit dem Alter kommen automatisch Weisheit und Reife.«

> »Ich bin zu jung, um ernst genommen zu werden.«

> »Ich muss mich jetzt festlegen und entscheiden, was ich für den Rest meines Lebens tun will.«

> »Ich muss mich altersgemäß verhalten.«

> »Ich bin einfach zu jung für so eine große Aufgabe.«

> »Als Berufsanfänger*in hört mir sowieso niemand zu, keine Erfahrung.«

> »Ohne Abitur bist du bei Unternehmen zweite Wahl.«

In den letzten 15 Jahren haben ich viele Sprüche gehört, ich könnte Seiten damit füllen. Zum einen bilden sie ab, was Menschen tatsächlich erleben. Traurig, aber wahr. Zum anderen stecken dahinter Glaubenssätze, Confirmation Biases, die sich nicht so ganz mit der Realität decken. Tief verankerte, subjektive Überzeugen und Annahmen über die Welt, wie sie angeblich ist und vermeintlich immer sein wird.

Wir sollten Glaubenssätze nicht per se verteufeln oder negieren. Doch wenn sie dazu führen, dass sie unsere persönliche Entwicklung blockieren oder gar andere Menschen verunsichern und ausbremsen, müssen wir sie hinterfragen. Das geht nur, indem wir uns bewusst Zeit nehmen, unsere inneren Gedankenprozesse beobachten und Sätze, die wir so nonchalant von uns geben, überprüfen.

> *»In der heutigen Welt geht es nicht mehr um Soziodemografie, sondern um Wertekonstrukte. Es geht nicht um Ziel, sondern um Stilgruppen. Und es geht nicht um Alter, sondern Mindset. Ich kann mit 23-jährigen Unternehmerinnen und 70-jährigen Unternehmerinnen interessantere Gespräche führen als vielleicht mit vielen gleichaltrigen Männern, die Fußballstadion, Bockwurst und Oktoberfest gut finden.«*

> *Toan Nguyen, Founder & Managing Director Jung von Matt NERD und Partner Jung von Matt*

Mein Tipp:

> Hört euch bewusst selbst zu, wenn ihr mit Freund*innen oder Kolleg*innen sprecht. Welche Verallgemeinerungen gebt ihr zum Besten, wie sind die Reaktionen?

> Tauscht euch bewusst mit Menschen aus, die eure Glaubenssätze ins Wanken bringen. Beobachtet: Was macht das mit euch? Könnt ihr euer Zerrbild entzerren?

Ich jedenfalls kann jeden Spruch, den ich oben angeführt habe, durch x Beispiele widerlegen. Ich kenne Menschen, die erst mit 50 richtig Gas gegeben haben. Ich kenne Menschen, die auch mit grauen Haaren und ohne Botox im Gesicht fantastisch aussehen – erschreckenderweise lassen sich Frauen und Männer immer früher spritzen. Und ich kenne Menschen, die mit 20 über eine enorme Reife und Weitsicht verfügen. Mir gibt das Auftrieb und Kraft für meinen ganz eigenen Lebensweg.

CALL2ACTION

> Was ist dein größter Stressor?
> Was müsstest du tun, um ihn zu mildern?

Ein Auslöser, ein Ausweg.
Kurz und prägnant.

8
AUF DIE NUANCEN

> über Vorbilder und Orte des Miteinanders

INKLUSIVE
GENERATIONENTRAINING:

WERTE-RANKING

Ich würde mich als Optimistin und Idealistin bezeichnen. Wenn ich aber das Fernsehprogramm studiere, kommen selbst mir ab und an Zweifel, ob wir vom Fleck kommen wollen.

Wer denkt, es geht in meinem letzten Kapitel um Medien-Bashing, kann getrost weiterlesen. Geht es nicht. Schon vergessen? Ich komme aus der Demokratischen Republik Kongo, offene Gewalt gegen Journalist*innen sind in dem zentralafrikanischen Land eher selten, dennoch werden in Radio und Fernsehen Regierungskritik und oppositionelle Stimmen kaum geduldet. Die Nichtregierungsorganisation Reporter ohne Grenzen konstatiert zudem, dass unabhängige Zeitungen aufgrund ihrer begrenzten Reichweite größere Spielräume hätten, aber als Sanktion für regierungskritische Veröffentlichungen <u>häufig monatelang verboten</u> werden. Wir sollten hierzulande also aufhören, unsere Verlage und Sender mit ihren vielfältigen Publikationen und Formaten pauschal schlechtzureden (ich erinnere mich an eine Erzählung über eine Professorin, die bei ihrem Vortrag über »Arbeits- und Organisationskonzepte der Zukunft« unwidersprochen ins Publikum rief »*Der Journalismus ist broken*«, zu deutsch: kaputt) und dadurch <u>eine ganze Institution Satz für Satz für Satz immer stärker zu beschädigen.</u> Unsere Presse ist für die Stabilität unserer Gesellschaft elementar. In Zeiten von Fake News, Deep Fakes und gezielter Propaganda mehr denn je. Wir können uns eine Vertrauenskrise nicht leisten.

Und doch nerven auch mich Talkshows mit den immer selben Besetzungen. Anstatt konstruktiv nach vorne zu gehen, lässt man Expert*innen gegen Dampfplauderer und -plauderinnen antreten, die stark polarisieren. Besonders beliebt: Entertainer, die zu allem eine starke Meinung haben, auch über die angeblich faule Gen Z. Das Ergebnis: *same procedure as every time.* Weil die Menschen, die etwas zu sagen haben, <u>nur damit beschäftigt sind, die Vorurteile, die da so ungefiltert aus den Mündern purzeln, zu entkräften.</u>

AUF DIE NUANCEN

Mir kommt da immer ein Gummiband in den Sinn, das an einem Pfosten festgeknotet ist. Man zieht daran und hofft, dass es sich diesmal ein bisschen weiter dehnt – doch der Widerstand ist groß, so dass das Band irgendwann zum Ausgangspunkt zurückschnellt und erschlafft zu Boden sinkt.

> **»Ab 50 werden die Menschen entweder angesprochen wie Hochbetagte, die Treppenlifte, Inkontinenzprodukte oder medizinische Gehilfen brauchen. Oder aber als geliftete jung gebliebene ›Models‹ die eigentlich aussehen wie 35 Jahre. Beides zeigt nicht von einem besonderen Verständnis der Zielgruppe. Das muss sich ändern.«**
>
> **Ines Imdahl, Geschäftsführende Gesellschafterin rheingold salon**

Genauso ermüdend sind Filme, in denen Frauen ab 50 nicht mehr vorkommen. Oder, wenn sie doch durchs Bild hüpfen dürfen, eine verbitterte Frau spielen, die von ihrem Mann wegen einer Jüngeren verlassen wurde oder eine liebe Oma, die die Kinder ihrer gestressten Tochter betreut. Silke Burmester, Gründerin des Online-Magazins *Palais F*luxx*, hat zusammen mit der Schauspielerin Gesine Cukrowski die Kampagne »Let's Change the Picture« ins Leben gerufen, damit Frauen ab Mitte 40 doch bitte so gezeigt werden, wie sie heutzutage sind: unabhängig, eigenständig, im Aufbruch, wild, neugierig, mit Erotik und Libido. Auch die Schauspielerin Maria Furtwängler setzt sich für mehr Sichtbarkeit ihrer gleichaltrigen oder älteren Kolleg*innen ein, mit an ihrer Seite ihre Tochter Elisabeth. Dieses Engagement ist enorm wichtig, weil wir aus Studien wissen, dass mediale Altersbilder eine große Wirkung haben.

> ❯ Altersbilder verändern den Blick jüngerer Generationen auf ältere Menschen und beeinflussen dadurch auch das Miteinander sowie den gesellschaftlichen Altersdiskurs.

> Altersbilder wirken auf Menschen ein, sie passen ihre Vorstellung über sich selbst sowie ihr Verhalten sukzessive an.

> Bei älteren Menschen kann das so weit gehen, dass sie im höheren Alter anfangen, schlechter zu laufen oder krakeliger zu schreiben, obwohl es medizinisch gesehen keinen Grund dafür gibt – die Fachwelt nennt dafür die Begriffe: implizites Priming und Self-Stereotyping.

»Das Fatale an den Altersbildern in den Medien ist, dass sie wie ein Identitätsmantel wirken. Ältere Frauen verschwinden regelrecht in der Unsichtbarkeit. Das fängt schon früh an – zwischen 50 und 65 erscheinen Frauen so gut wie gar nicht mehr. Besonders im Business-Kontext sucht man sie vergebens. Wie viele dieser Frauen sieht man noch auf einem Podium? In der öffentlichen Wahrnehmung tauchen sie erst wieder ab 80 auf – als Zielgruppe für Treppenlifte und Pillen. Dafür sehe ich in letzter Zeit häufiger Bilder von jungen Models mit grau gefärbten Haaren, die stolz verkünden, dass ›Grau das neue Blond‹ ist. Oder die folgende Autorin in ZEIT ONLINE: ›Ich weiß, das klingt hart, aber eine Frau Ende 70 kann nicht mehr auf diese spezielle Weise attraktiv sein wie ein gut abgehangener Mann, ganz unmöglich.‹ Ernsthaft? Wer sagt das? Es wird Zeit für einen neuen Mantel der Altersidentität. Kostbarer Stoff, modernes Design und erstklassige Verarbeitung.«

Gerda-Marie Adenau, Global Communications Manager bei Siemens AG

Beruflich muss ich mich natürlich mit dem Thema »Altersbilder in Medien und Werbung« beschäftigen und empfehle allen, auch bei sich selbst zu beobachten:

AUF DIE NUANCEN

> Welchen Einfluss haben mediale Altersbilder auf euch?

> Wie stark beeinflussen sie eure Beziehungen zu älteren Generationen?

> Welche Attribute verbindet ihr mit Alter?

> Wie sprecht ihr mit Gleichaltrigen über Ältere?

> Was hört ihr euch über euer eigenes Alter sagen?

»Gerade während der Pandemie haben negative und stereotype Altersbilder insbesondere in den Medien wieder zugenommen«, schreibt Beate Rudolf, Direktorin des Deutschen Instituts für Menschenrechte. So wurden Ältere »vornehmlich im Zusammenhang mit überfüllten Intensivstationen in Krankenhäusern oder verallgemeinernd als hilfebedürftige Menschen dargestellt. Die positiven Beiträge älterer Menschen beispielsweise als Pflegende fanden selten Erwähnung oder Anerkennung.«

Privat schalte ich jedoch inzwischen rigoros ab, wenn Schauspieler*innen ein Klischee bedienen müssen. Und halte lieber Ausschau nach Filmen, die mit den überholten Altersbildern brechen. Es gibt sie. Genauso wie Entertainer, die einen wunderbaren Kontrapunkt setzen. Gut 12 Millionen Menschen saßen Ende November 2023 vor dem Fernseher, um die letzte Folge von »Wetten, dass …?« zu sehen. Am nächsten Tag überschlugen sich Kommentator*innen über Thomas Gottschalks Abgang und den Grund, den er dafür nannte: »Weil ich inzwischen zu Hause anders rede als im Fernsehen – und bevor hier irgendein verzweifelter Aufnahmeleiter hin und herrennt, du hast wieder einen Shitstorm hergelabert, sage ich lieber gar nichts mehr.« Ich sage dazu: Schade! Chance verpasst! Denn der Auftritt einer Gästin wäre wesentlich würdiger gewesen, um darüber zu berichten, da sie an diesem Abend zeigte, wie souverän intergenerationale Zusammenarbeit zu meistern ist. Ich spreche von Helene Fischer, die ihren Hit »Atemlos« mit der Influencerin und Rapperin Shirin David neu aufgenommen hat. Wie die Schlagersängerin über die Zusammenarbeit spricht und mit Shirin David interagiert, ist einfach nur groß! Sie erkennt das Können der Jüngeren an und bedankt sich für deren Engagement; sie nutzt die Chance, dazuzulernen, gerade, was Social Media betrifft; sie lässt sich nicht verunsichern, ist selbstbewusst, geht in den Austausch, nimmt Neues an, bleibt Bewährtem treu. <u>Zuneigung statt Abneigung. Kooperation statt Konkurrenz. Wertschätzung statt Geringschätzung.</u> Will sagen:

<u>Entscheidet bewusst, was ihr euch anschaut, wem ihr eure Zeit und Aufmerksamkeit schenkt. Über wen ihr nachdenkt und sprecht. Von wem ihr euch inspirieren lasst und lernen wollt. Wen ihr euch zum Vorbild nehmt.</u>

Mich hat beispielsweise das Titelbild der philippinischen *Vogue* im April 2023 mit Apo Whang-Od umgehauen, die Tätowiererin ist 106 Jahre alt – und damit die älteste Frau, die es auf das Cover der Modezeitschrift geschafft hat.

> *»Jeder Mensch hat das Recht, seinen eigenen Weg zu gehen, dafür braucht es Orientierung und Personen, die einem Mut machen. Wenn wir ein solches Empowerment erfahren, entfalten wir unser volles Potenzial, sind weniger krank, produktiver und leistungsfähiger. Beruflich wie privat.«*

> *Pavlo Stroblja, CEO & Gründer, Queermentor – Training & Empowerment Network gGmbH*

Wirklich: Unterschätzt die Wirkung solcher Bilder nicht. Studien belegen, dass <u>Menschen, die positiv über Alter und das eigene Altwerden denken, bis zu siebeneinhalb Jahre länger leben.</u>

Zudem haben optimistische Menschen ein geringeres Risiko für Herz-Kreislauf-Erkrankungen, Schlaganfall und bestimmte Krebsarten. Sie treffen tendenziell bessere Entscheidungen, können Stress besser bewältigen und führen generell ein gesünderes Leben. Ich finde: Das klingt nach einem guten Deal!

> *»Wir müssen Geschichten so erzählen, dass sie ein Publikum erreichen. Denn letztlich werden Formate dann weitergeführt und ausgebaut, wenn viele Menschen sie anschauen. Langfristig müssen inhaltliche Schwerpunkte auch wirtschaftlich Sinn machen, nur dann werden sie sich auf Dauer durchsetzen.«*

> *Mirijam Trunk, Chief Crossmedia Officer und Chief Sustainability & Diversity Officer bei RTL Deutschland*

Erst kürzlich habe ich über die Themen »Medienkonsum« und »Psychohygiene« mit Ana-Cristina Grohnert, ehemalige Vorstandsvorsitzende von Charta der Vielfalt, gesprochen. Ausgangspunkt war unsere Beobachtung, dass Menschen zunehmend pessimistisch und misstrauisch in die Zukunft beziehungsweise auf andere Menschen blicken, das Vertrauen in Institutionen wie Regierung sowie Nichtregierungsorganisationen verlieren und vor allem den Wohlstand des Landes als gefährdet erachten.

Das deckt sich mit der Vertrauensstudie der Agentur Edelmann, dem Trust Barometer 2023, das zu folgenden Ergebnissen kommt: 75 Prozent der deutschen Befragten glauben nicht, dass es ihnen und ihrer Familie in fünf Jahren finanziell besser gehen wird, 66 Prozent sehen das Land gespaltener denn je, nur 26 Prozent würden einem Menschen helfen, der anderer Meinung ist als sie.

Um diese Abwärtsspirale zu durchbrechen, braucht es, so Ana-Cristina Grohnert und meine Conclusio:

> einerseits Vorbilder und Leitbilder, die Zuversicht ausstrahlen und Brücken bauen, Menschen die Hand reichen und einladen, miteinander ins Gespräch zu kommen.

> andererseits auch jenseits der Unternehmenswelt Orte der Vernetzung und des Miteinanders, der gesellschaftlichen und politischen Teilhabe.

Solche intergenerationalen und niedrigschwelligen Begegnungsstätten können ganz unterschiedlich aussehen: Häuser, Räume, Plätze, Projekte, Aktionen. Man nennt sie nach dem amerikanischen Stadtsoziologen Ray Oldenburg auch Dritte Orte (Third Places), weil sie jenseits von Zuhause und Arbeitsplatz liegen.

Ziel ist immer, dass Menschen zwanglos zusammenfinden und ins Gespräch kommen.

<u>Zum einen brauchen wir Dritte Orte, um Einsamkeit vorzubeugen,</u> unter der nicht nur ältere Menschen leiden, sondern auch jüngere.

Interessant dazu ein Gespäch, das die Moderatorin Aminata Belli in ihrer Sendung »DEEP UND DEUTLICH« mit Diana Kinnert geführt hat, die Politikerin erzählt:

»Nachdem die Briten herausgefunden haben, dass in ihrem Land 200 000 Senioren und Seniorinnen leben, die seltener als einmal im Monat mit jemandem sprechen und sich subjektiv einsam fühlen, haben sie ein Anti-Einsamkeits-Ministerium gegründet.«

In Deutschland fehle uns diese Debatte, so Diana Kinnert, obwohl man inzwischen wisse, dass subjektive Einsamkeit die Lebenserwartung genauso verkürze wie 15 Zigaretten am Tag. Gerade 20- bis 40-jährige, erfolgreiche und gut vernetzte Stadtmenschen seien davon betroffen. Denn Einsamkeit habe mit der Quantität und der Qualität von Kontakten zu tun.

Ich kann nur zustimmen, fragen wir uns doch selbst: Wie unverbindlich verhalten wir uns? Wie oft sagen wir Treffen kurzfristig ab? Sind uns Freund*innen in der analogen Welt genauso wichtig wie Follower*innen in der digitalen? Inwiefern lassen wir uns auf andere Menschen ein? Hören wir einander aufmerksam zu oder hören wir nur, was wir möchten? Können wir unser Gegenüber achtsam betrachten, uns zurücknehmen und in die Worte sowie Gedanken des anderen hineinspüren?

<u>Zum anderen brauchen wir Dritte Orte, um miteinander und voneinander zu lernen.</u> So können beispielsweise Senior*innen von jüngeren Menschen in puncto Digitalisierung und neue Technologien unterrichtet und auf den neuesten Stand gebracht werden. Oder ältere Generationen ihre Erfahrung an jüngere weitergeben und mit ihnen überlegen, wie ihre Geschichten und Memoiren attraktiv für die Nachwelt konserviert werden.

»Die Digitalisierung trifft auf eine vielfältige Belegschaft mit unterschiedlichen Altersgruppen. Doch ist das Alter wirklich ein entscheidender Faktor, wenn es um die Veränderungsbereitschaft in der Digitalisierung geht? Ich selbst liebe Veränderungen. Mein Motto: Stillstand ist Rückschritt. Aber hält auch jeder mit dem enormen Tempo mit, das wir gerade durch die Digitalisierung erleben? Junge Mitarbeiter, oft als Digital Natives bezeichnet, scheinen sich mühelos in der digitalen Welt zu bewegen. Diese Gruppe setzt Trends, probiert neue Tools aus und bringt frischen Wind in die Arbeitsumgebung. Andererseits

stehen ältere Mitarbeiter womöglich vor einer steileren Lernkurve. Dennoch birgt ihre langjährige Erfahrung einen unschätzbaren Wert. Bewährte Arbeitspraktiken und ein tiefes Verständnis für betriebliche Abläufe können nicht über Bord geworfen werden. Besonders in der Betriebsratsarbeit wird die Frage nach der Veränderungsbereitschaft und Digitalisierung spürbar. Traditionell als langsam und bürokratisch wahrgenommen, kann die Betriebsratsarbeit durch die Integration moderner Technologien aufblühen. Es geht darum, eine Brücke zwischen Tradition und Innovation zu schlagen. Erfahrene Mitarbeiter können ihre Kenntnisse weitergeben, während junge Talente frische Ideen einbringen. Eine Verbindung für eine dynamische Arbeitsumgebung schaffen, in der die Veränderungsbereitschaft zur Norm wird.«

Silke Ackenheil, Referentin Sonderaufgaben, Konzernbetriebsrat bei EnBw

Ich bin außerdem ambivalent, was ich über die *Digital Afterlife Industry* denken soll, die an der Interaktion mit Verstorbenen über Chatbots und Avatare bastelt. Doch mithilfe künstlicher Intelligenz wird es vielfältige Möglichkeiten geben, Erinnerungskultur neu zu denken. Ein Beispiel ist ein Projekt der israelischen Organisation Chasdei Naomi, bei dem Erzählungen von Holocaust-Überlebenden erst in Texte und dann mithilfe von KI in digitale Bilder verwandelt werden.

»Wer mit 70, 80 oder 90 an der Gesellschaft teilhaben will, muss lernen, sich in der digitalen Welt zu bewegen. Da führt kein Weg dran vorbei. Jeder einzelner ist gefragt, aber auch die Politik. Wenn ich einen Tag Digitalministerien wäre, würde ich freies WLAN und ein digitales Gerät für jeden Haushalt veranlassen. Das wäre meine erste Amtshandlung. Gerade Menschen, die von Altersarmut betroffen

Eine ganz besondere Begegnungsstätte soll das Oodi in Helsinki sein, ein spektakulärer, halbgläserner, 10 000 Quadratmeter großer Neubau im Herzen der finnischen Hauptstadt oder wie die Betreiber*innen selbst sagen, ein Hybrid Open Living Space. In den Entwurf des Architekturbüros ALA flossen im Vorfeld 2000 Ideen von zukünftigen Nutzer*innen ein. Das Ergebnis: Eine riesige Bibliothek gepaart mit Co-Working-Büros, einem Maker-Space mit Nähmaschinen, 3-D-Druckern, Hörspiellabor, Grafikcomputern und Plottern, einem Café, mehreren Spiel-, Strick- und Nähecken sowie Konferenzräumen. Dazu Theaterbühne, Kunstausstellungen und in der Bibliothek selbst viel Platz zum Lesen und Debattieren. Im Durchschnitt lassen sich täglich angeblich bis zu 10 000 Menschen in ihrem »zweiten Wohnzimmer« nieder. Eine kleine Stadt in der Stadt. Offen, einladend, inklusiv, co-kreativ.

Persönlich habe ich Oodi noch nicht gesehen. Aber es hört sich gut an. Anscheinend gelingt es, Menschen über alle Altersgrenzen hinweg anzuziehen. Und über die attraktiven und diversen Angebote, einen Möglichkeitsraum zu schaffen, in dem der Zauber der zufälligen Begegnung wirken kann. Ideen werden geboren und Projekte möglich, an die man gar nicht gedacht hat. Für mich haben solche Momente, das erlebe ich immer wieder, etwas Magisches.

»Mit den Eltern und Großeltern in einem Haus wohnen, ist bei uns im Gegensatz zu anderen europäischen Län-

dern unüblich geworden. Jede kleine Familie oder jeder Singlehaushalt versucht, selbst zurechtzukommen. Das hat Vorteile – irgendwie wollten wir es ja auch – und Nachteile. Seit zwei, drei Jahren bemerken wir einen zarten Gegentrend. Kommunen denken verstärkt über intergenerationale Wohnprojekte nach. Ein Vorreiter ist beispielsweise Zürich mit seinen Quartieren, in denen die gesamte demografische Bevölkerungsstruktur abgebildet werden soll. Jung und Alt und Familien leben in sogenannten Clusterwohnungen zusammen. Jeder hat einen eigenen Wohnbereich, zusätzlich gibt es einen Gemeinschaftsbereich und eine Gemeinschaftsküche. Wir rekonstruieren etwas, das es früher schon einmal gab.«

Niklas Rathsmann, Programmleiter Demografische Zukunftschancen bei der Körber-Stiftung

Jeder größeren Stadt würde so eine Einrichtung natürlich guttun. <u>Oder wie ich immer sage: Eine Verschmelzung von Raum, Dialog und Kultur.</u> Aber auch alle kleinen Initiativen und Aktionen sind von Bedeutung. Wichtig, das betone ich immer wieder, ist jedoch die <u>Messbarkeit!</u> Ich erlebe es so oft:

<u>Menschen setzen sich zusammen, hecken tolle Ideen aus, gehen mit viel Energie an den Start – doch weil sie ihr Tun nicht quantifizieren, den Impact nicht messen, bleiben sie unterwegs stecken und das Projekt stirbt. Mal einen schnellen, mal einen langsamen Tod.</u>

Aus meiner Sicht stehen die Chancen für ein Mehr an Austausch und Zusammenhalt gut. Die Einsicht und das Bedürfnis nehmen zu, dass Menschen über alle Generationen hinweg ganz grundsätzlich wieder näher zusammenrücken müssen.

AUF DIE NUANCEN

Nicht nur miteinander arbeiten, sondern auch miteinander leben.

»Wir müssen aus der Polarisierung raus und Diversität als Mehrwert sehen. Das geht nur, wenn wir uns eingestehen, dass wir alle Vorbehalte haben. Keine*r von uns ist unfehlbar und jede*r von uns verhält sich in gewissen Situationen diskriminierend. Ich als Mann gegenüber Frauen. Ich als Schwarzer gegenüber Menschen anderer Herkunft. Ich als 43-Jähriger gegenüber jüngeren und älteren Mitbürger*innen. Wir leben doch alle in unserer Wahrnehmung von Wirklichkeit und nicht in der Realität. Deswegen ist es so wichtig, aufeinander zuzugehen und zuzuhören – selbst wenn mir mein Gegenüber Geschichten erzählt, die ich mir nicht vorzustellen vermag. Nur weil ich etwas selbst nicht erlebe, bedeutet es nicht, dass es nicht geschieht. Ich jedenfalls setze auf die Macht der Begegnung.«

Simon Usifo, President & Managing Director, 72andSunny Amsterdam, Co-Herausgeber & Bestsellerautor People of Deutschland

Sicher, ich bekomme nach wie vor Posts, die eher das Gegenteil vermuten lassen, Unmut liegt in der Luft, es brodelt gewaltig:

»In Kitas stellen Kinder die Regeln auf, in Schulen maßregeln Schüler ihre Lehrer – und mir wollte ein 21-jähriger Praktikant mit Organigramm in der Hand erklären, wie das Unternehmen richtig erfolgreich kann. Ein 15-jähriger kann eine Meinung haben, aber sie ist nicht deswegen gut, weil sie aus einer naiven Unerfahrenheit artikuliert wird. Wir sollten vielleicht mal wieder Kompetenz, Erfahrung, Wissen wertschätzen. Würde uns als Gesellschaft

228

vermutlich wieder etwas mehr auf Kurs bringen ... denn ich beobachte eine unfassbare Oberflächlichkeit bei jungen Menschen, gepaart mit einem großen Selbstbewusstsein, ohne jede Demut.«

Doch die Mehrheit meiner Follower*innen argumentieren in Richtung Austausch, Einklang, Versöhnung:

»Verständnisbrücken bauen und unvoreingenommene Kommunikation sind in einer Gesellschaft so wichtig, die vor großen politischen, gesellschaftlichen und wirtschaftlichen Bedrohungen steht. Statt in Vorurteilen zu versinken, sollten wir uns im Zusammenhalt üben und die jeweiligen Stärken des anderen schätzen und nutzen.«

»Am Ende ist es eigentlich ganz leicht: Wir brauchen alle Generationen, gemeinsam geht's am besten.«

»Unter allen Beteiligten gibt es sehr viele Vorurteile und unconscious biases – es braucht also einen offenen und wertschätzenden Dialog, Zuhören- und Verstehen-Wollen. Raus aus der Angriffs- und Verteidigungshaltung. Hinein in die Bereitschaft, gemeinsam ein neues Miteinander zu kreieren.«

»Unsere Zeit ist dermaßen im Umbruch, dass es verstärkt eine Wertediskussion und ein ganz neues Miteinander braucht. Jenseits der Vorstellung, dass es hier um Generationenkonflikte geht.«

Einfach wird es vermutlich nicht.

Wie im ersten Kapitel geschrieben, haben wir uns voneinander entfernt. Wir leben in einer hoch individualisierten Gesellschaft und umgeben uns privat mit Menschen, die vornehmlich dieselbe Meinung haben. Claudine Nierth, Geschäftsführerin der Nichtregierungsorganisation Mehr Demokratie! erzählte während der Corona-Hochphase in einem Interview mit dem *Kursbuch* unter dem Titel »Impfstoffe«:

»Während wir vor zehn, 20 Jahren in der Familie, im Freundeskreis, abends in der Kneipe noch leidenschaftlich diskutiert haben, ist das heute keine Selbstverständlichkeit mehr. Wir mögen Ausgrenzung nicht, und doch grenzen wir ständig aus. Oder wie viele Freunde sind in ihrem Kreis, die eine andere Meinung haben – und sich trauen, diese offen zu äußern?«

Für Nierth sind wir aus der Übung gekommen, mit Meinungsdifferenzen umzugehen und konstruktiv zu streiten. Andere wahrzunehmen – und ihnen dadurch das Gefühl zu geben, einen festen Platz in der Gesellschaft zu haben. Jeder Mensch hat ein Recht darauf!

Ich werde tagtäglich mit so vielen Aussagen konfrontiert, schöne und weniger schöne, und dennoch weiß ich:

> **Ich muss mich nicht der Meinung eines anderen Menschen anschließen, ich muss auch nicht lautstark dagegen argumentieren oder versuchen, ihn auf meine Position zu ziehen.**

> **Ich kann stattdessen wahrnehmen, anerkennen und aushalten, dass in unserer offenen, pluralen Gesellschaft Dinge komplett anders gesehen und bewertet werden können.**

Um dann gemeinsam Lösungen zu erarbeiten, die für möglichst alle besser sind. Wir werden sie brauchen. Es geht um mehr als um die Bekämpfung eines Virus, für die die Jüngeren zum Schutz der Älteren auf Vieles verzichtet haben. <u>Lasst uns das bitte nicht vergessen!</u> Wir stehen angesichts von Klimawandel,

Verteilungskämpfen und aufkeimenden Kriegen vor einer grund-
legenderen Wende.

Oder wie Bundestagsabgeordneter Sebastian Roloff erzählt:
*»Es ist schwierig, Generationen zu vergleichen – und ich
möchte auch nicht sagen, dass es die Nachkriegsgeneration
leicht hatte, nicht missverstehen! Nehmen wir nur den
Wiederaufbau Deutschlands, die 68-Bewegung, die Anti-
Atomkraft-Bewegung, die Wiedervereinigung Deutschlands,
die gleichgeschlechtliche Ehe – es wurde enorm viel an-
gepackt und umgesetzt. Dennoch denke ich, dass sich die
jüngeren Generationen wie Gen Z und Gen Alpha stärker
reinhängen müssen. Die Herausforderungen werden mehr,
gravierender und kommen von allen Seiten. Auch deswegen
kann ich mir ein Wahlalter ab 16 sehr gut vorstellen.«*

Ehrlich gesagt: Als junge Erwachsene habe ich mich nicht wirklich für Politik interessiert, weil ich dachte, es sei etwas für »alte«,
»privilegierte« Menschen. Somit habe ich auch der Frage
»Wahlrecht schon ab 16?« keine große Bedeutung beigemes-
sen. Motto: Was machen diese zwei Jahre früher schon aus?

*»Das Vertrauen in und das Interesse für die Politik neh-
men ab. Und das zu einem Zeitpunkt, an dem wir mit
unterschiedlichen Krisen konfrontiert sind, die kluge
Korrekturen brauchen. Wir müssen Menschen wieder
mehr begeistern, sich politisch zu engagieren, vor allem
Menschen, die auf verschiedene Hintergründe und
Erfahrungen zurückgreifen können. Aufgrund ihres Alters, ihrer Herkunft, ihrer Sexualität, ihres geringen
Einkommens, ihrer Marginalisierung. Auch wenn viele
junge Menschen in Deutschland es nicht anders
kennen: Unsere Demokratie ist keine Selbstverständlichkeit. Sie lebendig zu halten und sie mit neuen Ideen
zu bereichern, ist keine Sache, die wir irgendwem*

AUF DIE NUANCEN

überlassen können. Es braucht Menschen, die mit möglichst unterschiedlichen Erfahrungen, Motivationen und Vorstellungen zusammenkommen, um gemeinsam gute Lösungen zu finden.«

Aminata Touré, Politikerin und Buchautorin

Inzwischen sehe ich das differenzierter. Gerade was den Klimawandel angeht, sind wir an einem Punkt angekommen, an dem jedes Jahr, jeder Monat, jeder Tag zählt.

Menschen aus der Generation der Babyboomer werden von den Folgen der Klimakrise weniger betroffen sein. Die Maßnahmen, die Politiker*innen jetzt ergreifen, sind für sie vor allem unbequem, kompliziert, zeitaufwendig, teuer und mitunter auch fragwürdig: Ist das wirklich das richtige Instrument?

Menschen aus den Generationen Gen Z und Gen Alpha hingegen werden unser heutiges Zögern und Zaudern und Aufschieben ausbaden müssen. Insofern sollten wir ihren Stimmen auch mehr Gewicht einräumen.

»Es ist an der Zeit, dass wir die wahnsinnigen Wissensschätze der jungen Menschen wahrnehmen. Denn sie werden uns helfen, all die Baustellen, die gesamtgesellschaftlich vor uns liegen, aufzuräumen. Und ehrlich gesagt: Wir Älteren verbocken es gerade.«

Philipp Schild, Programmgeschäftsführer bei funk, dem Content Netzwerk von ARD und ZDF

»Kinder und Jugendliche kritisieren das Desinteresse der Politik an ihren Meinungen und Einstellungen. Dabei machen sie sich viele Gedanken, wie eine bessere Welt

aussehen sollte und wie sie dazu beitragen könnten.
Diese Potenziale gilt es zu nutzen, es braucht attrak-
tive Rahmenbedingungen für ihr Engagement.«

Jörg Habich, Geschäftsführer bei Liz Mohn Center

Das ist kein Plädoyer: »Wahlrecht ab 16, sofort«. Denn bevor wir diese Maßnahme ergreifen, sollten wir aus meiner Sicht auch hierfür <u>erst einmal das Basislager durchlaufen:</u>

Bekenntnis und Analyse: <u>Wir wollen jungen Menschen mehr Gehör schenken und ihre Teilhabe an politischen Entscheidungen erhöhen!</u> Was brauchen sie dafür, wo liegen die Hürden und Stolpersteine, was muss sich an Schulen und im Politikbetrieb ändern? Damit aus jungen Wähler*innen auch junge Politiker*innen werden. Der Bundestag wird langsam jünger. Dennoch ist die Altersgruppe der 40- bis 59-Jährigen am stärksten. Von den 735 Abgeordneten sind 50 Menschen unter 30 und zehn Menschen 70 plus.

Vorurteile aktiv angehen: Was denken die Älteren über die Jüngeren und die Jüngeren über die Älteren? Welche Stereotypen tauchen bei diesem Thema auf? Besitzstandswahrer versus Luftikus. Klimaschänder versus Utopist ... was davon löst sich in Luft auf, sobald wir miteinander ins Gespräch kommen?

»In politischen Debatten kommen junge Menschen
oft allein deshalb zu kurz, weil sie eine vergleichs-
*weise kleine Gruppe sind. Politiker*innen sollten*
trotzdem an einer guten Zukunft für junge und
zukünftige Generationen arbeiten, statt nur
die nächste Wahl im Blick zu haben. Damit die
Lebenswelten junger Menschen in politischen De-
batten vorkommen, braucht es bessere Parti-
zipationsmöglichkeiten – zum Beispiel durch die

AUF DIE NUANCEN

Herabsetzung des Wahlalters, eine Art Jugendquote in Parteien oder ein Rotationsprinzip für politische Ämter.«

Madeleine Hofmann, freiberufliche Journalistin und Autorin

Danach Zugänge schaffen, Willkommen heißen, Unterstützung anbieten, fördern und fordern, lehren und vor allem voneinander lernen. Wer kann was in die Waagschale werfen, um zu einer neuen Balance zu kommen und Kipppunkte zu vermeiden? Ansonsten haben wir eine Situation, wie bei der anstehenden Europawahl 2024. Menschen ab 16 dürfen am 9. Juni ihr Kreuz setzen – schön und gut – doch die Debatten darüber tosen in unveränderter Härte weiter.

»Während in den vergangenen Jahren der Ruf nach der Digitalkompetenz der Generation Z laut war, stellt man besonders in Krisenzeiten fest, dass auch Erfahrung ihren Wert hat.«

Anabel Ternès von Hattburg, Zukunftsforscherin, serielle Gründerin & Investorin, Autorin, Podcasterin, Keynote Speakerin, Professorin und Geschäftsführerin des Berliner Instituts für Nachhaltigkeitsmanagement

Während ich diese Zeilen schreibe, steht ein Teil unseres Landes unter Wasser. Ich sehe Bilder und lese Berichte, wie Jung und Alt mit vereinten Kräften versuchen, ihre Existenzen zu retten. Zusammen bilden sie Menschenketten, um Sandsäcke von Hand zu Hand weiterzureichen. Jede·r spürt, dass es nicht egal ist, ob er oder sie sich einbringt oder nicht. Es kommt auf jede·n an. Solidarität zählt und ist der Kitt einer jeden funktionierenden Gesellschaft. Ich denke an dich und du denkst an mich. Es wäre schön, das nicht erst im Katastrophenfall zu erkennen. Ich kann es nicht oft genug wiederholen:

Generationsübergreifende Zusammenarbeit und Kommunikation sind der Schlüssel für eine Zukunft der Gleichstellung, des Fortschritts und der Nachhaltigkeit.

Kehren wir zum Abschluss zum Thema »Inspiration« zurück. Vor nicht allzu langer Zeit war ich zu Besuch bei einer guten Freundin. Die Zeit verging wie im Flug. Wir hockten auf dem Sofa, tauschten uns aus, lachten, diskutierten, bis ich irgendwann den Drang verspürte, sie nach ihrem Alter zu fragen. Wenn ich jemanden neu kennenlerne, würde ich diese Frage niemals stellen, weil es ohne Belang für mich ist. Genauso wie die Fragen »Was machst du beruflich?« oder »Woher kommst du?«. Bei ihr war es jedoch anders. Ich kenne Nathalie schon seit vielen Jahren und ehrlich gesagt wollte ich in diesem Moment wissen, ob ich mit meiner Einschätzung richtig liege.

Ich also neugierig, gespannt: »Wie alt bist du eigentlich?«

Nathalie verwundert: »So etwas fragt man doch nicht, Irène! Man fragt nicht, wie alt ein Mensch ist. Sondern nur, wie jung er ist?«

Vielen Dank für den wertvollen Hinweis. *Lesson learned.* Manchmal ist es nur ein kleines Wort, das einen Impuls zum Weiterdenken setzt. Manchmal eine Aussage, wie die von Kira Marie Cremer, die mich während des gesamten Schreibprozesses begleitet hat.

Die New Work-Expertin verknüpft Alter mit Farben. Jung ist für sie rosa, alt ist für sie blau. Nichts ist negativ oder positiv, nichts besser oder schlechter. Einfach nur verschiedene Farben- und Farbnuancen, Qualitäten und Eigenschaften. Für mich ergibt sich damit ein wunderbar rundes Bild.

AUF DIE NUANCEN

WERTE-RANKING FÜR EINE GEMEINSAME WERTEPLATTFORM

Ich bin Werte-Botschafterin bei GermanDream, einer Organisation, die gerade an Brennpunktschulen politische Bildung betreibt. Gemeinsam tauschen wir uns mit Schüler*innen über Werte aus. Welche gibt es, welche sind dir besonders wichtig und warum? Es ist immer wieder spannend zu sehen, welche persönlichen Geschichten die Jugendlichen mit ihren Werten verbinden und wie reflektiert sie sind. Im Austausch kommen sie sich näher, sprechen über Ängste – vor allem Zukunfts- und Versagensängste –, Konflikte, Hoffnungen und Wünsche, entwickeln Verständnis füreinander und tauchen darüber hinaus in eine Debatte ein, welche Werte für unser Zusammenleben und unsere Gesellschaft elementar sind.

Nicht immer sind sie sich einig, es gibt Reibung und manche Erzählungen sorgen für Zündstoff.

Ich erinnere mich an eine Geschichte, die ein Jugendlicher erzählte: Aufgrund seines Gewichts wird er nicht nur von Jüngeren und Gleichaltrigen gehänselt und kritisiert, sondern auch von Erwachsenen, die ihn in der U-Bahn oder im Supermarkt ansprechen und empfehlen, weniger zu essen. Daraufhin ein Mitschüler. »Recht haben sie, man muss es nur wollen! Ich war auch mal dick und habe es geschafft, abzuspecken.«

In dieser Geschichte steckt so viel drin. Ältere Menschen nehmen sich das Recht heraus, jüngere Menschen zu maßregeln und zu beurteilen. Gleichaltrige Menschen gestehen Erwachsenen dieses Recht zu, setzen eins drauf und verkennen, dass es nicht für alle gleichermaßen einfach ist, Strukturen, Mechanismen und Zusammenhänge zu erkennen. Bei dem Wort rundmachen, ein Synonym für zurechtweisen, muss ich immer daran denken, dass gerade Druck, Stress und überzogene Erwartungshaltungen Menschen rund werden lassen –,

Gewohnheiten zu durchbrechen, Verantwortung für sich selbst zu übernehmen und Selbstwirksamkeit zu erlangen.

Dem einen fällt es leicht, der andere braucht Unterstützung. Auch hier wieder *Allyship*. Steht euch bei – und bietet gerade, wenn ihr euch in einer Position der Stärke und Privilegien befindet, Hilfe an. Betrachtet man die Werte-Rankings der Schüler*innen, stellt man fest, dass Familie ganz weit oben rangiert. Aber auch Religion – gerade bei Kindern und Jugendlichen aus einkommensschwachen Elternhäusern.

Für mich ist immer wichtig, den Schüler*innen mitzugeben, dass sich Werte im Laufe des Lebens ändern können – und ein Wert nur wertvoll ist, wenn er nicht von dem eigenen Umfeld abhängig ist. Wie beispielsweise Anerkennung. Das Schöne: Auch ich werde mir jedes Mal meiner eigenen Werte gewahr. Welcher trägt mich durchs Leben, tritt in den Hintergrund, schimmert gerade erst auf? Meine Top-Werte im Moment: Zuverlässigkeit. Glücklichsein. Gerechtigkeit. Spiritualität. Freiheit, auch ökonomische Freiheit – wenn auch nicht mehr ganz so stark wie früher. Solidarität. Zusammenhalt. Jetzt seid ihr gefragt. Hier mein Vorschlag für ein Generationen-Training zum Thema »Werte«.

Start:

Bildet eine möglichst altersgemischte Gruppe und besorgt euch im Vorfeld folgende Materialien:

> Whiteboard oder Flipchart für eine Werte-Wand

> Post-its oder Karten für die Werte-Visualisierung

> Genügend Stifte

> Raum für Gruppenarbeiten

Es ist wichtig, dass sich die Teilnehmenden wohlfühlen können.

Ablauf:

1. **Icebreaker**, kurzes Aufwärmspiel, um die Stimmung zu lockern. Wenn ihr den Begriff »Icebreaker« in eure Suchmaschinen eingebt, findet ihr viele Vorschläge. Ziel ist es, eine Atmosphäre der Sicherheit entstehen zu lassen. Alle sollen sich eingeladen fühlen, ihre Meinungen frei zu äußern. Offen, konstruktiv, ohne Werturteile.

2. **Präsentation** der typischen Werte verschiedener Generationen. In welchem historischen Kontext sind sie zu sehen und zu verstehen?

3. **Diskussion** über die genannten Werte: Was fühlt sich stimmig an, was irritiert, wer kann eine Geschichte erzählen? Reflexion über Unterschiede und Gemeinsamkeiten.

4. **Gruppenarbeit**, bei der die Teilnehmenden ihre persönlichen Werte an der Werte-Wand visualisieren und miteinander vergleichen. Welche Werte kommen am häufigsten vor, wie unterschiedlich sind die Werte zwischen den Generationen tatsächlich? Lässt sich ein Werte-Ranking erstellen? Was sind die Top 3?

5. **Speed-Dating** zwischen jeweils zwei Vertreter*innen verschiedener Generationen, um unterschiedliche Perspektiven vertieft kennenzulernen. Welche Werte spielen für wen warum eine Rolle? Welche Geschichten und Erfahrungen stecken dahinter?

6. **Austausch** in der Gruppe, um herauszuarbeiten, wie die Kernwerte die gemeinsame Zusammenarbeit beeinflussen, welche werden berücksichtigt, gegen welche wird verstoßen?

7. **Brainstorming**, um Ideen zu sammeln, wie sich die Zusammenarbeit für jede*n wertekonformer gestalten lässt.

8. **Aktionsplan** für konkrete Schritte ausarbeiten.

9. **Reflexion** über die Erfahrungen und Erkenntnisse während des Trainings in einer kurzen Feedbackrunde.

10. **Abschluss**, bei dem alle Teilnehmenden eine persönliche Verpflichtung formulieren, wie sie ganz persönlich besser auf die Integrität der Werte ihrer Mitmenschen achten wollen.

Ziele des Trainings:

> **Einblick** in die Wertesysteme verschiedener Generationen.

> **Kommunikation und Austausch** zwischen den Generationen fördern, um Verständnis und Respekt für unterschiedliche Werte zu schaffen.

> **Verständnis** über die Bedeutung von Werten für das persönliche und berufliche Leben: Wie können sie gegebenenfalls besser in Entscheidungsfindungen und Handlungen integriert werden?

> **Gestaltung** einer Werteplattform, da im Austausch der Generationen gemeinsame Kernwerte erkannt werden.

Vorschläge für Werte, die beliebig erweitert werden können:

Persönliche Werte:

☐ **Authentizität:** Ehrlich und sich selbst treu bleiben.

☐ **Integrität:** Moralischer und ethischer Kompass, der einem hilft, die richtigen Entscheidungen zu treffen.

☐ **Selbstständigkeit:** Die Kompetenz, unabhängig zu denken und zu handeln.

☐ Respekt: Achtung und Wertschätzung für andere Menschen, ihre Meinungen und Grenzen.

☐ **Verantwortung:** Übernahme von Verpflichtungen und die Bereitschaft, für die eigenen Handlungen einzustehen.

Soziale Werte:

☐ **Empathie:** Fähigkeit, sich in andere Menschen hineinzuversetzen und ihre Gefühle zu verstehen.

☐ **Gerechtigkeit:** Fairness und Gleichbehandlung für alle.

☐ **Solidarität:** Unterstützung und Zusammenhalt in der Gemeinschaft.

☐ **Toleranz/Akzeptanz:** Respektieren und Akzeptieren von Unterschieden in Kultur, Religion, Lebensstil ...

☐ **Hilfsbereitschaft:** Bereitschaft, anderen in schwierigen Situationen zu helfen.

Berufliche Werte:

☐ **Leistung:** Fähigkeit, Ergebnisse zu erzielen und Ziele zu erreichen.

☐ **Teamarbeit/Kooperation:** Zusammenarbeit und Unterstützung im Team.

☐ **Innovation/Kreativität:** Neue Ideen entwickeln und neue Wege finden, um Herausforderungen zu lösen.

☐ **Führung:** Fähigkeit, andere zu inspirieren und zu leiten.

☐ **Engagement:** Hingabe und Einsatz für die Arbeit und das Unternehmen.

Spirituelle/Weltanschauliche Werte:

☐ **Frieden:** Streben nach Harmonie und Ruhe.

☐ **Dankbarkeit:** Fähigkeit, Dankbarkeit für das Leben und die Menschen um sich herum zu empfinden.

☐ **Spiritualität:** Persönlicher Glaube oder Verbindung zu etwas Größerem.

- [ ] **Nachhaltigkeit:** Verantwortungsvoller Umgang mit Ressourcen und Umwelt.
- [ ] **Weisheit:** Streben nach Wissen und Einsicht.

Familiäre Werte:

- [ ] Liebe und Zuneigung: Gefühl der bedingungslosen Liebe und Zuneigung füreinander.
- [ ] Respekt innerhalb der Familie: Anerkennung der Individualität, Meinungen und Grenzen jedes Familienmitglieds.
- [ ] Gemeinschaft und Zusammenhalt: Unterstützung und Zusammenarbeit innerhalb der Familie, besonders in schwierigen Zeiten.
- [ ] Kommunikation: Offener Austausch von Gedanken und Gefühlen, um Verständnis und Verbundenheit zu fördern.
- [ ] Traditionen und Rituale: Wahrung und Pflege von Familientraditionen, die als identitätsstiftend betrachtet werden.

Beachte: Diese Werte können je nach Kultur, persönlichen Erfahrungen und Überzeugungen variieren. Es ist wichtig, sie als Ausgangspunkt zu betrachten und Raum für individuelle Interpretationen und Ergänzungen zu lassen.

CALL2ACTION

> Welche Menschen haben dich in letzter
> Zeit beeindruckt, was konntest du von ihnen
> lernen?

Drei Namen, drei Begründungen.
Kurz und prägnant.

OUTRO

Am Ende meiner vielen Interviews habe ich meinen Gesprächspartner*innen die Frage gestellt: Gibt es noch etwas, das du sagen möchtest, oder hast du mit Blick auf die Zukunft einen
Wunsch? Jetzt stelle ich sie mir selbst. Und tatsächlich gibt es
vier Dinge, die ich euch mitgeben möchte:

Zoom-out 1:
Ich habe in meinem Buch vor allem auf das Alter geblickt und
das Thema »Intersektionalität« nur kurz in Kapitel 2 angesprochen. Also, wie sieht es mit den Wechselwirkungen aus, wie
sehr beeinflussen sich die unterschiedlichen Diversitätsdimen-
sionen: Alter und Gender, Alter und Religion, Alter und sexuelle
Identität, Alter und soziale Herkunft, Alter und Nationalität, Alter sowie psychische und physische Behinderung, Alter und
schulischer Hintergrund, Alter und familiäre Situation, Alter und
Einkommen sowie Vermögen ... das Thema ist wesentlich kom-
plexer, als wir meinen, und es besteht, wie man so schön sagt,

weiterer Forschungsbedarf. Eine alleinige Beschäftigung mit Alter reicht genauso wie die eindimensionale Analyse von Rassismus nicht aus, da gerade durch die Verstrickungen besonders schwierige, ja prekäre Lebenssituationen entstehen können. Wenn wir wirklich integrativere und gerechtere Strategien und Praktiken entwickeln wollen, müssen wir das diffizile, teils widersprüchliche Zusammenspiel verstehen.

Zoom-out 2:
Generation Alpha (2010 bis 2024) ist bereits am Start und tritt in wenigen Jahren ins Berufsleben ein. Wie toll wäre es, wenn es die erste Generation ist, über die wir dann nicht sagen und hören, schreiben und lesen, sie sei faul, arbeitsscheu, undankbar und verwöhnt. Sondern die Alphas willkommen heißen und alle von ihnen so individuell nehmen, wie sie individuell sind.

Mein Wunsch ist es, dass nachfolgende Generationen die Möglichkeit haben, in vollem Umfang frei darüber zu entscheiden, wie sie ihr Leben gestalten, Beziehungen führen und arbeiten. Ich träume davon, dass wir in der Lage sind, ein Leben in größtmöglicher Selbstbestimmung zu führen.

Zoom-out 3:
Es gibt mehrere Modelle, die den Wandel einer Gesellschaft in Stufen unterteilen. Von Nichtpartizipation bis Autonomie. Von Fremdbestimmung bis Selbstverwaltung. Von Diversitätskompetenz bis Identifikation. Von Output über Outcome bis Impact. Vieles ist euch sicherlich bekannt, deswegen nur kurz: In puncto »Altersdiversität« haben wir das erste Plateau erreicht. Das Thema ist gesetzt, die Aufmerksamkeit da, auch aufgrund bekannter Stimmgeber*innen. Fragt man ChatGPT, welche Persönlichkeiten Position beziehen, wirft der KI-Chatbot – je nachdem, wie man sein Anliegen formuliert – einige Namen aus: Andrea Sawatzki, Heidi Klum, Iris Berben, Helen Mirren, George Clooney, Meryl Streep, Jane Fonda, Eckart von Hirschhausen etc.

Also lasst uns die zweite Stufe zünden und vom Reden ins Handeln kommen. To-dos festlegen, sprinten, reviewen ... weiter, immer weiter. Die Zukunft ist Jung UND Alt zugleich – wir wissen doch, was es dazu braucht und wie's geht.

Das Thema des Buches ist voller Dynamik. Kein Wunder, denn Alter ist die einzige Diversitätsdimension, die wir alle gemeinsam haben. Es betrifft uns alle. Jede Person beschäftigt sich auf ihre Art und Weise mit dem Thema Altersdiversität und Generationenvielfalt. Schau dich in deinem Umfeld um. Tausche dich aus. Diskutiere. Debattiere. Immer mehr Menschen äußern sich auch öffentlich zu dem Thema, es wächst eine riesige Community heran. Wir brauchen mehr Dialog und Debattenkultur. Daher habe ich mir zum Abschluss etwas Besonderes für dich überlegt: Zum Einstieg soll dich das Ratespiel »JOINT GENERATIONS-Factor« einstimmen. Enjoy and have fun!

Bereit? Lass uns loslegen!

CALL2ACTION

> Was nimmst du aus diesem Buch mit?
  Was ist dein nächster Step in eine Zukunft,
  in der das Motto heißt: »Stages not ages!«?

Ein Schritt, ein Tritt.
Kurz, aber prägnant.

JOINT GENERATIONS-Factor

Community Engagement: Zum Warmwerden findest du unten folgenden Seite die Namen von 33 Menschen. Über den QR-Code kommst du auf meine Webseite mit Aussagen. Folge dem QR-Code und ordne die Statements, die du dort zum Thema Alter und Generationen findest, den Personen auf unserer Liste zu. Was denkst du, wer steckt hinter welchem Statement? Na, wie viele kannst du erraten – hast du den JOINT GENERATIONS-Factor?

Nana Addison, Gründerin & CEO Styleindie GmbH

Swantje Allmers, Gründerin und Geschäftsführerin New Work Masterskills

Amesteris Amin, Lead Diversity, Equity & Inclusion Germany bei Munich Re

Max Appenroth, Gründer & Geschäftsführer der Diversity Factory GmbH

Anastasia Barner, Gründerin von FeMentor, Autorin, TEDx Speakerin & Gen Z Expertin

Johanna Bath, Professorin für Finanzwirtschaft und Strategie an der ESB Business School

Brigitte Bührlen, Gründerin der WIR! Stiftung

Benjamin Buthmann, Co-Founder & CEO whyzzer

Victoria Effer, Women@LinkedIn Lead

Amir Gdamsi, Gründer von bikeads und Deutschlands jüngster Gründer 2020, Forbes 30under30

Markus Härlin, Head of Inhouse Consulting Sales & Negotiation bei Hays

Franziska von Hardenberg, Founder & CEO The SISS BLISS, BLISS BANG CAPITAL & HAVE IT ALL

Viola Heller, Gründerin Heller Horizon, Expertin bei we are sparks*

Julia Kahle, CEO bei Heynanny – dem Care-Benefit

Daniela Kallweit, Head of Group HR Development, Leadership & HR Strategy bei der Zeppelin Group

Niko Kappe, Lehrer, Journalist und TikTok-Influencer

Max Klemmer, Geschäftsführender Gesellschafter Miss Germany

Leonie Koch, Content Managerin & Lead Netzwerk #experienced, Otto Group

Ali Mahlodji, Gründer von whatchado, CEO & Gründer von futureOne, EU-Jugendbotschafter und Keynote Speaker

Kai Malkwitz, Vorstand Initiative Regenerative Marktwirtschaft e.V. & Impact Director Founder Institute Berlin

Auma Obama, Germanistin, Soziologin, Journalistin und Autorin

Björn Radde, Vice President Digital Marketing & Innovation bei der T-Systems International GmbH

Katrin Redmann, Chief Operating Officer bei SAP France

Dina Reit, CEO at SK LASER

Jürgen Schmitt, Corporate Content Creator & Corporate Influencer, Deutsche Bank

Birte Seiffert, stellvertretende Chefredakteurin SpringerMedizin.de, Springer Nature Group

Werner Theiner, stellvertretender Vorstandsvorsitzender von German Mittelstand

Robert Tomoski, Gründer und Geschäftsführer von impulse.ai

Chris Velbinger, CEO & Founder von The Royal Jungle

Gazelle Vollhase, Content Creatorin und Speakerin

Anna Weber, Co-CEO BabyOne Franchise, Beirätin Melitta Group

Gülsah Wilke, Investorin und Co-Founder 2hearts

Vincent Zimmer, Founder Venture Studio Hypt Health, Responsible Leader BMW Foundation Herbert Quandt

Generationen im Überblick

Babyboomer, Generation X, Generation Y, Generation Z ... Trendforscher*innen und Ratgeberautor*innen rufen in immer schnellerer Taktung neue Generationen aus. Dabei wird das Generationenkonzept seit jeher infrage gestellt – vor allem die kollektiven Charaktere, die jeder Kohorte zugeschrieben werden. Brauchen wir diese Kategorien überhaupt? Ticken die Angehörigen der Generation Z so, wie sie ticken, weil sie Gen Z sind oder weil sie jetzt gerade jünger sind – und in spätestens 46 Jahren genauso ticken wie die heutigen Boomer?

Auch in meiner Community gibt es dazu immer einen regen Austausch, stellvertretend vier Zuschriften:

»Mir gefällt es nicht, dass wir von einer Generation X, Y und Z sprechen, weil wir dadurch jeder Generation einen Stempel aufdrücken. Dabei ist die Heterogenität innerhalb der Kohorten exorbitant.«

»Wir Menschen lieben Schubladen. Und deshalb lieben wir es, Menschen in Generationen einzuteilen. Es hilft uns, die Komplexität der Menschheit zu begreifen. Dennoch: Auch in der Generation X gab es schon Menschen, die nach Sinn im Leben und Sinn im Job gesucht haben. Eine Eigenschaft, die in besonderem Maße der Generation Y (Why?!) nachgesagt wird. Und in der Generation Y gibt es ebenfalls Menschen, die sich weit über die normale Arbeitszeit hinaus für ihren Beruf einsetzen. Eine Eigenschaft, die eigentlich vor allem der Generation ›Workaholic‹, den Babyboomern, unterstellt wird. Unterschiede zwischen den Menschen haben aus meiner Sicht oftmals mehr mit der Lebensphase als mit der Geburtskohorte zu tun. Die meisten Dinge sehen wir Menschen generationsübergreifend sehr ähnlich.«

»Ich finde das Thema so spannend wie rätselhaft. Eventuell würde ich diese Kategorisierung von Menschen nach dem Geburtsjahr gar nicht kennen, wenn ich dir nicht folgen würde. Dennoch bin ich weit davon entfernt, darüber nachzudenken, ob ein Mensch, den ich gerade kennenlerne, Boomer, X, Y oder Z ist. Ich nehme bewusst wahr, ob jemand in etwa in meinem Alter, spürbar älter oder jünger ist als ich. Das reicht mir. Denn in jeder Altersklasse gibt es ganz viele großartige Menschen – und ebenso ein paar ›Besondere‹.«

»Kategorien sind wie Schubladen. Einmal Schublade, immer Schublade.«

Öl in die Debatte hat 2019 der Marburger Soziologe Martin Schröder gegossen. Nachdem er die Einstellungen aller Nachkriegsgenerationen während ähnlicher Lebensphasen miteinander verglichen hat, lautete sein Urteil: Alles Quatsch, das Generationen-Etikett ist lediglich eine »Konstruktion gesellschaftlicher Mythen«. Weder war beziehungsweise ist eine Generation besonders faul noch besonders arbeitswütig. Unterwürfig oder rebellisch. Angepasst oder unangepasst.

Auch ich plädiere dafür, auf Pauschalisierung und Verallgemeinerung zu verzichten. Mitunter empfehle ich Organisationen sogar, Begriffe wie »Babyboomer« oder »Gen Z« ganz aus dem Vokabular zu streichen, genauso wie »Kids« pauschal für Jüngere oder »Oldies« pauschal für ältere Mitarbeitende.

Nichtsdestotrotz verwende ich die Begriffe in meinen Vorträgen, Beiträgen und auch in diesem Buch. Das mag irritieren. Doch für mich sind die Generationenbegriffe nichts weiter als eine Orientierungshilfe: Über wen sprechen wir und in welcher Zeit sind diese Menschen groß geworden – <u>für ein gutes Miteinander braucht es aus meiner Sicht ein Grundverständnis über die jeweilige Erfahrungswelt und das vorherrschende Wertegefüge.</u> Zudem haben sich die Begriffe eingebürgert und erleichtern dadurch die Diskussion, Menschen kommen schnell ins Gespräch, tauschen sich aus – auch über ihre Stereotypen und Vorurteile – <u>und erkennen selbst die Grenzen und Schwachpunkte dieses Modells.</u>

> *»Ich finde diese Abneigung gegenüber Kategorien ganz schlimm. Ja sogar beängstigend. Um die Welt zu verstehen, brauchen wir das Individuelle und das Allgemeine, das Konkrete und das Abstrakte. Sonst können wir keine Aussagen und keine Entscheidungen treffen. Zumal doch jedem klar ist, dass Kategorien nur den Durchschnitt wiedergeben und Ausnahmen die Regel bestätigen. Nur weil ein Mensch nicht in eine Kategorie passt, ist die Kategorie nicht tot.«*

Daniel Dippold, Gründer und Geschäftsführer von EWOR

Im Folgenden findet ihr deswegen einen Überblick über die vier Generationen, die gerade in der Arbeitswelt aufeinandertreffen. Was wird ihnen landläufig nachgesagt und welche Erfahrungen haben sie aufgrund gesellschaftlicher und politischer Entwicklungen und Umbrüche <u>in ihren prägenden jungen Erwachsenenjahren</u> gesammelt? Ehrlich gesagt, ich hatte vieles nicht mehr auf dem Schirm.

»Eines der größten Missverständnisse in Bezug auf Gleichberechtigung besteht darin, sie durch Neutralität zu ersetzen. In einer der vielen Diskussionen, die nach meinen Vorträgen, Präsentationen oder Workshops geführt werden, äußerte jemand die Meinung, dass Menschen andere Personen unabhängig von Geschlecht, Herkunft, Alter etc. neutral wahrnehmen können. Damit wollte sie zum Ausdruck bringen, dass wir auf diese Weise Gleichberechtigung für alle erreichen würden. Das (realistische) Ziel von Gleichberechtigung ist jedoch nicht die Neutralität, denn Menschen sind grundsätzlich voreingenommen. Wenn es um die Interpretation der von jemandem wahrgenommenen Merkmale geht, können wir uns als intellektuelle Wesen verbessern, indem wir uns über lang erlernte Urteile und Vorurteile informieren und sie dann abbauen – und dabei immer noch anerkennen und hoffentlich auch schätzen, wie sich jemand identifiziert.«*

Alina Gales, Leitung Stabsstelle Diversity & Equal Opportunities an der Technischen Universität München

Vielleicht nehmt ihr die Übersicht als Grundlage für eine Extra-übung: Kommt miteinander ins Gespräch und stellt Fragen: Wo warst du, als in Berlin die Mauer fiel oder in Japan die Erde bebte? <u>Was hat dich geprägt, was hat dir zu denken gegeben, was hat deinen Blick auf die Welt nachhaltig verändert?</u>

Baby-boomer (von 1946 bis 1964) Die älteste Generation, die derzeit auf dem Arbeitsmarkt tätig ist. Diese Generation wächst in der Zeit des Kalten Krieges und in der Periode des Wirtschaftswunders auf, ein neues Wohlstandsgefühl macht sich breit, TV und Radio gehören zum Alltag, erstmals ist Bildung für alle sozialen Schichten zugänglich. Der Arbeit misst die Generation einen hohen Stellenwert bei, sie gilt als karriereorientiert und willensstark. Auch Frauen möchten verstärkt am Berufsleben teilhaben. Durch Einführung der Pille 1961 sinkt die Geburtenzahl gegenüber der vorherigen Generation von 2,2 auf 1,4 Kinder pro Frau. Bedeutet: Die Babyboomer haben weniger Kinder als ihre Eltern und Großeltern. Mitte der 1960er-Jahre, die Jüngsten der Kohorte sind da um die 20, ziehen in den Großstädten Student*innen durch die Straßen, um gegen starre Strukturen und Ausbeutung sowie für die Aufarbeitung des Nationalsozialismus zu kämpfen. Ihre Kampfparole: Unter den Talaren Muff von tausend Jahren. Heute werden Babyboomer oftmals mit der Frage konfrontiert, was aus ihrem jugendlichen Kämpfergeist geworden ist.

Erlebnisse während ihrer jungen Erwachsenenjahre: Nachwirkungen der Ölkrise, Ende des Vietnamkrieges, Gründung des Nahost-Ölkartells (OPEC) und von Microsoft Corporation, sowjetische Invasion in Afghanistan, Beginn der Ära Margaret Thatcher, Einführung des ersten IBM Personal Computers ...

Gen X (von 1965 bis 1980) Auch Generation Golf und Slacker (Faulenzer*in) genannt. Kindheit und Jugend dieser Generation waren von technologischen Fortschritten, aber auch wirtschaftlichen Krisen sowie steigenden Arbeitslosenzahlen und Scheidungsraten geprägt. Landläufig gilt die Generation als konsumorientiert, technikaffin, ehrgeizig und individualistisch. Sie wünscht sich ein materiell abgesichertes Leben, hat Angst vor Abstieg und Jobverlust, trennt aber dennoch tendenziell stärker zwischen Beruf und Privatleben als die nachfolgende Generation.

Erlebnisse während ihrer jungen Erwachsenenjahre: Ende des Kalten Kriegs, Fall der Berliner Mauer, Grundsteinlegung der Europäischen Union, Freilassung des Anti-Apartheid-Kämpfers Nelson Mandela, Krieg auf dem Balkan, Reaktorkatastrophe von Tschernobyl und Proteste gegen die Wiederaufbereitungsanlage Wackersdorf, Gründung von Google ...

Gen Y (von 1981 bis 1995)

Auch Millennials genannt, wachsen in einer Welt der Digitalisierung auf, erleben völlig neue Technologien der Kommunikation und des Austauschs. Offenheit ist ein wichtiger Wert, ihre Bemühungen um Open Data, Open Science, Open Education, Open Innovation, Open Government brechen mit der Logik des Herrschaftswissen. Geteiltes Wissen gleich besseres Wissen. Landläufig gilt die Generation Y als leistungsbereit und freizeitorientiert, die Vertreter*innen dieser Kohorte wollen sich selbst verwirklichen – beruflich wie privat – und stellen die Frage nach dem Sinn. Deswegen auch der Name Generation Why.

Erlebnisse während ihrer jungen Erwachsenenjahre: Niedergang der New Economy, Terroranschlag am 11. September 2001 in New York, globale Finanzkrise, Wahl von Barack Obama zum ersten schwarzen Präsidenten der Vereinigten Staaten von Amerika sowie die Fukushima-Katastrophe – Startpunkt Deutschlands für den Atomausstieg ...

Gen Z (von 1996 bis 2010)

Auch Zoomer oder Digital Natives genannt. Wachsen mit Smartphones, Computern und dem Internet auf. Ihr Alltag ist von digitaler Mediennutzung geprägt, die Trennung zwischen realer und virtueller Welt löst sich zunehmend auf. Antworten auf Fragen liegen nur einen Mausklick entfernt. Erzogen wird sie vornehmlich von der Generation Y, sie wird von klein auf in viele Entscheidungen miteinbezogen, hat Mitspracherecht. Den Vertreter*innen dieser Generation sagt man nach, dass sie einen optimalen Mix aus Arbeit und Privatleben wollen. Was nicht bedeutet, dass sie nicht leistungswillig sind. Aufgabe, Ansprache und Umfeld müssen passen. Wichtiger als Geld sind gutes Arbeitsklima, Sinnhaftigkeit, Perspektive und Sicherheit.

Erlebnisse während ihrer jungen Erwachsenenjahre: erste Flüchtlingskrise 2015, Brexit, Wahl von Donald Trump, COVID-19-Pandemie, Black Lives Matter-Proteste, Wahl von Joe Biden und Ende der Ära Merkel, Ukraine-Krieg, zweite Flüchtlingskrise seit 2022, ChatGPT, Inflation und Energiekrise, deutschlandweite Proteste der letzten Generation, Krieg in Nahost, das wärmste Jahr seit Aufzeichnungsbeginn ...

Glossar

BEGRIFFE KURZ ERKLÄRT

Abgespacter

»Abgespacter« ist ein informeller Ausdruck im deutschen Sprachgebrauch. Er wird verwendet, um etwas zu beschreiben, das besonders ungewöhnlich, eigenartig, ausgefallen oder auch exzentrisch ist. Oft bezieht er sich auf eine Sache oder eine Idee, die sehr speziell, andersartig oder sogar übertrieben ist. Der Ausdruck kann auch verwendet werden, um eine abgewandelte, modifizierte oder extravagante Version von etwas zu beschreiben. Es ist eine umgangssprachliche Art, etwas als außergewöhnlich oder eigenwillig zu kennzeichnen.

Age Diversity

»Age Diversity« bezieht sich auf die Vielfalt des Alters innerhalb einer Gruppe, Organisation oder Gesellschaft. Sie beinhaltet die unterschiedlichen Altersgruppen, wie zum Beispiel Millennials, Generation X, Babyboomer und die ältere Bevölkerung. Das Ziel von Altersvielfalt ist es, die verschiedenen Perspektiven, Erfahrungen und Fähigkeiten der verschiedenen Altersgruppen zu nutzen, um eine inklusive Umgebung zu schaffen und von der Vielfalt an Wissen und Ansichten zu profitieren.

Agile Arbeitsformen

»Agile Arbeitsformen« sind eine Herangehensweise an Arbeitsprozesse, die Flexibilität, Anpassungsfähigkeit und iterative Arbeitsmethoden betonen. Im Kern geht es darum, dynamische und anpassungsfähige Teams zu schaffen, die in der Lage sind, schnell auf Veränderungen zu reagieren und hochwertige Ergebnisse zu liefern.

Agile Masters

»Agile Masters« bezieht sich auf Personen, die innerhalb einer Organisation oder einem Team eine Schlüsselrolle bei der Umsetzung und Förderung agiler Arbeitsmethoden und -praktiken einnehmen. Diese Individuen sind erfahrene Fachleute im Bereich agiler Methoden und spielen eine wichtige Rolle dabei, agile Prinzipien in Teams und Organisationen zu verbreiten und zu unterstützen.

Algorithmusanpassungen

»Algorithmusanpassungen« beziehen sich auf Veränderungen oder Anpassungen in den Abläufen und Berechnungen von Algorithmen. Algorithmen sind mathematische Anweisungen oder Schritte, die definiert sind, um bestimmte Probleme zu lösen, Aufgaben auszuführen oder Daten zu verarbeiten.

Allyship

Allyship bezieht sich auf die Unterstützung, Solidarität und aktive Hilfe, die eine Person oder Gruppe gegenüber einer marginalisierten oder benachteiligten Gruppe leistet. Es geht dabei um mehr als nur um Unterstützung; es bezeichnet das Engagement einer Person, aktiv gegen Ungleichheit, Diskriminierung und Unterdrückung vorzugehen, indem sie sich für die Anliegen und Bedürfnisse von marginalisierten Gruppen einsetzt.

Appreciation of Wisdom-Kultur

Die »Appreciation of Wisdom«-Kultur bezieht sich auf eine Organisationskultur, die Weisheit nicht nur schätzt, sondern auch aktiv fördert und nutzt. Diese Kultur legt besonderen Wert auf das Sammeln, die Anwendung und den Austausch von Wissen und Erfahrung, die auf tiefgreifender Einsicht, Reflexion und Lebenserfahrung basieren.

Eine solche Kultur zielt darauf ab, Weisheit als einen entscheidenden Faktor für den Unternehmenserfolg zu erkennen.

Backend-Developer*in

Ein »Backend«-Entwickler oder eine »Backend«-Entwicklerin ist eine Person, die sich auf die Entwicklung und Wartung der nicht sichtbaren technischen Komponenten einer Softwareanwendung konzentriert. Das Backend umfasst die Serverseite einer Anwendung, die Logik, Datenbanken, Schnittstellen und alle Funktionen, die dazu dienen, dass die Anwendung reibungslos läuft, aber nicht direkt vom Benutzer gesehen wird.

Belief Bubbles

»Belief Bubbles« (auf Deutsch: Glaubensblasen) beziehen sich auf individuelle oder kollektive mentale Zustände, in denen Personen in einer begrenzten Informationsumgebung verweilen, die ihre Überzeugungen verstärkt oder isoliert. Ähnlich wie bei einer Filterblase handelt es sich bei Belief Bubbles um Situationen, in denen Menschen dazu neigen, Informationen zu konsumieren, die ihre bestehenden Überzeugungen bestätigen, und sich dabei von widerstreitenden oder differenzierenden Standpunkten isolieren.

Black Lives Matter-Proteste

Die »Black Lives Matter«-Proteste sind eine Reihe von sozialen Bewegungen und Demonstrationen, die weltweit stattgefunden haben und sich gegen Rassismus, Polizeigewalt und strukturelle Ungleichheit, insbesondere gegen Schwarze, richten.

Diese Proteste wurden durch eine Vielzahl von Fällen ausgelöst, in denen Schwarze durch Polizeigewalt oder rassistische Handlungen ums Leben kamen, wie zum Beispiel der Tod von George Floyd im Jahr 2020 in den USA. Dieser Vorfall löste eine breite Bewegung aus, die nicht nur in den Vereinigten Staaten, sondern auch in vielen anderen Ländern Unterstützung fand.

Brain Computer Interfaces, kurz BCI

»Brain Computer Interfaces« (BCI), auf Deutsch auch als Gehirn-Computer-Schnittstellen bezeichnet, sind Systeme, die eine direkte Verbindung zwischen dem menschlichen Gehirn und einem Computer oder einer Maschine herstellen. Diese Schnittstellen ermöglichen die Kommunikation zwischen dem Gehirn und externen Geräten, ohne dass eine physische Interaktion notwendig ist.

Brexit

Der Begriff »Brexit« ist eine Abkürzung für »British Exit« und bezieht sich auf den Austritt des Vereinigten Königreichs (UK) aus der Europäischen Union (EU). Der Brexit wurde durch ein Referendum ausgelöst, das am 23. Juni 2016 stattfand, bei dem die britischen Bürgerinnen und Bürger mehrheitlich für den Austritt aus der EU gestimmt haben. Nach komplexen Verhandlungen zwischen dem Vereinigten Königreich und der EU trat der Brexit formell am 31. Januar 2020 in Kraft. Es begann dann eine Übergangsperiode, die bis zum 31. Dezember 2020 dauerte, in der die Beziehungen zwischen dem Vereinigten Königreich und der EU neu geregelt wurden. Während dieser Zeit wurden Handelsabkommen und andere Vereinbarungen verhandelt, um die künftigen Beziehungen zu gestalten. Der Brexit hat weitreichende Auswirkungen auf Politik, Wirtschaft und Gesellschaft sowohl im Vereinigten Königreich als auch in der Europäischen Union.

Broken

Der Begriff »Broken« kommt aus dem Englischen und bedeutet auf Deutsch »gebrochen« oder »kaputt«. Er wird verwendet, um anzuzeigen, dass etwas nicht mehr richtig funktioniert oder beschädigt ist. Je nach Kontext kann »Broken« sich auf physische Gegenstände beziehen, die beschädigt sind, oder auch metaphorisch auf Zustände oder Beziehungen, die nicht mehr intakt sind. Er wird oft im informellen Sprachgebrauch verwendet, um Unvollkommenheiten oder Störungen zu beschreiben.

Business

Business bezeichnet die Aktivitäten und Transaktionen, die darauf abzielen, Güter oder Dienstleistungen zu produzieren, zu verkaufen oder auszutauschen, um einen Gewinn zu erzielen. Es umfasst alle Aspekte der Unternehmensführung, einschließlich Planung, Organisation, Finanzierung und Marketing. Dabei spielen auch rechtliche, ethische und soziale Aspekte eine wichtige Rolle:

Business Angel

Ein »Business Angel« ist eine Privatperson, die Kapital investiert, um Start-ups oder kleine Unternehmen zu unterstützen, oft in einem frühen Entwicklungsstadium. Diese Investoren werden als »Engel« bezeichnet, da sie häufig nicht nur Geld, sondern auch ihre Erfahrung, Branchenkenntnisse und persönlichen Kontakte einbringen, um dem Unternehmen zu helfen.

Business as usual

»Business as usual« ist ein englischer Ausdruck, der wörtlich übersetzt »Geschäft wie üblich« bedeutet. Er wird verwendet, um darauf hinzuweisen, dass die Dinge wie gewohnt oder in gewohnter Weise weitergehen, ohne wesentliche Veränderungen oder Abweichungen von der normalen Vorgehensweise.

Business Influencerin

Eine »Business Influencerin« ist eine Person, in der Regel in den sozialen Medien aktiv, die eine beträchtliche Anhängerschaft hat und durch ihre Glaubwürdigkeit, Expertise oder Persönlichkeit Einfluss auf das Geschäftsleben, insbesondere auf die Unternehmenswelt oder spezifische Branchen, ausübt.

Business Process Management-Software

»Business Process Management« (BPM)-Software ist eine Anwendungssoftware, die Unternehmen dabei unterstützt, ihre Geschäftsprozesse effizient zu modellieren, zu automatisieren, zu überwachen und zu verbessern. Diese Art von Software bietet Werkzeuge und Funktionen, um die verschiedenen Aspekte von Geschäftsprozessen zu verwalten und zu optimieren.

Call to Action

Ein »Call to Action« (CTA), auf Deutsch »Handlungsaufforderung«, ist ein Begriff aus dem Marketing und bezeichnet einen klaren Aufruf oder eine direkte Aufforderung an den Leser, Zuschauer oder Benutzer, eine spezifische Aktion auszuführen. Diese Aufforderung ist darauf ausgerichtet, eine gewünschte Reaktion zu erzielen und den Betrachter dazu zu bewegen, aktiv zu werden.

Care-Arbeit

»Care-Arbeit« ist ein Konzept, das sich auf unbezahlte oder bezahlte Arbeit bezieht, die darauf ausgerichtet ist, die Bedürfnisse und das Wohlergehen anderer Personen zu unterstützen, zu pflegen oder zu betreuen. Dies umfasst eine breite Palette von Tätigkeiten, die sich auf die Versorgung von Personen konzentrieren, sei es in der Familie, im sozialen Umfeld oder auch beruflich in verschiedenen Sektoren wie Gesundheitswesen, Bildung oder Sozialarbeit.

ChatGPT

»ChatGPT« ist eine KI-gesteuerte Chat-bot-Plattform, die auf der GPT-3-Technologie (Generative Pre-trained Transformer 3) von OpenAI basiert. Es handelt sich um eine fortschrittliche künstliche Intelligenz, die darauf trainiert ist, menschenähnliche Konversationen zu führen, Fragen zu beantworten, Ratschläge zu geben und auf Anfragen in natürlicher Sprache zu reagieren.

CEO

»CEO« steht für »Chief Executive Officer« und ist die Bezeichnung für die höchste Führungskraft in einem Unternehmen oder einer Organisation. Auf Deutsch wird der CEO oft als »Geschäftsführer« oder »Vorstandsvorsitzender« bezeichnet.

Changemanagement-Prozesse

»Changemanagement-Prozesse« beziehen sich auf strukturierte Methoden und Strategien, die in Unternehmen oder Organisationen angewendet werden, um Veränderungen zu planen, umzusetzen und zu steuern. Diese Prozesse sind darauf ausgerichtet, Veränderungen in der Organisation effektiv zu managen und sicherzustellen, dass sie reibungslos und mit möglichst geringen Störungen für den Betrieb umgesetzt werden.

Chess Board

Ein »Chess Board« ist ein Schachbrett. Es ist das quadratische Spielbrett, auf dem das Schachspiel gespielt wird und das aus 64 quadratischen Feldern besteht, die abwechselnd dunkel und hell sind. Jede Seite hat acht Reihen und acht Spalten von Feldern, insgesamt 64 Felder.

Choose your battle

»Choose your battle« bedeutet auf Deutsch sinngemäß »Wähle deine Schlacht« oder »Wähle deine Kämpfe«. Es ist eine Redewendung, die darauf hinweist, dass es wichtig ist, klug und selektiv in Bezug auf die Herausforderungen oder Auseinandersetzungen zu sein, in die man sich einlässt.

Coaching

»Coaching« bezeichnet eine unterstützende und zielgerichtete Form der persönlichen oder beruflichen Entwicklung, bei der ein Coach eine Einzelperson oder eine Gruppe dabei unterstützt, ihre Fähigkeiten, Leistungen, Ziele oder persönliches Wachstum zu verbessern. Das Coaching beinhaltet eine partnerschaftliche Beziehung, in der der Coach durch gezielte Fragen, Reflexionen, Feedback und spezifische Techniken dem Coachee hilft, seine Potenziale zu entdecken, Hindernisse zu überwinden und konkrete Ziele zu erreichen.

Co-Founder*in

Ein »Co-Founder« oder eine »Co-Founderin« ist eine Person, die an der Gründung eines Unternehmens beteiligt ist und die Verantwortung für den Start und die Entwicklung des Unternehmens teilt. Im Gegensatz zum alleinigen Gründer (Founder) handelt es sich bei Co-Foundern um Personen, die gemeinsam mit anderen Gründern an der Konzeption, Entwicklung und Umsetzung der Geschäftsidee beteiligt sind.

Community

Eine »Community«, auf Deutsch »Gemeinschaft« oder »Gemeinde«, bezieht sich auf eine Gruppe von Menschen, die gemeinsame Interessen, Werte, Ziele oder einen Ort teilen. Es ist ein soziales Netzwerk oder eine soziale Gruppe, die auf gegenseitigem Verständnis, auf Zusammengehörigkeit und Interaktion basiert.

Confirmation Bias

Der Begriff »Confirmation Bias« bedeutet auf Deutsch »Bestätigungsfehler« oder auch »Bestätigungsverzerrung«. Es beschreibt eine kognitive Verzerrung, bei der Menschen dazu neigen, Informationen oder Beweise selektiv zu suchen, zu interpretieren oder zu erinnern, die ihre bestehenden Überzeugungen, Meinungen oder Hypothesen bestätigen, während sie Informationen ignorieren oder abwerten, die diesen widersprechen.

Connectivity

»Connectivity« bedeutet auf Deutsch »Vernetzung« oder »Verbindungsfähigkeit«. Es beschreibt die Fähigkeit verschiedener Geräte, Systeme oder Elemente, miteinander verbunden zu sein und miteinander zu kommunizieren, sei es über physische Verbindungen oder drahtlose Netzwerke.

Consumer Hardware

»Consumer Hardware« bezieht sich auf elektronische Geräte oder Hardware, die für den Endverbrauchermarkt bestimmt sind. Das sind Produkte, die von individuellen Verbrauchern gekauft und verwendet werden, im Gegensatz zu professioneller oder industrieller Hardware, die eher für Unternehmen oder spezifische Branchen bestimmt ist.

Coworking-Space

Ein »Coworking-Space« ist ein gemeinsamer Arbeitsplatz, der von unabhängigen Fachleuten, Freiberuflern oder kleinen Teams genutzt wird. Hier teilen sich verschiedene Personen oder Unternehmen eine Arbeitsumgebung, um Ressourcen wie Büroinfrastruktur, Arbeitsplätze und gelegentlich auch Dienstleistungen gemeinsam zu nutzen.

Cringe

»Cringe« ist ein englischer Begriff, der sich im deutschen Sprachgebrauch eingebürgert hat. Er beschreibt ein Gefühl der Unbeholfenheit, Peinlichkeit oder Fremdscham, das durch das Verhalten oder die Darstellung einer Person ausgelöst wird, oft, weil sie sich unpassend oder unangemessen verhält, etwas Unangenehmes tut oder Unangebrachtes sagt.

Cross-funktional

»Cross-funktional« beschreibt eine Arbeitsweise oder eine Teamstruktur, bei der verschiedene Fachbereiche, Disziplinen oder Abteilungen zusammenarbeiten, die normalerweise separate oder spezifische Funktionen in einem Unternehmen haben. Dieser Ansatz zielt darauf ab, verschiedene Fähigkeiten, Perspektiven und Ressourcen zu kombinieren, um gemeinsame Ziele zu erreichen oder komplexe Probleme anzugehen.

Dailys und Jours Fixes

»Dailys« und »Jours Fixes« sind Begriffe, die in einem geschäftlichen oder organisatorischen Kontext verwendet werden, um regelmäßige Treffen oder Besprechungen zu beschreiben.

Deepfakes

»Deepfakes« sind manipulierte Medieninhalte, die mithilfe von künstlicher Intelligenz (KI) erstellt wurden. Der Begriff setzt sich aus »deep learning« (tiefes Lernen) und »fake« (Fälschung) zusammen. Deepfakes werden oft durch sogenannte Generative Adversarial Networks (GANs) erstellt, bei denen zwei KI-Modelle miteinander konkurrieren, um realistische Medieninhalte zu generieren.

Typischerweise handelt es sich bei Deepfakes um gefälschte Videos oder Audiodateien, in denen Personen scheinbar Dinge sagen oder tun, die sie in Wirklichkeit nicht gesagt oder getan haben. Diese Technologie ermöglicht es, Gesichter und Stimmen in existierenden Aufnahmen zu manipulieren und so täuschend echte Fälschungen zu erstellen.

Deepfakes können potenziell für betrügerische Aktivitäten, Desinformation oder den Missbrauch von Persönlichkeitsrechten verwendet werden. Die Entwicklung von Deepfake-Technologien hat auch zu Bedenken hinsichtlich der Authentizität von Medieninhalten und der Herausforderungen bei der Unterscheidung zwischen echten und manipulierten Inhalten geführt.

Development
»Development« wird oft mit »Entwicklung« übersetzt. Es bezieht sich allgemein auf den Prozess des Wachstums, Fortschritts oder der Veränderung in verschiedenen Kontexten.

Digital Afterlife Industry
Die »Digital Afterlife Industry« bezieht sich auf Unternehmen und Dienstleistungen, die sich mit dem digitalen Erbe und Vermächtnis von Personen nach ihrem Tod befassen. Das umfasst die Verwaltung und den Schutz digitaler Daten wie Soziale-Medien-Profile, E-Mails, Fotos, Videos und andere Online-Inhalte, die von einer Person während ihres Lebens erstellt wurden. Diese Industrie bietet Lösungen zur Verwaltung und Weitergabe digitaler Konten und Inhalte an Familienmitglieder oder benannte Personen nach dem Tod einer Person.

Digital Media
»Digital Media« bezieht sich auf alle Arten von Inhalten, die in digitaler Form erstellt, gespeichert, übertragen und konsumiert werden können. Diese Medien umfassen eine breite Palette von Formaten, die mithilfe von digitalen Technologien erstellt oder verarbeitet werden, darunter Texte, Bilder, Audio, Videos, Animationen und interaktive Inhalte.

Digital Natives
»Digital Natives« ist ein Begriff, der Personen beschreibt, die in der digitalen Ära aufgewachsen sind und von Kindheit an mit digitalen Technologien, Computern, dem Internet und elektronischen Geräten vertraut sind. Diese Bezeichnung wird oft verwendet, um Menschen zu beschreiben, die in den späten 1980er- oder frühen 1990er-Jahren oder später geboren wurden und somit mit Technologie aufgewachsen sind, die in ihrer Alltagsumgebung allgegenwärtig war.

Diskrepanz
»Diskrepanz« beschreibt einen Unterschied, eine Abweichung oder eine Unstimmigkeit zwischen zwei oder mehr Dingen, die normalerweise als zusammengehörig oder ähnlich betrachtet werden können.

Diss und Shitstorm
»Diss« ist eine informelle Abkürzung für »Disrespect« und bezieht sich auf eine abwertende oder respektlose Bemerkung oder Handlung gegenüber jemandem. Es wird verwendet, um eine beleidigende Äußerung, einen verbalen Angriff oder eine negative Kritik zu beschreiben, die darauf abzielt, jemanden zu kränken oder zu demütigen.
»Shitstorm« ist ein Ausdruck, der verwendet wird, um eine plötzliche und starke negative Reaktion im Internet zu beschreiben, besonders in sozialen Medien. Es bezieht sich auf eine große Anzahl von oft beleidigenden oder kritischen Kommentaren, die gegen eine Person, Organisation oder Aussage gerichtet sind. Ein Shitstorm kann entstehen, wenn eine kontroverse Meinung geäußert wird oder ein Ereignis, Aussage oder Handlung öffentliche Empörung hervorruft.

Diversity (Diversität)
»Diversity« bezieht sich auf die Vielfalt und Unterschiedlichkeit von Menschen in Bezug auf Geschlecht, ethnische Zugehörigkeit, Alter, sexuelle Orientierung, Religion, körperliche Fähigkeiten, Bildungsniveau, Erfahrung, Hintergrund usw. Es geht darum, die verschiedenen Merk-

male, die Individuen einzigartig machen, anzuerkennen und zu schätzen.

Doing

»Doing« ist ein englischer Begriff, der ins Deutsche oft als »Handlung« oder »Tätigkeit« übersetzt wird. Es beschreibt allgemein jede Art von Aktivität, Handlung oder Betätigung, die eine Person oder eine Gruppe ausführt.

Early Adopter

»Early Adopter« ist ein Begriff, der im Marketing und in der Produktentwicklung verwendet wird und auf Personen oder Gruppen hinweist, die neue Produkte, Technologien oder Innovationen frühzeitig annehmen oder übernehmen, oft noch bevor sie weit verbreitet sind.

Auf Deutsch werden Early Adopter oft als »Frühnutzer« oder »Innovationsvorreiter« bezeichnet. Sie sind Personen oder Gruppen, die ein hohes Interesse an neuen Produkten oder Technologien haben und bereit sind, diese auszuprobieren, zu testen und zu akzeptieren, auch wenn sie noch nicht weit verbreitet oder vollständig entwickelt sind.

Educator

Ein »Educator« ist eine Person, die im Bildungsbereich tätig ist und Wissen und Fähigkeiten vermittelt. Educator können in formellen Schulsystemen, Hochschulen, Unternehmen, gemeinnützigen Organisationen oder anderen Bildungseinrichtungen arbeiten. Sie können Lehrer, Dozenten, Trainer oder Ausbilder sein. Die Hauptaufgabe eines Educators ist es, Lerninhalte effektiv zu präsentieren, Lernziele zu fördern und den Lernprozess ihrer Schüler oder Teilnehmer zu unterstützen.

Beide Begriffe, Motivator und Educator, beziehen sich auf Personen, die positiven Einfluss auf andere ausüben, sei es durch die Förderung von Motivation und Selbstvertrauen oder durch die Bereitstellung von Wissen und Lernmöglichkeiten. Oft können Menschen in verschiedenen Rollen sowohl als Motivator als auch als Educator agieren, besonders in Bereichen wie Coaching, Training und persönlicher Entwicklung.

Eloquenz

»Eloquenz« bezeichnet die Fähigkeit einer Person, sich gut und überzeugend durch Worte auszudrücken. Auf Deutsch wird dies oft mit »Redegewandtheit« oder »Ausdrucksfähigkeit« übersetzt. Eloquenz bezieht sich nicht nur auf die Fähigkeit, fließend und klar zu sprechen, sondern auch auf die Fähigkeit, Gedanken und Ideen präzise und überzeugend zu kommunizieren. Eine eloquente Person vermag ihre Worte geschickt und effektiv zu wählen, um andere zu beeinflussen, zu überzeugen oder zu begeistern.

Employer Branding

»Employer Branding« bezeichnet im deutschen Sprachraum die strategischen Maßnahmen eines Unternehmens, um sich als attraktiver Arbeitgeber darzustellen und eine positive Arbeitgebermarke aufzubauen.

Employee Lifecycle Journey

Der »Employee Lifecycle Journey« bezieht sich auf den gesamten Lebenszyklus von Mitarbeitenden in einem Unternehmen, beginnend von dem Moment, in dem sie sich für eine Stelle bewerben, bis zu ihrem Ausscheiden aus dem Unternehmen. Diese Reise umfasst verschiedene Phasen, die die verschiedenen Aspekte der Mitarbeitendenerfahrung widerspiegeln.

Der Employee Lifecycle Journey dient dazu, sicherzustellen, dass Mitarbeitende in jedem Stadium ihrer Anstellung eine positive Erfahrung machen und dass das Unternehmen ihre Bedürfnisse während ihrer gesamten Beschäftigung berücksichtigt. Dies trägt dazu bei, die Mitarbeiterbindung zu stärken und die Effizienz sowie die Zufriedenheit am Arbeitsplatz zu verbessern.

Entertainer

Ein »Entertainer« ist eine Person, die in der Unterhaltungsbranche tätig ist und das Ziel hat, andere Menschen zu amüsieren, zu unterhalten oder zu erfreuen. Entertainer können in verschiedenen Bereichen und Formaten auftreten, darunter:

Bühnenkünstler: Dazu gehören Musiker, Schauspieler, Stand-up-Comedians, Tänzer und andere, die auf der Bühne auftreten, um ein Publikum zu begeistern.

Moderatoren und Präsentatoren: Entertainer können auch als Moderatoren in Radio- und Fernsehsendungen oder als Präsentatoren bei Veranstaltungen auftreten.

Varietékünstler: Artisten, Jongleure, Zauberer und ähnliche Künstler, die mit visuellen und akrobatischen Darbietungen unterhalten.

Multimedia-Entertainer: In der modernen Ära können Entertainer auch in digitalen Medien auftreten, wie zum Beispiel auf YouTube, Streaming-Plattformen oder in sozialen Medien.

Entertainer haben oft die Fähigkeit, ein breites Publikum anzusprechen und ihre Talente in unterschiedlichen Unterhaltungsformen zu präsentieren. Der Begriff ist daher sehr vielseitig und kann verschiedene Arten von Künstlern und Persönlichkeiten umfassen.

Equity (Gerechtigkeit)

»Equity« bedeutet Fairness und Gleichberechtigung. Im Kontext von Gleichstellungsbemühungen zielt Equity darauf ab, fairere Bedingungen und Chancengleichheit zu schaffen, um sicherzustellen, dass alle Personen unabhängig von ihren Unterschieden die gleichen Möglichkeiten haben, erfolgreich zu sein. Es geht um die Beseitigung von Ungerechtigkeiten und die Schaffung fairer Rahmenbedingungen.

Failures

»Failures« bedeutet auf Deutsch »Fehler« oder »Misserfolge«. Der Begriff bezieht sich auf Situationen oder Ergebnisse, die nicht den Erwartungen entsprechen, nicht erfolgreich sind oder nicht das gewünschte Ergebnis liefern.

Fake News

»Fake News« ist ein Begriff, der sich auf absichtlich falsche oder irreführende Informationen bezieht, die mit dem Ziel verbreitet werden, die öffentliche Meinung zu beeinflussen, Stimmung zu erzeugen oder Desinformation zu verbreiten. Fake News können in verschiedenen Formen auftreten, darunter gefälschte Nachrichtenartikel, manipulierte Bilder oder Videos sowie irreführende soziale Medienbeiträge. Die Verbreitung von Fake News kann dazu dienen, bestimmte politische, gesellschaftliche oder wirtschaftliche Agenden zu fördern oder Menschen zu täuschen. Insbesondere in der Ära digitaler Medien und sozialer Netzwerke können sich Falschinformationen schnell verbreiten, da sie oft ohne ausreichende Überprüfung weitergegeben werden.

First Mover

»First Mover« ist ein Begriff aus dem Bereich der Unternehmensstrategie und bezeichnet ein Unternehmen oder eine Person, die als erste in einem bestimmten Marktsegment, mit einem neuen Produkt oder einer neuen Dienstleistung tätig werden. Auf Deutsch wird der Begriff oft als »Erstbeweger« oder »Pionier« übersetzt.

Freelancer

Ein »Freelancer« ist eine Person, die selbstständig arbeitet und ihre Dienstleistungen, Fachkenntnisse oder Fähigkeiten gegen Honorar anbietet ohne festes Arbeitsverhältnis. Auf Deutsch wird »Freelancer« oft als »Freiberufler« oder »Selbstständiger« übersetzt.

Fun Fact

»Fun Fact« ist ein Ausdruck, der im Deutschen als »lustige Tatsache« oder »unterhaltsame Information« übersetzt werden kann. Er wird oft verwendet, um eine interessante, ungewöhnliche oder kuriose Information zu präsentieren, die üblicherweise nicht allgemein bekannt ist, aber auf unterhaltsame Weise Wissen vermittelt oder das Interesse weckt.

German Angst

Die »German Angst« ist eine Bezeichnung, die eine stereotype Vorstellung von einer vermeintlich typisch deutschen Eigenschaft beschreibt. Der Begriff wird verwendet, um auf die vermeintliche Neigung von Deutschen hinzuweisen, vorsichtig oder ängstlich zu sein, insbesondere in Bezug auf Unsicherheiten oder zukünftige Entwicklungen. Es handelt sich dabei um eine kulturelle Stereotypisierung, die auf dem Klischee beruht, dass Deutsche dazu neigen, sich intensiver mit möglichen Gefahren und Risiken auseinanderzusetzen.

Es ist wichtig zu beachten, dass solche Stereotypen oft vereinfachte und nicht unbedingt korrekte Vorstellungen über bestimmte Kulturen oder Nationen darstellen. In der Realität gibt es natürlich vielfältige Persönlichkeiten und Verhaltensweisen innerhalb jeder Bevölkerungsgruppe. »German Angst« wird daher als Begriff mit Vorsicht verwendet, um Übergeneralisierungen zu vermeiden.

Generationen-Bashing

»Generationen-Bashing« bezieht sich auf die negative und oft stereotype Kritik oder die Angriffe einer Generation gegenüber einer anderen. Es äußert sich in der Tendenz, eine ganze Generation aufgrund bestimmter Merkmale, Verhaltensweisen oder Einstellungen zu verurteilen oder abzuwerten. Typischerweise bezieht sich dies auf Diskussionen oder Meinungsverschiedenheiten zwischen verschiedenen Altersgruppen, wie zum Beispiel die Vorurteile der älteren Generation gegenüber der jüngeren als »verwöhnt« oder »unverantwortlich« oder umgekehrt die Vorurteile der jüngeren Generation gegenüber der älteren als »altmodisch« oder »nicht anpassungsfähig«.

Generation Gap

Der Begriff »Generation Gap«, übersetzt »Generationenkonflikt« oder »Generationenunterschied«, bezieht sich auf die Differenzen in Einstellungen, Werten, Lebenserfahrungen und kulturellen Ansichten zwischen verschiedenen Altersgruppen.

GermanDream

»GermanDream« ist eine parteiübergreifende, unabhängige Bildungsbewegung, die sich für den gesellschaftlichen Zusammenhalt, die Vermittlung von freiheitlich-demokratischen Werten, Chancengerechtigkeit und Teilhabe einsetzt. In unseren Wertedialogen machen wir persönliche Geschichten und Erfahrungen sichtbar und öffnen Räume, um sich auf Augenhöhe zu begegnen und über persönliche und gesellschaftlich relevante Themen auszutauschen.

Get-together

»Get-together« ist ein Begriff aus dem Englischen, der auf Deutsch als »Treffen«, »Zusammenkunft« oder »Zusammenkommen« übersetzt werden kann. Er beschreibt eine informelle Veranstaltung, bei der Menschen zusammenkommen, um sich zu treffen, zu plaudern, gemeinsam Zeit zu verbringen oder sich in lockerer Atmosphäre zu unterhalten.

GIFs

»GIFs« sind Grafikdateien die kurze, wiederholte Animationen oder Sequenzen von Bildern enthalten. Das Akronym steht für »Graphics Interchange Format« und wird im Deutschen oft als »Grafik-Austauschformat« übersetzt.

Give, give, give first. Then ask

»Give, give, give first. Then ask« kann auf Deutsch sinngemäß übersetzt werden als »Gib zuerst, gib dann noch mehr, bevor du um etwas bittest«.

Diese Aussage bezieht sich auf eine Strategie oder eine Mentalität im zwischenmenschlichen oder geschäftlichen Bereich, bei der es darum geht, zunächst anderen zu helfen, Wert zu schaffen oder etwas anzubieten, bevor man selbst etwas zurückfordert oder um Unterstützung bittet. Es betont die Idee, dass es effektiver sein kann, Beziehungen zu stärken oder Unterstützung zu gewinnen, indem man zuerst etwas Gutes tut, anstatt sofort eine Gegenleistung zu erwarten.

Good Old Work

»Good Old Work« könnte im Deutschen sinngemäß als »gute, altbewährte Arbeit« übersetzt werden. Diese Wendung könnte sich auf traditionelle, bewährte Arbeitsmethoden oder -praktiken beziehen, die als effektiv, zuverlässig oder bewährt angesehen werden.

Goodwill

»Goodwill« ist ein Begriff aus der Wirtschaft und dem Geschäftsumfeld und wird im Deutschen oft als »Firmenwert« oder »Geschäftswert« übersetzt. Er bezieht sich auf den immateriellen Wert, den ein Unternehmen durch positive Beziehungen zu Kunden, Mitarbeitern, Lieferanten und der allgemeinen Community aufgebaut hat.

Goofy

»Goofy« ist ein englischer Begriff, der im Deutschen als »albern«, »tölpelhaft« oder »tollpatschig« übersetzt werden kann. Ursprünglich ist »Goofy« auch der Name einer bekannten Comicfigur aus dem Disney-Universum.

Growth und Failure Mindset

Ein »Growth Mindset« (Wachstumsmentalität) und ein »Failure Mindset« (Misserfolgsmentalität) sind zwei unterschiedliche Denkweisen, die Einfluss darauf haben, wie Menschen Herausforderungen angehen und auf Erfolg oder Misserfolg reagieren.

Guideline

»Guideline« wird auf Deutsch als »Richtlinie« oder »Leitfaden« übersetzt. Es bezeichnet eine allgemeine Regel, einen Vorschlag oder eine Empfehlung, die dazu dient, bestimmte Handlungen, Verfahren oder Verhaltensweisen zu lenken oder zu unterstützen.

Harnessing the Power of a multigenerational Workforce

»Die Kraft einer multigenerationalen Belegschaft nutzen« auf Deutsch könnte bedeuten, die Potenziale und Stärken einer Belegschaft, die aus Mitarbeitern unterschiedlicher Generationen besteht, bestmöglich zu nutzen. Hierbei geht es darum, die Vielfalt und die unterschiedlichen Perspektiven, Erfahrungen sowie Fähigkeiten der Mitarbeiter verschiedener Altersgruppen gezielt einzusetzen, um das gesamte Arbeitsumfeld zu stärken und zu bereichern.

Headlines

»Headlines« werden auf Deutsch als »Überschriften« oder »Schlagzeilen« bezeichnet. Der Begriff bezieht sich auf kurze, prägnante Sätze oder Phrasen, die dazu dienen, die Aufmerksamkeit auf einen Artikel, einen Textabschnitt, eine Anzeige oder andere Inhalte zu lenken. Überschriften sind in der Regel so formuliert, dass sie das Interesse des Lesers wecken und einen kurzen Überblick über den Inhalt bieten.

Head of Communication

Der Begriff »Head of Communication« bedeutet auf Deutsch etwa »Leiter der Kommunikation« . Es handelt sich dabei um eine Führungsperson oder eine leitende Position in einem Unternehmen oder einer Organisation, die für die Steuerung und Umsetzung der Kommunikationsstrategien verantwortlich ist. Der Leiter der Kommunikation ist typischerweise dafür zuständig, die interne und externe Kommunikation zu koordinieren, die Unternehmensbotschaft zu gestalten und sicherzustellen, dass die Kommunikationsziele erreicht werden.

Head of Strategy Partnership

»Head of Strategy Partnership« könnte im Deutschen mit »Leiter der Strategischen Partnerschaften« übersetzt werden. Diese Bezeichnung deutet auf eine leitende Position in einem Unternehmen oder einer Organisation hin, bei der die Verantwortung für die Entwicklung und Umsetzung von strategischen Partnerschaften liegt. Der Leiter der strategischen Partnerschaften ist typischerweise dafür zuständig, Partnerschaften mit anderen Unternehmen, Organisationen oder Institutionen zu gestalten und zu pflegen, um gemeinsame strategische Ziele zu erreichen.

History repeating itself

»History repeating itself« wäre im Deutschen etwa gleichbedeutend mit »Die Geschichte wiederholt sich« . Dieser Ausdruck bezieht sich darauf, dass Ereignisse, Muster oder Entwicklungen, die in der Vergangenheit stattgefunden haben, sich wiederholen oder auf ähnliche Weise in der Gegenwart oder Zukunft manifes-

tieren. Oftmals wird dieser Ausdruck verwendet, um Parallelen zwischen aktuellen Geschehnissen und historischen Ereignissen aufzuzeigen.

Home-Office

»Home-Office« auf Deutsch bezieht sich auf die Möglichkeit, berufliche Aufgaben und Tätigkeiten von zu Hause aus zu erledigen. Es handelt sich um eine Arbeitsform, bei der die Arbeitnehmer nicht im traditionellen Büro, sondern in ihrer eigenen Wohnung oder an einem anderen Ort außerhalb des Unternehmens arbeiten. Der Begriff »Home-Office« wird oft im Kontext flexibler Arbeitsmodelle und moderner Arbeitsstrukturen verwendet, die es den Mitarbeitern ermöglichen, ihre Aufgaben remote zu erledigen, indem sie moderne Kommunikationstechnologien und digitale Arbeitsmittel nutzen.

Hot shit

»Hot shit« auf Deutsch kann als umgangssprachlicher Ausdruck für jemanden oder etwas verwendet werden, der oder das als besonders beeindruckend, erfolgreich oder herausragend angesehen wird. Es kann jedoch auch als vulgärer Slang-Ausdruck interpretiert werden, der sich auf Arroganz oder Überheblichkeit bezieht. Es ist wichtig, den Kontext zu berücksichtigen, da der Ausdruck je nach Zusammenhang unterschiedlich verstanden werden kann.

HR-Kongress

Ein »HR-Kongress« bezieht sich auf einen Fachkongress oder eine Konferenz im Bereich Human Resources (Personalwesen). Bei einem HR-Kongress kommen Fachleute, Führungskräfte, Personalverantwortliche und andere Interessierte zusammen, um aktuelle Entwicklungen, Trends, Best Practices und Herausforderungen im Personalmanagement zu diskutieren. Solche Veranstaltungen bieten eine Plattform für den Austausch von Wissen, die Vorstellung neuer Ansätze und Methoden im Personalwesen sowie die Vernetzung von Fachleuten aus verschiedenen Unternehmen und Branchen. Der HR-Kongress dient dazu, die Weiterentwicklung und Professionalisierung im Bereich Human Resources zu fördern.

Hybrid

In einem organisatorischen oder Arbeitskontext wird »Hybrid« oft verwendet, um eine Mischung aus verschiedenen Ansätzen oder Arbeitsmodellen zu beschreiben. Ein Beispiel hierfür ist die »Hybridarbeit«, bei der Mitarbeiter sowohl im Büro als auch von zu Hause aus arbeiten können.

Hybride Teams

»Hybride Teams« sind Teams, die aus Mitgliedern bestehen, die an unterschiedlichen Orten arbeiten, darunter sowohl im Büro als auch remote von zu Hause oder anderen Orten aus. Der Begriff ist eng mit dem Konzept der Hybridarbeit verbunden, das eine Mischung aus Präsenzarbeit im Büro und virtueller Arbeit von entfernten Standorten aus ermöglicht.

Hybrid Work

»Hybride Arbeit« bezieht sich auf ein Arbeitsmodell, bei dem Mitarbeiter die Flexibilität haben, ihre Aufgaben sowohl im Büro als auch von externen Standorten, wie zum Beispiel von zu Hause aus, zu erledigen. Es kombiniert Elemente der Präsenzarbeit im Büro mit der Möglichkeit der virtuellen Arbeit an verschiedenen Orten.

Impact

Der Begriff »Impact« stammt aus dem Englischen und wird auch im Deutschen verwendet. Auf Deutsch bedeutet »Impact« soviel wie »Einfluss«, »Auswirkung« oder »Wirkung«. Der Begriff wird oft verwendet, um den Effekt oder die Folgen einer Handlung, Entscheidung, eines Ereignisses oder eines Prozesses zu beschreiben.

Inclusion (Inklusion)

»Inclusion« bedeutet Einbeziehung und Einbindung aller Menschen, unabhängig von ihrer Vielfalt, in allen Aspekten des Lebens. Es geht darum, eine Umgebung zu schaffen, in der jeder respektiert, gehört, unterstützt und wertgeschätzt wird. Inklusion zielt darauf ab, eine Kultur zu schaffen, in der Unterschiede als Stärken betrachtet werden und in der jeder das Gefühl hat, dazuzugehören und sein volles Potenzial entfalten zu können.

Infotainer

Der Begriff »Infotainer« setzt sich aus den Wörtern »Information« und »Entertainer« zusammen. Ein Infotainer ist eine Person, die Informationen auf unterhaltsame und ansprechende Weise präsentiert. Im Gegensatz zu reinen Informationsvermittlern, die sich darauf konzentrieren, Fakten und Daten zu präsentieren, integrieren Infotainer Elemente der Unterhaltung, um die Aufmerksamkeit des Publikums zu gewinnen und die Informationen leichter zugänglich zu machen.

Ein Infotainer kann in verschiedenen Bereichen tätig sein, darunter:

Moderation von Informationsveranstaltungen: Ein Infotainer kann als Moderator bei Veranstaltungen, Konferenzen oder Präsentationen fungieren, um sicherzustellen, dass die Informationen auf eine unterhaltsame und leicht verständliche Weise präsentiert werden.

Online-Plattformen: In der digitalen Welt können Infotainer auf Online-Plattformen, sozialen Medien oder YouTube auftreten, um informative Inhalte auf eine unterhaltsame Art und Weise zu präsentieren.

Bildung und Schulungen: In Schulungsumgebungen oder Bildungseinrichtungen kann ein Infotainer dazu beitragen, den Lernprozess durch unterhaltsame Präsentationsmethoden zu verbessern.

Die Idee hinter einem Infotainer ist es, Informationen effektiver zu vermitteln, indem man die Aufmerksamkeit des Publikums aufrechterhält und gleichzeitig eine unterhaltsame Atmosphäre schafft.

Intersektionalität

»Intersektionalität« ist ein Begriff, der in den Sozialwissenschaften und insbesondere in der Genderforschung verwendet wird. Er bezieht sich auf die Wechselwirkungen zwischen verschiedenen sozialen Identitäten und Kategorien, wie beispielsweise Geschlecht, Rasse, Klasse, sexuelle Orientierung, ethnischer Hintergrund und weitere.

Jobcrafting

»Jobcrafting« bezieht sich auf die eigenständige Anpassung und Gestaltung von Arbeitsaufgaben, Verantwortlichkeiten und sozialen Interaktionen durch einzelne Mitarbeiter, um ihre Arbeit sinnvoller und erfüllender zu gestalten. Dabei versuchen Mitarbeiter bewusst, ihre beruflichen Aufgaben an ihre persönlichen Stärken, Vorlieben und Werte anzupassen, um eine bessere Passung zwischen ihrer Arbeit und ihren individuellen Bedürfnissen zu erreichen.

Jobhopping

»Jobhopping« beschreibt das Phänomen, bei dem eine Person häufig und wiederholt zwischen verschiedenen Arbeitsstellen oder Jobs wechselt, oft in kurzen Zeitabständen. Der Begriff wird verwendet, um das Verhalten von Arbeitnehmern zu beschreiben, die in relativ kurzer Zeit mehrere Arbeitsplätze innehaben, möglicherweise auf der Suche nach neuen Herausforderungen, besserer Bezahlung, Weiterentwicklung oder einem angenehmeren Arbeitsumfeld. Oft wird Jobhop-ping auch kritisch betrachtet, da es in einigen Branchen als Zeichen für mangelnde Arbeitsstabilität oder mangelnde Loyalität gegenüber einem Arbeitgeber angesehen werden kann.

Jobrotation

»Jobrotation« (zu Deutsch: Arbeitsplatzrotation) bezeichnet eine Personalentwicklungsstrategie, bei der Mitarbeiter innerhalb einer Organisation regelmäßig zwischen verschiedenen Positionen oder Abteilungen wechseln. Das Ziel von Jobrotation ist es, Mitarbeitern die Möglichkeit zu geben, verschiedene Aspekte des Unternehmens kennenzulernen, ihre Fähigkeiten zu erweitern und einen breiteren Einblick in die Arbeitsabläufe zu gewinnen.

Jobshadowing

»Jobshadowing« (zu Deutsch: »Schattenarbeit« oder »Mitlaufen«) ist eine Form der beruflichen Weiterbildung, bei der eine Person – der »Schatten« – einen Tag oder einen bestimmten Zeitraum lang einen anderen Mitarbeiter in seinem Arbeitsumfeld begleitet und dessen tägliche Aufgaben beobachtet. Der Schatten stellt dabei in der Regel einen neuen Mitarbeiter, einen Lernenden oder einen Kollegen dar, der mehr über die Abläufe, Verantwortlichkeiten und Herausforderungen einer bestimmten Position oder Abteilung erfahren möchte.

Jobsharing

»Jobsharing« bezieht sich auf eine flexible Form von Arbeitsarrangement, bei der zwei oder mehr Mitarbeiter sich die Verantwortlichkeiten, Aufgaben und Stunden eines einzigen Vollzeitarbeitsplatzes teilen. Das bedeutet, dass die Arbeitslast aufgeteilt wird, wobei die Mitarbeiter die Möglichkeit haben, ihre Arbeitszeit entsprechend zu reduzieren, um mehr Flexibilität in ihrem Berufs- und Privatleben zu haben.

Karriseredogma

Der Begriff »Karriseredogma« setzt sich aus den Wörtern »Karriere« und »Dogma« zusammen. »Dogma« bezeichnet im Allgemeinen eine festgelegte Überzeugung, Lehre oder Regel, die als unumstößlich und nicht verhandelbar betrachtet wird.

In Bezug auf die Karriere könnte Karriseredogma auf festgefahrene Überzeugungen oder als unverrückbar angesehene Normen hindeuten, die mit dem beruflichen Aufstieg oder Erfolg verbunden sind. Das können beispielsweise gesellschaftliche Erwartungen bezüglich des idealen Karrierewegs, festgelegte Vorstellungen von Erfolg oder die Notwendigkeit bestimmter beruflicher Schritte sein.

Keynote

»Keynote« ist ein Begriff aus dem Englischen und wird im Deutschen ebenfalls verwendet. Eine »Keynote« bezeichnet eine Eröffnungsrede oder einen Hauptvortrag bei einer Konferenz, Tagung oder einem Event. Diese Rede oder Präsentation hat in der Regel einen herausragenden Charakter und dient dazu, das Thema der Veranstaltung einzuleiten, die Zuhörer zu motivieren oder wichtige Botschaften zu vermitteln.

Kick-off-Veranstaltung

Eine »Kick-off-Veranstaltung« ist eine Auftaktveranstaltung oder Eröffnungsveranstaltung, die den Beginn eines Projekts, einer Initiative oder einer neuen Phase markiert. Der Begriff stammt aus dem Englischen und wird auch im Deutschen verwendet.

Know-how

»Know-how« ist ein aus dem Englischen stammender Begriff, der im Deutschen weitgehend übernommen wurde. Er bezeichnet das Gesamtwissen, die Fähigkeiten, die praktische Erfahrung und die Kenntnisse, die eine Person, ein Team oder eine Organisation auf einem bestimmten Gebiet oder in einer spezifischen Tätigkeit besitzt.

Künstliche Intelligenz (KI)

»Künstliche Intelligenz« (KI) bezieht sich auf die Entwicklung von Algorithmen, Computern und Systemen, die in der Lage sind, Aufgaben zu erledigen, die normalerweise menschliche Intelligenz erfordern. Diese Aufgaben können Problemlösung, Lernen, Sprachverarbeitung, Wahrnehmung, Entscheidungsfindung und vieles mehr umfassen.

Land of the free

»Land of the free« ist eine englische Phrase, die ins Deutsche als »Land der Freien« übersetzt werden kann. Der Ausdruck ist besonders bekannt durch die Zeile »Land of the free and the home of the brave« aus der Nationalhymne der Vereinigten Staaten von Amerika, dem sogenannten »Star-Spangled Banner«. Diese Zeile betont die Ideale von Freiheit und Tapferkeit, die als grundlegende Werte der Vereinigten Staaten betrachtet werden.

Leader*innen

Die Bezeichnung »Leader*innen« ist eine geschlechtsneutrale Form des Begriffs »Leaders«. Der Stern (*) wird hier als Platzhalter für verschiedene Geschlechtsidentitäten verwendet, um die Inklusivität zu betonen und alle Geschlechter einzuschließen. Die Verwendung von »Leader*innen« ist Teil einer Bemühung, eine gendergerechte Sprache zu verwenden und sicherzustellen, dass sowohl Männer als auch Frauen und Personen mit anderen Geschlechtsidentitäten gleichermaßen angesprochen werden.

Learnings

»Learnings« ist ein Anglizismus, der im Deutschen verwendet wird und sich auf

Erkenntnisse, Erfahrungen oder Lerner-gebnisse bezieht, die aus einer bestimm-ten Aktivität oder einem bestimmten Prozess gewonnen wurden. Der Begriff wird oft in informellen Kontexten, wie beispielsweise in Besprechungen, Präsentationen oder Berichten, verwendet, um auf die Schlussfolgerungen oder Lehren aus einer Erfahrung hinzuweisen.

Lesson learned

»Lesson learned« ist ein englischer Ausdruck, der ins Deutsche mit »Lektion gelernt« übersetzt werden kann. Er wird häufig verwendet, um aus Erfahrungen zu lernen, insbesondere aus Fehlern oder Herausforderungen, die in der Vergangenheit aufgetreten sind. Wenn jemand sagt »Lesson learned«, drückt dies aus, dass er oder sie eine wichtige Erkenntnis oder Lehre aus einer bestimmten Situation gewonnen hat.

Live-Streaming-Plattform

Eine »Live-Streaming-Plattform« ist eine Online-Plattform, die es Benutzern ermöglicht, Livevideos in Echtzeit über das Internet zu übertragen und anzusehen. Auf solchen Plattformen können Nutzer ihre eigenen Liveübertragungen erstellen und mit einem breiten Publikum teilen. Gleichzeitig können Zuschauer in Echtzeit mit den Inhalten interagieren, beispielsweise durch Kommentare oder Likes.

Lost

»Lost« ist ein englisches Wort, das ins Deutsche mit »verloren« übersetzt wird. Es kann in verschiedenen Kontexten verwendet werden:

Physisch verloren: Zum Beispiel, wenn jemand einen Gegenstand nicht mehr findet oder wenn man sich in einer unbekannten Umgebung nicht zurechtfindet.

Emotional verloren: Dies kann auf ein Gefühl der Orientierungslosigkeit, Ver-wirrung oder Unsicherheit hindeuten, besonders in persönlichen oder zwischenmenschlichen Situationen.

Match

Das Wort »Match« kann verschiedene Bedeutungen haben, je nach dem Kontext. Hier sind einige mögliche Bedeutungen:

Sportliches Match: Ein sportliches Duell oder ein Wettbewerb zwischen zwei Teams oder Einzelpersonen wird als »Match« bezeichnet. Zum Beispiel ein Fußballmatch, ein Tennismatch oder ein Schachmatch.

Übereinstimmung: Der Begriff »Match« kann auch eine Übereinstimmung oder Entsprechung zwischen verschiedenen Dingen oder Personen bedeuten. Zum Beispiel kann es sich um ein »gutes Match« zwischen zwei Menschen handeln, was bedeutet, dass sie gut zueinander passen.

Medien-Bashing

»Medien-Bashing« ist ein Begriff aus dem Bereich der Medienkritik und bezieht sich auf eine tendenziell negative, oft überkritische oder herabsetzende Haltung gegenüber den Medien. Der Begriff setzt sich zusammen aus »Medien« (als Plural von Medium, also Informations- und Kommunikationsmittel) und »Bashing«, was soviel bedeutet wie Kritik, Angriff oder Niedermachen.

Medien-Bashing kann verschiedene Formen annehmen, darunter öffentliche Beschwerden über vermeintliche Voreingenommenheit, Ungenauigkeiten oder Sensationsjournalismus in den Medien. Es kann auch eine allgemeine Skepsis gegenüber Medieninhalten und eine Tendenz beinhalten, die Glaubwürdigkeit von Nachrichtenquellen zu hinterfragen.

Mental Load

»Mental Load« ist ein Begriff aus dem Französischen (»Charge mentale«) und bezeichnet die psychische Belastung oder geistige Last, die mit der Organisation und Verwaltung verschiedener Aspekte des täglichen Lebens verbunden ist. Diese Belastung betrifft oft vor allem Frauen und umfasst Aufgaben wie Planung, Organisation, Koordination und die Verwaltung von Haushalt und Familie.

Im Kontext von Beziehungen wird Mental Load häufig diskutiert, um auf das Ungleichgewicht hinzuweisen, bei dem eine Person, oft die Frau, die Verantwortung für viele unsichtbare oder nicht explizit zugewiesene Aufgaben trägt. Dazu gehören beispielsweise das Planen von Mahlzeiten, die Organisation von Kinderbetreuung, das Erinnern an Termine und vieles mehr.

Mentoring

»Mentoring« bezeichnet eine Form der persönlichen und beruflichen Unterstützung, bei der eine erfahrene Person, der Mentor oder die Mentorin, ihre Erfahrungen, Kenntnisse und Einblicke an eine weniger erfahrene Person, den Mentee oder die Mentee, weitergibt. Das Ziel des Mentoring ist die Förderung der persönlichen und beruflichen Entwicklung der Mentees.

Metaverse

Das »Metaverse« ist ein Begriff, der verschiedene virtuelle Welten und Realitäten beschreibt, die durch Computer generiert werden und von Benutzern bewohnt und erforscht werden können. Es ist eine erweiterte Form des Internets, die oft als eine immersive und gemeinsame digitale Umgebung dargestellt wird, in der Menschen interagieren, kommunizieren und digitale Erfahrungen teilen können.

Microblogs

»Microblogs« sind Online-Plattformen, auf denen Benutzer kurze Textnachrichten, oft in Form von Statusaktualisierungen oder Posts, veröffentlichen können.

Der Begriff »Micro« bezieht sich darauf, dass die Nachrichten in der Regel auf eine begrenzte Anzahl von Zeichen oder Wörtern beschränkt sind. Das bekannteste Beispiel für einen Microblogging-Dienst ist Twitter (heute X).

Millenials

»Millennials« ist eine Bezeichnung für die Generation, die im Zeitraum etwa zwischen den frühen 1980er- und Mitte der 1990er-Jahre geboren wurde. Es handelt sich um diejenigen, die die Jahrtausendwende erlebt haben, daher der Begriff Millennials. Diese Generation wird oft als technologieaffin, vielfältig und sozial engagiert beschrieben. Millennials sind in einer Zeit aufgewachsen, in der Technologie, insbesondere das Internet, einen bedeutenden Einfluss auf ihre Lebensweise hatte. Sie sind auch bekannt dafür, eine gewisse Skepsis gegenüber traditionellen Institutionen zu zeigen und Wert auf soziale Gerechtigkeit und Umweltbewusstsein zu legen. Es ist wichtig zu beachten, dass die genauen Geburtsjahre, die zur Definition der Millennials verwendet werden, variieren können, und es gibt unterschiedliche Auffassungen darüber, wann diese Generation genau beginnt und endet.

Mindset

»Mindset« ist ein Begriff, der die Denkweise, die Geisteshaltung oder die Einstellung einer Person beschreibt. Es bezieht sich auf die Art und Weise, wie jemand denkt, Herausforderungen angeht, mit Erfolgen und Misserfolgen umgeht und generell seine Sichtweise auf das Leben gestaltet.

Mix 'n' Match

»Mix 'n' Match« ist eine englische Redewendung, die wörtlich übersetzt so viel bedeutet wie »mischen und kombinieren« oder »zusammenstellen und kombinieren«. Im Allgemeinen wird dieser Ausdruck verwendet, um darauf hinzuweisen, dass verschiedene Elemente oder Teile auf flexible und kreative Weise kombiniert oder gemischt werden können. Dies kann in verschiedenen Kontexten auftreten, wie zum Beispiel bei der Zusammenstellung von Kleidung, beim Zusammenstellen von Menüoptionen, bei der Auswahl von Komponenten für technologische Systeme oder anderen kreativen Aktivitäten, bei denen Variation und Individualität gefördert werden.

Motivator

Ein »Motivator« ist eine Person, deren Hauptaufgabe darin besteht, andere zu inspirieren, zu ermutigen und zu motivieren. Motivatoren können in verschiedenen Kontexten auftreten, einschließlich beruflicher, persönlicher oder sportlicher Bereiche. Sie nutzen oft positive Botschaften, Coaching-Techniken und persönliche Beispiele, um Menschen dazu zu ermutigen, ihre Ziele zu verfolgen, Hindernisse zu überwinden und das Beste aus sich herauszuholen.

Netiquette

»Netiquette« ist ein Kofferwort, gebildet aus den Begriffen »Netz« und »Etikette«. Es beschreibt die Verhaltensregeln und Gepflogenheiten im Umgang mit anderen Menschen im Internet, insbesondere in sozialen Netzwerken, Foren, E-Mails und anderen Online-Kommunikationsplattformen.

Networking

»Networking« bezeichnet die gezielte Pflege von beruflichen oder sozialen Kontakten und Beziehungen, um von diesen Verbindungen zu profitieren. Dabei geht es darum, Beziehungen zu knüpfen, aufzubauen und zu pflegen, um berufliche Chancen zu erweitern, Informationen auszutauschen, Synergien zu schaffen oder geschäftliche Möglichkeiten zu erschließen.

New Work

»New Work« ist ein Konzept, das einen modernen Ansatz zur Gestaltung von Arbeitsumgebungen und Arbeitsweisen beschreibt. Es wurde geprägt und popularisiert vom österreichischen Sozialphilosophen und Managementberater Frithjof Bergmann. Der Begriff »New Work« wurde später vor allem durch den deutschen Unternehmer und Buchautor Prof. Dr. Fritz Reheis und den Gründer des Softwareunternehmens SAP, Hasso Plattner, weiterentwickelt.

NLP

NLP steht für »Natural Language Processing« (Natürliche Sprachverarbeitung) und bezeichnet ein Teilgebiet der künstlichen Intelligenz, das sich mit der Interaktion zwischen Computern und menschlicher Sprache befasst. Es umfasst Methoden und Technologien, die es Computern ermöglichen, menschliche Sprache zu verstehen, zu interpretieren, zu generieren und darauf zu reagieren.

Offboarding

»Offboarding« beschreibt den Prozess, bei dem ein Mitarbeiter ein Unternehmen verlässt. Es handelt sich um den Gegenpart zum »Onboarding«, dem Eingliederungsprozess neuer Mitarbeiter.

Offsite

»Offsite« ist ein Begriff, der sich auf Aktivitäten, Veranstaltungen oder Treffen außerhalb des regulären Standortes oder Büros eines Unternehmens bezieht. Das bedeutet, dass diese Aktivitäten nicht am gewohnten Arbeitsplatz stattfinden, sondern an einem externen Ort abgehalten werden.

Onboarding

»Onboarding« bezeichnet den Eingliederungsprozess neuer Mitarbeiter in ein Unternehmen. Ziel des Onboarding ist es, den neuen Mitarbeiter effektiv in die Unternehmenskultur einzuführen, ihm die notwendigen Informationen, Ressourcen und Fähigkeiten zu vermitteln und somit einen reibungslosen Start in die neue Position zu ermöglichen.

Passion meets Performance

»Passion meets Performance« könnte als Ausdruck verwendet werden, um die Kombination von Leidenschaft und Leistungsfähigkeit in einem bestimmten Kontext zu beschreiben.

People-first mentality

»People-first mentality« bedeutet übersetzt so viel wie »Menschen-zuerst-Mentalität« oder »Menschenorientierte Denkweise«. Dieser Begriff unterstreicht die Bedeutung, die auf die Interessen, Bedürfnisse und Wohlbefinden der Menschen gelegt wird, sei es in einem organisatorischen, unternehmerischen oder sozialen Kontext.

Personal Branding

»Personal Branding« bezeichnet die bewusste Entwicklung und Verwaltung einer individuellen Marke oder eines Images einer Person. Ähnlich wie bei der Markenbildung für Produkte oder Unternehmen geht es beim Personal Branding darum, das eigene Image, die Fähigkeiten, Erfahrungen und Werte strategisch zu gestalten, um eine positive Wahrnehmung bei anderen zu schaffen.

Personal Leading

Der Begriff »Personal Leading« ist nicht allgemein etabliert und kann in verschiedenen Kontexten unterschiedliche Bedeutungen haben. Ohne spezifischen Kontext könnte es sich auf verschiedene Aspekte der persönlichen Führung oder Leitung beziehen. Hier sind einige mögliche Interpretationen:

Persönliche Führung: »Personal Leading« könnte darauf hinweisen, dass jemand sich selbst in einer führenden Rolle sieht und sich bewusst in eine Führungsposition bringt, sei es in beruflichen oder persönlichen Angelegenheiten.

Selbstführung: Es könnte sich auf die Fähigkeit beziehen, sich selbst effektiv zu führen, die eigenen Ziele zu setzen, Selbstmotivation zu praktizieren und persönliche Entwicklung voranzutreiben.

Individuelle Führungskompetenzen: Der Begriff könnte auch darauf hindeuten, dass jemand daran arbeitet, seine individuellen Führungsfähigkeiten zu entwickeln und zu stärken, sei es im beruflichen Umfeld oder im Rahmen persönlicher Projekte.

Person of Color

»Person of Color« (Abkürzung: PoC) ist ein englischer Begriff, der ins Deutsche als »Person mit Rassismuserfahrung« übersetzt werden kann. Der Ausdruck wird verwendet, um Menschen zu beschreiben, die nicht weiß sind, insbesondere Menschen, die aufgrund ihrer Hautfarbe oder ethnischen Herkunft Diskriminierung oder Rassismus erfahren können.

Plattformmodifikationen

Der Begriff »Plattformmodifikationen« könnte verschiedene Bedeutungen haben, abhängig vom Kontext. Hier sind einige mögliche Interpretationen:

Softwareentwicklung: In der Softwareentwicklung könnte »Plattformmodifikationen« darauf hinweisen, dass Anpassungen oder Änderungen an einer bestimmten Plattform oder Software vorgenommen werden, um sie an spezifische Anforderungen oder Bedürfnisse anzupassen.

Technologie und Hardware: Im Kontext von Technologie und Hardware könnte der Begriff darauf hindeuten, dass Modifikationen oder Änderungen an einer bestimmten Plattform, wie zum Beispiel einem Computersystem oder einer elektronischen Plattform, vorgenommen werden, um sie zu optimieren oder zu verbessern.

Geschäftsplattformen: Im geschäftlichen Kontext könnte »Plattformmodifikationen« bedeuten, dass Anpassungen an einer Geschäftsplattform oder einem Geschäftsmodell vorgenommen werden, um besser auf Marktveränderungen, Kundenanforderungen oder andere Faktoren zu reagieren.

PlayTheHype

Zum Zeitpunkt meines letzten Wissens-Updates im Januar 2022 ist mir der Begriff »PlayTheHype« nicht bekannt. Es könnte sich um einen spezifischen Begriff, Namen, Titel oder Slogan handeln, der nach meinem letzten Update entstanden ist oder in einem bestimmten Kontext verwendet wird, den ich nicht abgedeckt habe.

Propper

Der Begriff »propper« ist eine umgangssprachliche Bezeichnung und wird oft verwendet, um auszudrücken, dass etwas ordentlich, angemessen oder korrekt ist. Es kann sich auf die äußere Erscheinung, das Verhalten oder andere Aspekte beziehen.

Psychohygiene

»Psychohygiene« bezieht sich auf Maßnahmen und Praktiken, die darauf abzielen, die psychische Gesundheit zu fördern und seelisches Wohlbefinden zu bewahren. Es handelt sich um einen Begriff aus dem Bereich der Psychologie und Psychotherapie, der darauf hinweist, dass ähnlich wie körperliche Hygiene, die die physische Gesundheit unterstützt, auch eine bewusste Pflege der psychischen Verfassung wichtig ist.

Purpose & Impact

»Purpose & Impact« könnte übersetzt werden als »Zweck und Auswirkung« oder »Zielsetzung und Wirkung«. Dieser Begriff wird oft im Kontext von Unternehmen, Organisationen oder persönlicher Entwicklung verwendet und betont die Bedeutung von klaren Zielen (Purpose) und deren tatsächlichen Wirkungen oder Auswirkungen (Impact).

Quid pro quo

»Quid pro quo« ist eine lateinische Phrase, die übersetzt so viel bedeutet wie »etwas für etwas« oder »eine Gegenleistung für etwas«. Im deutschen Sprachgebrauch wird oft der Ausdruck »Gegenleistung« verwendet, um die Bedeutung von »quid pro quo« zu erklären.

Reaction

»Reaction« bezieht sich auf die Art und Weise, wie jemand auf eine bestimmte Situation, Handlung oder einen Stimulus reagiert. Es kann sich um emotionale, physische oder verbale Antworten handeln. In verschiedenen Kontexten kann der Begriff unterschiedliche Bedeutungen haben. Zum Beispiel kann er/sie in sozialen Medien auch auf die Rückmeldungen und Interaktionen der Nutzer*innen mit Beiträgen oder Inhalten verweisen.

Recruiting

»Recruiting« ist ein Begriff aus dem Personalwesen, der sich auf den Prozess der Anwerbung oder Einstellung neuer Mitarbeitender für eine Organisation, ein Unternehmen oder eine bestimmte Position bezieht. Der Recruiting-Prozess umfasst in der Regel die Identifizierung von geeigneten Kandidat*innen, die Durchführung von Bewerbungsgesprächen, das Evaluieren von Qualifikationen und Fähigkeiten sowie die Auswahl der am besten geeigneten Kandidat*innen für die offene Stelle. Es ist ein wichtiger Teil des Personalmanagements und zielt darauf ab, qualifizierte und kompetente Mitarbeitende zu gewinnen, um die Anforderungen und Ziele des Unternehmens zu erfüllen.

Rekrutierungsprozess

Der »Rekrutierungsprozess« bezeichnet

den systematischen Ablauf, den ein Unternehmen oder eine Organisation verfolgt, um neue Mitarbeiter zu gewinnen und in seine Arbeitsstrukturen zu integrieren. Der Rekrutierungsprozess ist entscheidend, um sicherzustellen, dass die richtigen Mitarbeiter mit den passenden Qualifikationen und Fähigkeiten gefunden und in das Unternehmen integriert werden.

Remote Work

»Remote Work« bezieht sich auf die Arbeit, die außerhalb des traditionellen Büroumfelds stattfindet. Dabei können Mitarbeiter von einem Ort ihrer Wahl aus arbeiten, solange sie über die notwendige Infrastruktur wie Internetzugang, Computer und Kommunikationstools verfügen. Remote Work wird oft auch als »Telearbeit« oder »Heimarbeit« bezeichnet.

Reskillen

»Reskillen« ist ein Begriff, der sich auf den Prozess bezieht, bestehende Fähigkeiten zu aktualisieren oder neue Fähigkeiten zu erlernen, um den Anforderungen sich ändernder Arbeitsmärkte und Technologien gerecht zu werden. Der Begriff setzt sich aus den Wörtern »Reskilling« (Wissens- und Fähigkeitsanpassung) zusammen. Das Reskillen ist eine Reaktion auf den technologischen Fortschritt, auf Automatisierung und andere Veränderungen in der Arbeitswelt, die die Nachfrage nach bestimmten Fähigkeiten beeinflussen.

Reverse Mentoring

Beim »Reverse Mentoring« handelt es sich um eine Praxis, bei der traditionelle Rollen im Mentoring umgekehrt werden. Dabei übernimmt eine jüngere oder weniger erfahrene Person die Rolle des Mentors für eine ältere oder erfahrene Person. Dies ermöglicht es der älteren Generation, von der Expertise und dem Wissen der jüngeren Generation zu lernen, insbesondere in Bereichen wie Technologie, sozialen Trends oder neuen Arbeitsmethoden. Diese Form des Mentorings fördert den Wissensaustausch und den gegenseitigen Respekt zwischen verschiedenen Altersgruppen.

Reverse Leadership

»Reverse Leadership« bezieht sich auf eine Führungsphilosophie, bei der die herkömmliche Hierarchie umgekehrt wird. In dieser Form des Führungsansatzes können Mitarbeiter oder Teammitglieder, unabhängig von ihrer Position oder Erfahrung, die Rolle von Führungskräften übernehmen. Das bedeutet, dass auch Mitarbeiter ohne formelle Führungspositionen als »Führer« agieren können, indem sie Initiative ergreifen, Verantwortung übernehmen und das Team in bestimmten Situationen führen. Reverse Leadership fördert eine kollaborative Umgebung und ermöglicht es, dass Führung und Inspiration aus verschiedenen Ebenen und Perspektiven kommen.

Rush-Hour

»Rush-Hour« ist ein Begriff, der ursprünglich aus dem Englischen stammt und sich auf die Stoßzeiten im Straßenverkehr bezieht. Die Rush-Hour ist der Zeitraum am Morgen und am frühen Abend, während dem der Verkehr auf den Straßen besonders stark und dicht ist, da viele Menschen zur Arbeit pendeln oder von der Arbeit nach Hause fahren. Während der Rush-Hour sind die Straßen oft überlastet, es kommt zu Staus und die Fortbewegung kann zeitaufwendig sein.

Same procedure as every time

»Same procedure as every time« ist eine Wendung aus dem Englischen, die im Deutschen als »Gleiche Prozedur wie jedes Mal« übersetzt wird. Diese Redewendung stammt aus dem Sketch »Dinner for One«, einem britischen Comedy-Sketch, der in Deutschland besonders zu

Silvester populär ist. In dem Sketch spielt eine ältere Dame namens Miss Sophie die Hauptrolle, die ihren 90. Geburtstag feiert. Da ihre Freunde bereits verstorben sind, bedient der Diener James alle Gäste, indem er die Rollen der Freunde übernimmt. Bei jedem Gang des Dinners tritt James in eine banale, wiederholte Situation, und Miss Sophie erinnert ihn mit der Phrase »Same procedure as every year« daran, dass er die Rollen ihrer verstorbenen Freunde übernehmen soll.

Shadow Board

Ein »Shadow Board« bezieht sich auf eine Gruppe von Personen, die informell oder inoffiziell die Funktionen eines offiziellen Gremiums oder Vorstands nachahmen oder imitieren. Dies kann beispielsweise in Unternehmen der Fall sein, in denen Mitarbeiter oder Interessenvertreter eine informelle Gruppe bilden, um Vorschläge zu machen, Feedback zu geben oder alternative Perspektiven zu präsentieren.

Shitstorm

»Shitstorm« ist ein Begriff aus der Umgangssprache, der ursprünglich aus dem Englischen übernommen wurde. Er bezeichnet eine plötzliche und heftige Welle von öffentlicher Empörung, Kritik oder negativen Kommentaren in sozialen Medien oder anderen Online-Plattformen. Ein Shitstorm kann sich gegen eine Person, eine Organisation, eine Marke oder ein bestimmtes Thema richten.

Skill Gaps

»Skill Gaps« bezieht sich auf die Lücken oder Unterschiede in den Fähigkeiten (Skills) zwischen den Anforderungen des Arbeitsmarktes und den vorhandenen Fähigkeiten von Arbeitskräften. Diese Lücken entstehen, wenn die benötigten Fähigkeiten in der Wirtschaft sich ändern oder weiterentwickeln, aber die vorhandenen Fähigkeiten der Arbeitskräfte nicht entsprechend angepasst werden.

Slacker

»Slacker« ist ein englischer Begriff, der wörtlich mit »Drückeberger« oder »Taugenichts« übersetzt werden kann. Ein »Slacker« ist jemand, der es vermeidet, hart zu arbeiten oder sich anzustrengen, insbesondere in Bezug auf berufliche Verpflichtungen oder Aufgaben. Der Begriff wird oft verwendet, um jemanden zu beschreiben, der faul ist, wenig Interesse an produktiver Arbeit zeigt oder nachlässig in Bezug auf Verantwortlichkeiten ist.

Sleek

»Sleek« ist ein englischer Begriff, der oft verwendet wird, um etwas als glatt, elegant und modern zu beschreiben. Insbesondere wird er im Zusammenhang mit Design verwendet, um eine saubere, minimalistische Ästhetik zu beschreiben, die durch eine geschmeidige Oberfläche und klare Linien gekennzeichnet ist. In der Mode kann »sleek« sich auf einen schlanken und eleganten Stil beziehen, während in der Technologiebranche »sleek« verwendet wird, um Geräte oder Produkte zu beschreiben, die eine schlanke, minimalistische und ansprechende Erscheinung haben.

Smash

Allgemein (Umgangssprache): »Smash« wird auch informell verwendet, um das Zerstören oder Zerschlagen von etwas zu beschreiben. Zum Beispiel kann jemand sagen, er/sie wolle eine Tasse »smashen«, wenn er/sie die Tasse zerbrechen möchte.

Sneak

Der Begriff »Sneak« kann sich auch auf das »Schleichen« oder »heimliche Vorgehen« beziehen, wenn er als Verb verwendet wird. Zum Beispiel könnte jemand sagen: »Ich werde mich leise anschleichen« oder »Ich werde versuchen, mich zu sneaken«, um auszudrücken, dass er sich unbemerkt annähern möchte.

Social Impact-Initiative

»Social Impact-Initiative« bezieht sich auf eine soziale Initiative oder Maßnahme, die darauf abzielt, positive Veränderungen in der Gesellschaft herbeizuführen. Dies kann durch verschiedene Aktivitäten und Projekte geschehen, die auf soziale, ökologische oder gemeinnützige Ziele ausgerichtet sind. Eine Social Impact-Initiative wird typischerweise von Organisationen, Unternehmen oder Einzelpersonen ins Leben gerufen, um einen Beitrag zur Lösung von gesellschaftlichen Herausforderungen zu leisten.

Social Listening

»Social Listening« (auf Deutsch auch als »Social Media Monitoring« oder »Soziales Zuhören« übersetzt) bezieht sich auf die systematische Überwachung und Auswertung von Inhalten und Gesprächen in sozialen Medien. Unternehmen, Organisationen oder Individuen setzen Social Listening ein, um Einblicke in Meinungen, Trends, Erwähnungen und Stimmungen in Bezug auf bestimmte Marken, Produkte, Themen oder Branchen zu erhalten.

Die Praxis des Social Listening umfasst das Verfolgen von Erwähnungen von Schlüsselwörtern, Markennamen oder relevanten Themen in sozialen Medienplattformen wie Facebook, X, Instagram oder LinkedIn. Dabei werden spezielle Tools und Analysesysteme verwendet, um die Daten zu sammeln, zu filtern und zu interpretieren.

Social Networking

»Social Networking« (auf Deutsch auch »Soziales Netzwerken«) bezieht sich auf die Nutzung von Online-Plattformen und -Diensten, um digitale Beziehungen zu knüpfen, zu pflegen und Informationen auszutauschen. Diese Plattformen ermöglichen es Benutzer*innen, Profile zu erstellen, mit anderen Nutzer*innen zu interagieren, Inhalte zu teilen und Verbindungen zu knüpfen.

Solo-Entrepreneurin

Eine »Solo-Entrepreneurin« ist eine weibliche Einzelunternehmerin oder Selbstständige. Der Begriff bezieht sich auf eine Frau, die ein eigenes Unternehmen gründet, führt und betreibt, in der Regel ohne fest angestellte Mitarbeitende. Sie trägt die Verantwortung für sämtliche Aspekte ihres Geschäfts, von der Planung über die Umsetzung bis hin zum Management.

Spammy

»Spammy« ist ein umgangssprachlicher Ausdruck, der auf Deutsch als »spamartig« oder »spamähnlich« übersetzt werden kann. Der Begriff wird verwendet, um auf Inhalte, Nachrichten, E-Mails oder Verhaltensweisen hinzuweisen, die als störend, aufdringlich oder als unerwünschte Massenwerbung wahrgenommen werden.

Sparringspartner*innen

»Sparringspartner*innen« bezieht sich auf Personen, die gemeinsam in einem informellen oder formellen Kontext trainieren, um ihre Fähigkeiten, Ideen oder Argumente zu verbessern. Der Begriff stammt ursprünglich aus dem Sport, insbesondere dem Boxen, wo Sparring eine Übung ist, bei der zwei Athleten miteinander trainieren, um ihre Techniken zu schärfen.

Im übertragenen Sinne wird der Begriff »Sparringspartner*innen« in verschiedenen Kontexten verwendet, darunter auch im Geschäfts- oder beruflichen Umfeld. Hierbei handelt es sich um Personen, die sich gegenseitig unterstützen, um ihre Fähigkeiten zu entwickeln, innovative Ideen zu fördern oder sich auf bestimmte Herausforderungen vorzubereiten.

Stakeholder*innen

»Stakeholder*innen« ist ein Begriff, der in verschiedenen Kontexten verwendet wird, um Personen oder Gruppen zu beschreiben, die direkt oder indirekt von den Aktivitäten und Entscheidungen einer Organisation, eines Unternehmens oder eines Projekts betroffen sind oder Einfluss darauf haben.

Stressor

Ein »Stressor« ist ein Begriff aus der Psychologie und bezeichnet eine äußere oder innere Situation, die Stress auslösen kann. Ein Stressor ist somit ein Reiz oder eine Belastung, die eine Stressreaktion im Körper hervorrufen können. Stressoren können verschiedene Formen annehmen und von Person zu Person unterschiedlich sein.

Switch

Der Begriff »Switch« kann in verschiedenen Kontexten unterschiedliche Bedeutungen haben. Hier sind einige mögliche Definitionen:
Elektronischer Schalter: Ein »Switch« ist ein elektronisches Bauteil, das in der Lage ist, einen elektrischen Stromkreis zu öffnen oder zu schließen. In der Computertechnologie wird der Begriff oft für Netzwerk-Switches verwendet, die Datenpakete in einem lokalen Netzwerk weiterleiten.
Wechsel, Umschalten: In einem allgemeineren Sinne kann »Switch« auch als Verb verwendet werden, um das Wechseln oder Umschalten von einem Zustand oder einer Tätigkeit zu einem/einer anderen zu beschreiben. Zum Beispiel könnte man sagen: »Ich werde den Schalter umlegen«, und damit ausdrücken, dass man von einer Aktivität zur nächsten wechselt.

Teamwork makes the Dreamwork

»Teamwork makes the Dreamwork« ist eine englische Redewendung, die ins Deutsche mit »Gemeinschaftsarbeit macht den Traum wahr« übersetzt werden kann. Diese Aussage betont die Bedeutung von Teamarbeit und Zusammenarbeit, um gemeinsame Ziele zu erreichen oder Erfolg zu haben.

Tech Savvy Mindset

»Tech Savvy Mindset« lässt sich ins Deutsche mit »Technikaffine Denkweise« übersetzen. Dabei bezieht sich »Tech Savvy« auf Personen, die über ein fortgeschrittenes Verständnis und eine Affinität zu modernen Technologien verfügen. Das »Mindset« bezieht sich auf die Grundhaltung oder die Art des Denkens.
Ein »Tech Savvy Mindset« beschreibt also eine Denkweise, die von einem starken Interesse und einer Fähigkeit geprägt ist, moderne Technologien zu verstehen, zu nutzen und sich an neue Entwicklungen anzupassen. Diese Haltung kann in verschiedenen Kontexten auftreten, sei es im beruflichen Umfeld, im Bildungsbereich oder im persönlichen Leben.

To be in the dark

Die englische Redewendung »To be in the dark« kann ins Deutsche mit »Im Dunkeln stehen« übersetzt werden. Diese Redewendung wird verwendet, um auszudrücken, dass jemand keine Informationen über etwas hat oder nicht informiert ist. Wenn jemand »im Dunkeln steht«, bedeutet dies, dass er nicht über die aktuellen Entwicklungen oder Details Bescheid weiß.

To-dos

»To-dos« ist eine informelle Abkürzung des englischen Begriffs »To-do-List«, was auf Deutsch so viel bedeutet wie »Aufgabenliste« oder »Aufgabenplan«. Eine To-do-Liste ist eine Zusammenstellung von Aufgaben oder Aktivitäten, die eine Person erledigen möchte. Die Liste dient dazu, den Überblick über anstehende Aufgaben zu behalten, Prioritäten zu setzen und sicherzustellen, dass nichts Wichtiges vergessen wird. »To-dos« werden oft in verschiedenen Lebensbereichen verwendet, sei es im Beruf, im Studium oder im privaten Alltag. Sie können von handgeschriebenen Listen bis hin zu digitalen

Tools reichen, die dabei helfen, Aufgaben zu organisieren und zu verfolgen.

Tool-Koffer

»Tool-Koffer« (»Werkzeugkoffer«) bezieht sich im übertragenen Sinne auf eine Sammlung von verschiedenen Werkzeugen oder Ressourcen, die für bestimmte Aufgaben oder Tätigkeiten benötigt werden. Der Begriff wird oft metaphorisch verwendet, um eine Vielzahl von Fähigkeiten, Strategien oder Instrumenten zu beschreiben, die in einem bestimmten Kontext nützlich oder notwendig sind.

Trend Matching

»Trend Matching« (auf Deutsch auch als »Trendanpassung« bezeichnet) bezieht sich auf die Praxis, aktuelle Trends oder Entwicklungen zu identifizieren und darauf basierend entsprechende Anpassungen vorzunehmen. Dieser Begriff wird oft in verschiedenen Kontexten verwendet, wie beispielsweise in der Wirtschaft, Mode, Technologie oder anderen Bereichen, in denen Trends eine wichtige Rolle spielen.

Unconscious bias

»Unconscious bias« wird ins Deutsche mit »Unbewusste Voreingenommenheit« übersetzt. Es bezieht sich auf Vorurteile oder Voreingenommenheiten, die Menschen gegenüber anderen haben, ohne dass sie sich dessen bewusst sind oder diese Absichtlich pflegen. Diese unbewussten Voreingenommenheiten können auf Stereotypen, kulturellen Prägungen oder sozialen Normen basieren und beeinflussen oft unbeabsichtigt Entscheidungen, Bewertungen und Interaktionen.

Unique Selling Proposition

Die »Unique Selling Proposition« (USP) wird mit »Alleinstellungsmerkmal« oder »Einzigartiges Verkaufsargument« übersetzt. Es handelt sich um ein Marketingkonzept, das darauf abzielt, ein herausragendes und einzigartiges Merkmal eines Produkts, einer Dienstleistung oder einer Marke zu betonen, um sich von der Konkurrenz abzuheben und die Aufmerksamkeit der Zielgruppe zu gewinnen.

Unique Value Proposition

»Unique Value Proposition« (UVP) wird ins Deutsche mit »Einzigartiges Wertversprechen« übersetzt. Ähnlich wie die Unique Selling Proposition (Alleinstellungsmerkmal) bezieht sich die Unique Value Proposition auf einen einzigartigen Wert oder Nutzen, den ein Produkt, eine Dienstleistung oder Marke bietet.

Upskillen

»Upskillen« ist ein Begriff, der sich auf den Prozess bezieht, die Fähigkeiten und Qualifikationen einer Person zu verbessern oder zu erweitern. Es beinhaltet die gezielte Weiterentwicklung von Kompetenzen, um mit den sich ändernden Anforderungen des Arbeitsmarktes oder neuen Technologien Schritt zu halten.

Warehouse

Ein »Warehouse« ist auf Deutsch ein »Lager« oder eine »Lagerhalle«. Es handelt sich um einen Ort, an dem Güter, Produkte oder Waren für einen bestimmten Zeitraum gelagert werden, bevor sie weitertransportiert, verkauft oder anderweitig verwendet werden. Lagerhäuser sind in der Logistik und im Handel wichtige Einrichtungen, um einen effizienten Warenfluss sicherzustellen.

WOL Circle

»WOL Circle« steht für »Working Out Loud Circle« und kann im Deutschen als »Kreis des offenen Arbeitens« bezeichnet werden. Working Out Loud ist eine Methode der Zusammenarbeit und des Wissensaustauschs, die darauf abzielt, die Vernetzung, Transparenz und Zusammenarbeit in Unternehmen zu fördern.

Ein WOL Circle ist eine Gruppe von Menschen, die sich regelmäßig trifft, um die

Prinzipien des Working Out Loud zu praktizieren. In einem WOL Circle teilen die Teilnehmer ihre individuellen beruflichen Ziele, Fortschritte und Herausforderungen auf transparente Weise mit der Gruppe. Die Idee ist, voneinander zu lernen, sich zu unterstützen und das berufliche Netzwerk zu stärken.

Workaholic

»Workaholic« ist ein englischer Begriff, der auch im Deutschen verwendet wird. Er setzt sich zusammen aus den englischen Wörtern »work« (Arbeit) und »alcoholic« (alkoholabhängig) und beschreibt eine Person, die süchtig nach Arbeit ist oder übermäßig viel Zeit und Energie in ihre beruflichen Aktivitäten investiert. Ein Workaholic neigt dazu, seine beruflichen Verpflichtungen übermäßig ernst zu nehmen, und vernachlässigt möglicherweise andere Lebensbereiche wie Freizeit, Familie oder Gesundheit. Der Begriff kann neutral oder kritisch verwendet werden. Einmal als Ausdruck von Engagement und Hingabe an ihre Arbeit, einmal, um ein ungesundes Arbeitsverhalten zu kennzeichnen, das zu Erschöpfung und Burn-out führen kann.

Work-Life-Balance

Work-Life-Balance bezieht sich auf das Gleichgewicht zwischen Berufs- und Privatleben einer Person. Es geht darum, eine gesunde und harmonische Aufteilung zwischen Arbeitszeit und persönlicher Zeit zu finden, um sowohl im Beruf als auch im Privatleben erfolgreich und zufrieden zu sein.

YOLO

»YOLO« ist nur eine flapsige Abkürzung für das Sprichwort »You only live once« (Du lebst nur ein Mal). Dahinter steckt die Auffassung, dass man so viel Spaß wie möglich haben und auch ruhig mal etwas riskieren sollte, weil man sonst etwas versäumt

Your network is your net worth

»Your network is your net worth« könnte mit »Dein Netzwerk ist dein Vermögen« übersetzt werden. Diese Aussage betont die Bedeutung von beruflichen oder persönlichen Netzwerken und deren Einfluss auf den eigenen Wert oder Erfolg. Die Idee ist, dass Qualität und Größe des persönlichen Netzwerks einen erheblichen Einfluss haben können, welche Chancen sich im beruflichen oder persönlichen Leben ergeben. Ein umfangreiches und unterstützendes Netzwerk kann dazu beitragen, Wissen zu teilen, berufliche Möglichkeiten zu schaffen, den Zugang zu Ressourcen zu erleichtern und letztendlich den eigenen Wert zu steigern.

Zoomer

Der Begriff »Zoomer« ist eine informelle Bezeichnung, die in den letzten Jahren in Bezug auf eine bestimmte Generation junger Menschen verwendet wurde. Der Begriff steht oft in Kontrast zu »Boomer«, einer informellen Bezeichnung für Mitglieder der sogenannten Babyboomer-Generation, die in der Nachkriegszeit bis etwa Mitte der 1960er-Jahre geboren wurden. »Zoomer« wird verwendet, um diejenigen anzusprechen, die zur Generation Z gehören. Die Generation Z umfasst in etwa diejenigen, die in den späten 1990er- bis frühen 2010er-Jahren geboren wurden. Der Begriff »Zoomer« kann auf die Idee hinweisen, dass Mitglieder dieser Generation in einer Welt aufgewachsen sind, in der digitale Technologien, insbesondere das Internet und Videokonferenz-Plattformen wie »Zoom«, eine bedeutende Rolle spielen.

Dank

Liebe Leserinnen und Leser,

mit tiefer Dankbarkeit wende ich mich an Sie, um meine Gefühle der Anerkennung und Wertschätzung auszudrücken. Dieses Buch ist nicht nur das Ergebnis meiner eigenen Reise, sondern auch das Produkt der Unterstützung und Inspiration vieler Menschen, die meinen Weg gekreuzt haben. Es ist eine Geschichte über die Vielfalt des Lebens, über Widerstandsfähigkeit, Selbstvertrauen und den Glauben, dass wir alle, unabhängig von unserem Alter, einen wertvollen Beitrag zu dieser Welt leisten können.

Zuerst möchte ich meiner Familie danken, meiner Mutter und meinen Geschwistern, die mich in den Anfangsjahren meines Lebens begleitet haben. Eure Liebe, Unterstützung und Opferbereitschaft haben mir die Stärke gegeben, mich in der Welt zurechtzufinden und meine Träume zu verfolgen. Besonderer Dank gilt meiner Mutter, die nicht nur für mich, sondern für die ganze Familie Steine aus dem Weg geräumt und uns gezeigt hat, dass wir gemeinsam alles überwinden können. Ein herzliches Dankeschön geht an meine Freund*innen, Weggefährt*innen und Leidensgenoss*innen, die immer an meiner Seite waren. Eure Freundschaft und Unterstützung haben nicht nur die schwierigen Zeiten erträglicher gemacht, sondern auch die freudigen Momente noch kostbarer.

Mein aufrichtiger Dank gilt auch den vielen Menschen, die mir im Laufe meines beruflichen Werdegangs begegnet sind. Von den ersten Jobs als Erdbeer- und Kirschpflückerin bis zu meinen Tätigkeiten in namhaften Unternehmen – jede Erfahrung hat mich geprägt und mich gelehrt, hart zu arbeiten und an meine Träume zu glauben. Besonders möchte ich den Menschen danken, die mir die Möglichkeit gegeben haben, mich weiterzuentwickeln und meinen Weg als MBA-Dozentin zu gehen.

Meine tiefe Dankbarkeit gilt auch den zahlreichen Expert*innen, die bereit waren, ihr Wissen und ihre Perspektiven mit mir zu teilen. Die

Interviews und Gespräche haben mein Verständnis für die Herausforderungen der Altersdiversität erweitert und mir wertvolle Einblicke in unterschiedliche Branchen gegeben.

Ein spezieller Dank geht an die Leser*innen, die meine Botschaft aufgenommen haben. Eure Reaktionen, Rückmeldungen und Diskussionen haben mir gezeigt, dass vielen die Themen der Altersdiversität und -diskriminierung am Herzen liegen. Es erfüllt mich mit Freude, dass dieses Buch auch als Anstoß für Diskussionen und Veränderungen betrachtet wird.

Ich habe bewusst an dieser Stelle darauf verzichtet, Namen zu nennen, da ich niemanden vergessen möchte, und jede Person, die mir am Herzen liegt, weiß es hoffentlich durch mich persönlich. Das beliebte Kindermädchen Mary Poppins sagte einmal: »Man ist immer so alt, wie man sich fühlt, denn das Alter ist nur eine Zahl.« Also vergiss nicht »YOLO«, die Abkürzung für das Sprichwort: »Du lebst nur ein Mal«.

Wenn ich in Großbritannien oder Frankreich Verwandte besuche, die viel stärker in ihrer Black Community aufwachsen und leben, werde ich oft gefragt: »Wie, Irène, du arbeitest mit solch namhaften Unternehmen zusammen, Deutschland gibt dir diese Chance?« Ja, Deutschland gibt mir diese Chance, ich bin dankbar dafür, habe darum auch gekämpft und mit Sicherheit geht diesbezüglich noch viel, viel mehr. Aber wie wunderbar wäre es, wenn es demnächst über mein Land heißen würde: Alter spielt dort keine Rolle. Du bist mehr als eine Zahl.

Abschließend danke ich all jenen, die aktiv an der Gestaltung dieses Buches beteiligt waren – sei es durch konstruktive Kritik, fachliche Beratung oder redaktionelle Unterstützung. Ihr habt dazu beigetragen, dass dieses Buch nicht nur meine Geschichte, sondern auch die Geschichten vieler anderer Menschen erzählt. Ich fühle mich mehr als gesegnet und wie ein Glückskind.

In großer Dankbarkeit
Irène Kilubi

Alle Mitwirkenden in diesem Buch

(in alphabetischer Reihenfolge)

Addison, Nana
Adenau, Gerda-Marie
Allmers, Swantje
Amin, Amesteris
Arat, Marisa

Barner, Anastasia
Barthel, Margit
Bath, Johanna
Bechthold, Laura Aline
Behrends, Carina
Bergler, Maria
Bührlen, Brigitte
Buthmann, Benjamin

Cremer, Kira Marie

Dippold, Daniel

Ebeling, Ronja
Effer, Victoria
Emmerich, Sarah
Erasmus, Kathrin
Eßer, Angelina

Förster, Anja
Freudenberg, Julia

Gabat, Selena
Gabel, Tim
Gaida, Roman
Gales, Alina
Gdamsi, Amir
Ghazi, Mona
Grohnert, Ana-Cristina

Habich, Jörg
Hara, Lunia

Hardenberg, Franziska von
Härlin, Markus
Heckel, Margaret
Heinisch, Neil
Heller, Viola
Hildebrandt, Christina
Hirche, Dagmar
Hoffner, Natascha
Hofmann, Madeleine

Imdahl, Ines

Jaap, Michaela
Jäger, Dominique
Jung, Daniel

Kahle, Julia
Kallweit, Daniela
Kappe, Niko
Kast, Rudolf
Kiel, Tatjana
Klemmer, Max
Koch, Leonie
Krentz, Katharina

Lindberg, Sven
Linke, Janna

Mahlodji, Ali
Maier, Astrid
Malkwitz, Kai
Martini, Mareike
Mathieu, Denise
Mühlenweg, Maria
Naegele, Laura
Nguyen, Toan

Obama, Auma

Post, Julia
Preußen, Paul Wilhelm von

Radde, Björn
Redmann, Katrin
Reit, Dina
Rickert, Andreas
Roloff, Sebastian

Sattelberger, Thomas
Scharpen, Sabrina
Schelp, Priscilla
Schild, Philipp
Schlegtendal, Carolin
Schmitt, Jürgen
Schneevoigt, Vera
Seiffert, Birte
Sittler, Loring
Soei-Winkels, Eleonore
Stepper, John
Stroblja, Pavlo

Ternès von Hattburg, Anabel
Theiner, Werner
Tomoski, Robert
Trunk, Mirijam

Umrik, Anastasia
Usifo, Simon

Velbinger, Chris
Vollhase, Gazelle
Voß, Eva

Wagner, Dagmar
Walther, Ferdinand
Weber, Anna
Wilke, Gülsah
Wolf, Elke

Zimmer, Vincent

Du möchtest mehr über
JOINT GENERATIONS
und meine Aktivitäten
erfahren?

Dann besuche uns hier:
www.jointgenerations.com

Hier findest du uns auch:
LinkedIn, Instagram, Xing,
Threads und TikTok